TRADUCTION
dirigée par
Donald Smith

La Vallée
Arc-en-ciel

Du même auteur

Anne of Green Gables, L. C. Page, 1908.
Anne of Avonlea, L. C. Page, 1909.
Kilmeny of the Orchard, L. C. Page, 1910.
The Story Girl, L. C. Page, 1911.
Chronicles of Avonlea, L. C. Page, 1912.
The Golden Road, L. C. Page, 1913.
Anne of the Island, L. C. Page, 1915.
The Watchman and other poems, McClelland and Stewart, 1916.
Anne's House of Dreams, McClelland and Stewart, 1917.
Rainbow Valley, McClelland and Stewart, 1919.
Rilla of Ingleside, McClelland and Stewart, 1920.
Further Chronicles of Avonlea, L.C. Page, 1920.
Emily of New Moon, McClelland and Stewart, 1923.
Emily Climbs, McClelland and Stewart, 1925.
The Blue Castle, McClelland and Stewart, 1926.
Emily's Quest, McClelland and Stewart, 1927.
Magic for Marigold, McClelland and Stewart, 1929.
A Tangled Web, McClelland and Stewart, 1931.
Pat of Silver Bush, McClelland and Stewart, 1933.
Mistress Pat, McClelland and Stewart, 1935.
Anne of Windy Poplars, McClelland and Stewart, 1936.
Jane of Lantern Hill, McClelland and Stewart, 1937.
Anne of Ingleside, McClelland and Stewart, 1939.
The Green Gables Letters from Lucy Maud Montgomery to Ephraim Weber, Ryerson, 1960.
The Road to Yesterday, McGraw-Hill Ryerson, 1974.
Alpine Path: The Story of my Career, Fitzhenry and Whiteside, 1975.
The Doctor's Sweetheart and other stories, McGraw-Hill Ryerson, 1979.
My Dear Mr. M., McGraw-Hill Ryerson, 1980.
The Selected Journals of Lucy Maud Montgomery, Oxford University Press, 1985 (vol. 1), 1987 (vol. 2).
The Poetry of Lucy Maud Montgomery, Fitzhenry and Whiteside, 1987.
Akin to Anne, McClelland and Stewart, 1988.
Along the Shore, McClelland and Stewart, 1989.
Among the Shadows, McClelland and Stewart, 1990.

EN FRANÇAIS CHEZ QUÉBEC/AMÉRIQUE

Anne... La Maison aux pignons verts, 1986.
Anne d'Avonlea, 1988.
Anne quitte son île, 1988.
Anne au Domaine des Peupliers, 1989.
Anne dans sa maison de rêve, 1990.
Anne d'Ingleside, 1990.
Sur le rivage, 1990.

La Vallée Arc-en-ciel

LUCY MAUD MONTGOMERY

roman

**TRADUIT DE L'ANGLAIS PAR
HÉLÈNE RIOUX**

ÉDITIONS QUÉBEC/AMÉRIQUE

425, RUE SAINT-JEAN-BAPTISTE, MONTRÉAL, QUÉBEC H2Y 2Z7 (514) 393-1450

Nous tenons à remercier le Conseil des Arts du Canada pour son aide à la traduction.

Données de catalogage avant publication (Canada)

Montgomery, L. M. (Lucy Maud) , 1874-1942

[Rainbow Valley. Français]

La vallée Arc-en-ciel

(Collection Littérature d'Amérique. Traduction)
Traduction de: Rainbow Valley.
Pour les jeunes.

ISBN 2-89037-529-3

I. Titre. II. Titre: Rainbow Valley. Français. III. Collection.

PS8526.O55R3414 1991   jC813'.52   C91-096316-9
PS9526.O55R3414 1991
PR9199.3.M66R3414 1991

Titre original:
Rainbow Valley
Première édition au Canada:
McClelland & Stewart, 1919
Traduction © 1991 Ruth Macdonald,
John G. McClelland and David Macdonald.

Édition française au Canada:
Les Éditions Québec/Amérique inc.

Dépôt légal:
2e trimestre 1991
Bibliothèque nationale du Québec
Bibliothèque nationale du Canada

Montage: Andréa Joseph

À la mémoire de Goldwin Lapp, Robert Brookes et Morley Shier qui ont fait le sacrifice suprême afin d'assurer que les vallées heureuses de leur pays natal puissent être protégées des ravages de l'envahisseur.

La traductrice remercie Yves Gauthier pour son aide.

1

De retour chez soi

Limpide était ce soir de mai vert pomme et les nuages d'or se miraient à l'ouest entre les grèves doucement assombries du port de Four Winds. La mer gémissait de façon inquiétante sur la barre de sable, empreinte de tristesse même au printemps, mais une brise légère et joviale sifflotait sur la route du port où la silhouette robuste de Mlle Cornelia avançait vers le village de Glen St. Mary. Mlle Cornelia était plus précisément Mme Marshall Elliott, et elle l'était depuis treize ans, mais même encore, la plupart des gens préféraient la désigner sous le nom de Mlle Cornelia. L'ancien nom était cher à ses vieux amis; une seule personne refusait obstinément de continuer à l'utiliser. Susan Baker, la grise, mélancolique et fidèle servante de la famille Blythe à Ingleside, ne perdait jamais une occasion de l'appeler «Mme Marshall Elliott», en insistant de la façon la plus horripilante, la plus lourde de sens, comme pour dire: «Madame tu as voulu être et Madame tu seras, je t'en passe un papier.»

Mlle Cornelia se rendait à Ingleside voir le D^r et Mme Blythe qui arrivaient d'Europe. Ils avaient été absents trois mois, étant partis en février pour assister à un fameux congrès médical à Londres; et certaines choses, dont Mlle Cornelia avait hâte de discuter, s'étaient produites au Glen durant leur absence. Entre autres, une nouvelle famille s'était installée au presbytère. Et quelle famille! Mlle Cornelia secoua plusieurs fois la tête en y songeant et continua à marcher d'un pas vif.

Susan Baker et Anne Shirley, aussi pimpante qu'autrefois, la virent arriver; elles étaient assises sur la véranda d'Ingleside, savourant le charme de la brunante, le gazouillis mélodieux d'indolents rouges-gorges dans les érables éclairés par la lune et le ballet d'un groupe de jonquilles se balançant dans la brise contre le vieux muret de briques rouges de la pelouse.

Anne était assise sur les marches, les mains croisées sur un genou, paraissant, dans le doux crépuscule, aussi jeune que pouvait le paraître une mère de famille nombreuse; et les beaux yeux gris vert, qui contemplaient la route du port, scintillaient et rêvaient comme toujours. Derrière elle, Rilla Blythe, une petite créature grassouillette de six ans, la plus jeune de la famille, était blottie dans le hamac. Elle avait les cheveux roux et bouclés et des yeux noisette à présent plissés comiquement; Rilla faisait toujours cette mimique lorsqu'elle avait sommeil.

Shirley, le «petit garçon brun», était endormi dans les bras de Susan. Il avait les yeux et les cheveux bruns, la peau basanée et les joues très roses; c'était le favori de Susan. Après sa naissance, Anne avait été très malade et Susan s'était occupée du bébé avec une tendresse passionnée qu'aucun des autres enfants, pourtant chers à son cœur, n'avait jamais suscitée. Le Dr Blythe avait déclaré que si ce n'avait été d'elle, l'enfant n'aurait pas survécu.

«J'lui ai donné la vie tout autant que vous, chère Mme Docteur, avait coutume de dire Susan. C'est autant mon bébé que le vôtre.» Et en vérité, c'était toujours par Susan que Shirley allait se faire embrasser quand il s'était fait mal, bercer pour s'endormir, et protéger de fessées bien méritées. Si Susan avait consciencieusement tapé tous les autres enfants Blythe quand elle croyait que c'était nécessaire pour le salut de leur âme, jamais elle n'aurait levé la main sur Shirley ni permis à sa mère de le faire. Le Dr Blythe s'y était risqué une fois, provoquant l'indignation de Susan.

«Cet homme frapperait un ange, chère Mme Docteur, voilà jusqu'où il irait», avait-elle déclaré avec amertume; et le pauvre docteur avait dû se passer de tartes pendant des semaines.

Ayant amené Shirley avec elle chez son frère pendant l'absence de ses parents alors que les autres enfants étaient allés à Avonlea, Susan l'avait eu pour elle toute seule pendant trois mois bénis. Elle était néanmoins très contente de se retrouver à Ingleside, entourée de tous ceux qu'elle aimait. Ingleside était son monde et elle y était la souveraine incontestée. Même Anne mettait rarement ses décisions en question, malgré la réprobation de Mme Rachel Lynde des Pignons verts qui, chaque fois qu'elle allait à Four Winds, lui prédisait sombrement qu'elle se repentirait de laisser Susan se comporter en maîtresse des lieux.

«Voilà Cornelia Bryant qui arrive par la route du port, chère Mme Docteur, annonça Susan. Elle va décharger sur nous les potins des trois derniers mois.»

«Je l'espère bien, dit Anne en serrant ses genoux. Je suis affamée de commérages de Glen St. Mary, Susan. J'espère que Mlle Cornelia pourra me rapporter tout ce qui s'est produit durant mon absence, vraiment tout, qui est né, qui s'est marié, qui s'est soûlé; qui est mort, qui est parti ou arrivé, qui s'est battu, a perdu une vache ou trouvé un amoureux. C'est si bon d'être de retour parmi les chers habitants du Glen et je veux tout savoir à leur sujet. Mon Dieu, je me souviens de m'être demandé, tout en me promenant dans l'Abbaye de Westminster, lequel de ses deux prétendants Millicent Drew finirait par épouser. Vous savez, Susan, c'est terrible, mais j'ai le sentiment que je raffole du potinage.»

«Eh bien, évidemment, chère Mme Docteur, admit Susan, toutes les femmes aiment bien qu'on leur apprenne les nouvelles. Je suis moi-même intéressée par le cas de Millicent Drew. J'ai jamais eu un soupirant, encore moins deux, et ça m'est égal à présent, parce que le fait d'être une vieille fille ne fait plus souffrir quand on y est habituée. J'ai toujours eu l'impression que Millicent Drew passait le balai dans ses cheveux. Mais ça n'a pas l'air d'incommoder les hommes.»

«Ils ne voient que le joli petit minois piquant et moqueur, Susan.»

«Ça pourrait bien être ça, chère Mme Docteur. La Bible dit que l'apparence est trompeuse et la beauté vaine, mais j'aurais bien aimé le découvrir moi-même, si la Providence en avait décidé ainsi. J'doute pas qu'on sera tous beaux quand on sera des anges, mais quel bien ça nous fera? À propos de potins, on raconte que cette pauvre Mme Harrison Miller a essayé de se pendre la semaine dernière.»

«Oh! Susan!»

«Tranquillisez-vous, chère Mme Docteur. Elle a pas réussi. Mais j'peux pas la blâmer d'avoir essayé, son mari est un homme si terrible. Mais c'était stupide de sa part de penser à se pendre et de lui laisser la voie libre pour épouser une autre femme. Si j'avais été dans ses souliers, chère Mme Docteur, j'serais partie travailler pour l'embêter de façon à ce que ce soit lui qui essaie de se pendre plutôt que moi. C'est pas que j'approuve la pendaison, quelle que soit la circonstance, chère Mme Docteur.»

«Voulez-vous bien me dire quel problème a cet Harrison Miller, d'ailleurs? demanda Anne avec impatience. Il trouve toujours le moyen de faire enrager les gens.»

«Ma foi, certaines personnes prétendent qu'il est très dévôt et d'autres que c'est une tête de cochon, excusez-moi l'expression. C'est comme si on arrivait pas à savoir ce que c'est dans le cas d'Harrison. Des jours, il grogne après tout un chacun parce qu'il pense qu'il est prédestiné au châtiment éternel. Puis d'autres jours, il boit comme un trou. À mon avis, c'est son intellect qui est malade, comme tous ceux de cette branche des Miller. Son grand-père est devenu fou. Il se pensait entouré d'énormes araignées noires. Elles rampaient sur lui et flottaient dans l'air tout autour. J'espère jamais devenir folle, chère Mme Docteur, et j'pense pas que ça risque de m'arriver parce que c'est pas l'habitude chez les Baker. Mais si la sage Providence devait le décréter, j'espère que ça prendra pas la forme de grosses araignées noires, parce que j'ai horreur de ces bestioles. Quant à Mme Miller, j'sais pas si elle mérite qu'on la prenne en pitié ou non. Il y en a qui disent qu'elle a épousé Harrison seulement pour vexer Richard Taylor, ce qui me paraît une raison bizarre pour se marier. Mais je n'suis évidemment pas juge en matière matrimoniale, chère Mme Docteur. Et voilà Cornelia Bryant à la barrière, alors je vais mettre ce cher bébé brun dans son lit et prendre mon tricot.»

2

Purs commérages

«Où sont les autres enfants?» demanda Mlle Cornelia après les premières salutations, cordiales de sa part, enthousiastes de la part d'Anne et empreintes de dignité de celle de Susan.

«Shirley est au lit et Jem, Walter et les jumelles sont dans leur chère vallée Arc-en-ciel, la renseigna Anne. Ils ne sont arrivés à la maison que cet après-midi, vous savez, et ils ont eu de la difficulté à attendre la fin du souper avant de se précipiter dans la vallée. Ils aiment cet endroit plus que n'importe quel autre au monde. Même l'érablière ne peut rivaliser avec la vallée dans leur cœur.»

«J'ai peur qu'ils l'aiment trop, ajouta sombrement Susan. Petit Jem a dit une fois qu'il préférerait aller à la vallée Arc-en-ciel qu'au paradis quand il mourrait, et c'est pas une remarque convenable.»

«Je suppose qu'ils se sont bien amusés à Avonlea», reprit Mlle Cornelia.

«Énormément. Marilla les gâte terriblement. Impossible que Jem, en particulier, ait tort à ses yeux.»

«Mlle Cuthbert doit être une vieille dame à présent», remarqua Mlle Cornelia en sortant son tricot de façon à se montrer à la hauteur de Susan. Mlle Cornelia soutenait que la femme dont les mains étaient occupées avait toujours l'avantage sur celles dont les mains étaient oisives.

«Marilla a quatre-vingt-cinq ans, soupira Anne. Ses cheveux sont blanc neige. Pourtant, c'est étrange à dire, sa vue est meilleure que lorsqu'elle avait soixante ans.»

«Eh bien, très chère, je suis bien aise de vous voir de retour. C'est épouvantable comme je me suis ennuyée. La vie était pourtant loin d'être monotone au Glen, je vous en passe un papier. Nous n'avons jamais connu un printemps aussi excitant, du moins en ce qui concerne les affaires paroissiales. Nous avons fini par trouver un pasteur, ma chère Anne.»

«Le Révérend John Knox Meredith, chère Mme Docteur», précisa Susan, résolue à ne pas laisser à Mlle Cornelia le privilège d'annoncer toutes les nouvelles.

«Est-il gentil?» demanda Anne, intéressée.

«Oui, pour ce qui est de la gentillesse, ça va, répondit Mlle Cornelia. Il est *très* gentil, très instruit, et très spirituel. Mais, oh! ma chère Anne, il n'a aucun bon sens!»

«Pourquoi l'avez-vous choisi, alors?»

«Ma foi, il ne fait aucun doute qu'il est de loin le meilleur prédicateur que nous ayons jamais eu à l'église de Glen St. Mary, reprit Mlle Cornelia en tricotant quelques mailles. Je présume que c'est parce qu'il est si lunatique et distrait qu'il n'a jamais obtenu de poste dans une ville. Son sermon d'ouverture était tout simplement magnifique, vous pouvez me croire. Tout le monde en a raffolé. Comme de son apparence.»

«Il est très séduisant, chère Mme Docteur et, tout compte fait, ça me plaît de voir un bel homme en chaire», interrompit Susan, estimant qu'il était temps qu'elle se fasse de nouveau entendre.

«De plus, poursuivit Mlle Cornelia, nous avions hâte de régler le problème. Et M. Meredith a été le premier candidat à obtenir l'unanimité. Pour les autres, il y avait toujours quelqu'un pour s'opposer. On a parlé de nommer M. Folsom. C'était un bon prêcheur, lui aussi, mais physiquement, il ne plaisait pas beaucoup aux gens. Il était trop sombre, trop soyeux.»

«Il ressemblait à un gros matou noir, si vous voulez le savoir, chère Mme Docteur. J'aurais jamais pu supporter de voir un homme pareil en chaire tous les dimanches.»

«Ensuite, M. Rogers s'est présenté et il faisait penser à un grumeau dans le gruau, ni bon ni mauvais, reprit Mlle Cornelia. Même s'il avait prêché comme Pierre et Paul, cela ne lui aurait servi à rien parce que c'est ce jour-là que le mouton du vieux Caleb Ramsay a pénétré dans l'église en poussant un bêêê sonore juste au moment où le sermon allait commencer. Tout le monde a pouffé de rire et le pauvre Rogers n'a plus eu une seule chance après cela. Certaines personnes étaient d'avis que nous prenions M. Stewart parce qu'il était si instruit. Il peut lire le Nouveau Testament en cinq langues.»

«Mais j'crois pas qu'il soit plus assuré que les autres d'aller au ciel à cause de ça», objecta Susan.

«La plupart d'entre nous n'avons pas aimé sa façon de s'exprimer, dit Mlle Cornelia, ignorant Susan. Il ronchonnait, pour ainsi dire. Et M. Arnett était tout simplement incapable de prêcher. Et il a essayé de nous impressionner en choisissant à peu près le pire texte qu'on puisse trouver dans la Bible, "Maudit sois-tu, Meroz".»

«Chaque fois qu'il bloquait sur une idée, il donnait un coup sur la Bible et criait d'un ton lugubre "Maudit sois-tu, Meroz". Ce pauvre Meroz, et Dieu sait de qui il s'agit, a reçu sa part de malédiction ce jour-là, chère Mme Docteur», commenta Susan.

«Un pasteur qui pose sa candidature ne saurait être trop prudent quant au texte qu'il choisit, décréta Mlle Cornelia d'un air solennel. Je crois que M. Pierson aurait eu le poste s'il avait commenté un autre texte. Mais lorsqu'il annonça "Je lèverai les yeux vers les collines", il était perdu. Tout le monde a souri, car tout le monde savait que les deux demoiselles Hill[1] de l'entrée du port avaient jeté leur dévolu sur chaque pasteur célibataire venu au Glen au cours des quinze dernières années. Et M. Newman avait une famille trop nombreuse.»

---

1. Jeu de mot intraduisible: Hill signifie colline. (N.D.L.T.)

«Il a habité chez mon beau-frère, James Clow, ajouta Susan. Quand j'lui ai demandé combien d'enfants il avait, il m'a répondu: "Neuf garçons et une sœur pour chacun d'eux." J'me suis écriée: "Dix-huit! Seigneur! Quelle famille!" Alors il a éclaté de rire. Mais j'sais pas pourquoi, chère Mme Docteur, et j'suis certaine que dix-huit enfants seraient beaucoup trop pour n'importe quel presbytère.»

«Il n'avait que dix enfants, expliqua Mlle Cornelia avec une patience condescendante. Et le presbytère et la congrégation ne souffriraient pas beaucoup plus de dix enfants sages que des quatre que nous avons actuellement. Je ne veux pas dire qu'ils soient si vilains, chère Anne. Je les aime bien, tout le monde les aime bien, d'ailleurs. Ils seraient tout à fait charmants s'il y avait quelqu'un pour leur enseigner à bien se conduire et à faire la différence entre le bien et le mal. À l'école, par exemple, ce sont des enfants modèles, de l'avis de leur professeur. Mais de retour à la maison, ils retournent purement et simplement à l'état sauvage.»

«Comment est Mme Meredith?» demanda Anne.

«Il n'y a *pas* de Mme Meredith, voilà l'ennui. M. Meredith est veuf. Sa femme est décédée il y a quatre ans. Si nous avions été au courant, je présume que nous ne lui aurions pas donné le poste, parce qu'un veuf est encore pire qu'un célibataire dans une congrégation. Mais on l'a entendu parler de ses enfants et tout le monde a supposé qu'il devait aussi y avoir une maman. Et quand ils sont arrivés, il n'y avait personne d'autre qu'une vieille tante Martha, comme ils l'appellent. C'est une cousine de la mère de M. Meredith, je crois, qu'il a recueillie pour lui éviter d'aller à l'hospice. Elle a soixante-cinq ans, est à moitié aveugle, sourde comme un pot et n'a pas toute sa tête.»

«Et c'est une cuisinière plus que médiocre, chère Mme Docteur», renchérit Susan.

«On n'aurait pu trouver personne de plus mal qualifié pour tenir le presbytère, précisa amèrement Mlle Cornelia. M. Meredith refuse d'engager une autre ménagère, parce qu'il dit que cela ferait de la peine à tante Martha. Croyez-moi, ma chère Anne, le presbytère est dans un état lamentable. Tout est couvert de poussière et sens dessus dessous. Dire que nous avions tout repeint et tapissé avant leur arrivée.»

«Vous dites qu'il y a quatre enfants?» demanda Anne dont la fibre maternelle commençait à vibrer.

«Oui. Et ils se suivent comme les marches d'un escalier. Gerald est l'aîné. Il a douze ans et on le surnomme Jerry. C'est un gamin intelligent. Faith a onze ans. Un vrai garçon manqué, mais jolie comme un cœur, je dois dire.»

«Elle a l'air d'un ange, mais c'est une sainte terreur pour ce qui est de l'espièglerie, chère Mme Docteur, reprit Susan en s'animant. Je me trouvais au presbytère un soir de la semaine dernière, et Mme James Millison y était aussi. Elle avait apporté une douzaine d'œufs et un petit seau de lait, un *très* petit seau, chère Mme Docteur. Faith a pris le tout et s'est ruée à la cave. Arrivée presque au bas de l'escalier, elle s'est accroché l'orteil et a déboulé le reste des marches, avec les œufs et le lait. Vous pouvez imaginer le résultat, chère Mme Docteur. Pourtant, cette enfant est remontée en riant. "J' sais plus si je suis moi-même ou une tarte à la crème", qu'elle a dit. Et Mme James Millison était très vexée. Elle a dit qu'elle apporterait plus jamais rien au presbytère si cela devait être gaspillé et détruit de cette façon.»

«Maria Millison ne s'est jamais fendue en quatre pour apporter quoi que ce soit au presbytère, persifla Mlle Cornelia. Ce soir-là, c'est le prétexte qu'elle avait trouvé pour satisfaire sa curiosité. Mais la pauvre Faith se met toujours les pieds dans les plats. Elle est si étourdie et impulsive.»

«Tout comme moi. Votre Faith va me plaire», affirma résolument Anne.

«Elle a pas froid aux yeux, et c'est pas pour me déplaire, chère Mme Docteur», admit Susan.

«Elle a quelque chose d'attachant, concéda Mlle Cornelia. Chaque fois qu'on la regarde, elle est en train de rire et, d'une certaine façon, son rire est contagieux. Elle n'arrive même pas à garder son sérieux à l'église. Una a dix ans; c'est une mignonne fillette — pas jolie, mignonne. Et Thomas Carlyle a neuf ans. On l'appelle Carl, et il a la manie de ramasser crapauds, insectes et grenouilles et de les rapporter à la maison.»

«Je suppose que c'est à lui qu'on doit le rat mort posé sur un fauteuil du salon l'après-midi où Mme Grant s'est rendue au presbytère. Ça lui a donné un choc, ajouta Susan, et ça n'a rien d'étonnant, les salons de presbytère sont pas des endroits pour les rats morts. Évidemment, c'est peut-être le chat qui l'a laissé là. Un possédé du démon, celui-là, chère Mme Docteur. À mon avis, un chat de presbytère devrait au moins avoir *l'air* respectable, peu importe ce qu'il est en réalité. Mais j'ai jamais vu une bête aussi effrontée. Et il marche le long du faîtage du presbytère pratiquement chaque soir au coucher du soleil, chère Mme Docteur, en faisant onduler sa queue, et ce n'est pas bienséant.»

«Le pire de l'histoire, c'est qu'ils ne sont jamais vêtus décemment, soupira Mlle Cornelia. Et depuis qu'il n'y a plus de neige, ils vont à l'école pieds nus. Et vous savez, ma chère Anne, que ce n'est pas une conduite convenant à des enfants de pasteur, surtout quand la petite fille du pasteur méthodiste porte toujours de si jolies bottines boutonnées. Et j'aimerais vraiment qu'ils cessent de jouer dans le vieux cimetière méthodiste.»

«C'est très tentant, surtout qu'il se trouve juste à côté du presbytère, dit Anne. J'ai toujours considéré les cimetières comme de merveilleux endroits pour jouer.»

«Oh! non, c'est pas vrai, ça, chère Mme Docteur, protesta la loyale Susan, déterminée à défendre Anne. Vous avez trop de bon sens et de décorum.»

«Pour commencer, pourquoi a-t-on construit ce presbytère à côté du cimetière? s'indigna Anne. Le terrain est si petit qu'il ne reste plus d'autre endroit que le cimetière pour jouer.»

«C'était une erreur, admit Mlle Cornelia. Mais on a eu le terrain pour une bouchée de pain. Et aucun autre enfant du presbytère n'a jamais eu l'idée de jouer là. M. Meredith ne devrait pas le leur permettre. Mais il est toujours plongé dans

un livre, quand il est chez lui. Quand il n'est pas en train de
lire, il arpente son bureau, la tête ailleurs. Jusqu'à présent, il
n'a pas oublié de se présenter à l'église le dimanche, mais à
deux reprises, il a oublié l'assemblée de prières et un des marguilliers a été obligé de se rendre au presbytère pour lui
rafraîchir la mémoire. Et il a oublié le mariage de Fanny
Cooper. On l'a appelé au téléphone et il est arrivé en ca-
tastrophe, sans avoir eu le temps de se changer, en pantoufles
et le reste. Cela n'aurait pas tant d'importance si les méthodistes ne s'en moquaient pas autant. Mais il y a un réconfort: ils ne peuvent critiquer ses sermons. Je vous assure
qu'il se réveille quand il est en chaire. Et le pasteur méthodiste est absolument incapable de prêcher, d'après ce qu'on
m'a dit. Je ne l'ai personnellement jamais entendu, grâce au
ciel!»

Si le mépris que Mlle Cornelia ressentait à l'égard des
hommes s'était quelque peu atténué depuis son mariage,
celui qu'elle vouait aux méthodistes était demeuré tout aussi
dénué de charité. Susan esquissa un sourire hypocrite.

«On dit aussi, Mme Marshall Elliott, que méthodistes et
presbytériens parlent de s'unifier», dit-elle.

«Eh bien, tout ce que j'espère, c'est d'être enterrée, si cela
devait se produire, rétorqua Mlle Cornelia. Jamais je ne
m'acoquinerai avec des méthodistes, et M. Meredith va
s'apercevoir qu'il ferait mieux de se tenir loin d'eux, lui aussi.
Il est vraiment trop sociable avec eux, croyez-moi. Mon
Dieu! Il s'est mis dans un joli pétrin quand il est allé au
souper des noces d'argent de Jacob Drew.»

«Que s'est-il passé?»

«Mme Drew lui a demandé de découper l'oie rôtie, Jacob
Drew n'ayant jamais pu ou voulu le faire. Il a donc saisi la
volaille et, ce faisant, il l'a fait tomber de l'assiette sur les
genoux de Mme Reese qui était sa voisine de table. Et tout ce
qu'il a trouvé à faire, c'est de demander d'un air rêveur: "Mme
Reese, auriez-vous la gentillesse de me rendre cette oie?" Mme
Reese l'a "rendue", douce comme un agneau, mais elle devait
être en furie car elle portait sa robe de soie neuve. Le pire,

c'est qu'elle est méthodiste.»

«Mais je crois que c'est mieux comme ça, interrompit Susan. Si elle avait été presbytérienne, elle aurait probablement quitté l'église et nous pouvons pas nous permettre de perdre nos membres. Et comme Mme Reese est pas très appréciée dans sa propre église, parce qu'elle se donne de grands airs, les méthodistes ont dû être contents que M. Meredith lui gâche sa robe.»

«L'important, c'est qu'il s'est rendu ridicule et que *je* n'aime pas voir mon pasteur se ridiculiser aux yeux des méthodistes, rétorqua sèchement Mlle Cornelia. S'il avait eu une épouse, cela ne se serait pas produit.»

«Même s'il avait eu une douzaine de femmes, j'vois pas comment elles auraient pu empêcher Mme Drew de servir son vieux jars coriace au banquet de mariage», insista Susan d'un air buté.

«On prétend que c'était la décision de son mari, dit Mlle Cornelia. Jacob Drew est un individu prétentieux, pingre et dominateur.»

«Et on prétend aussi que lui et sa femme se détestent, ce qui me paraît pas une conduite appropriée pour des gens mariés. Mais j'ai aucune expérience en cette matière, ajouta Susan en hochant la tête. Et moi, j'suis pas du genre à blâmer les hommes pour tout. Mme Drew est elle-même passablement avare. D'après ce qu'on raconte, elle a jamais rien donné d'autre qu'un pot de beurre fait à partir de crème dans laquelle un rat était tombé. Elle l'a offert pour une soirée paroissiale. Ce n'est qu'après qu'on a découvert l'histoire du rat.»

«Heureusement, toutes les personnes que les Meredith ont offensées jusqu'à présent sont méthodistes, reprit Mlle Cornelia. Ce Jerry s'est rendu à leur assemblée de prières, un soir, il y a à peu près deux semaines, et il s'est assis à côté du vieux William Marsh qui s'est levé comme d'habitude et a poussé d'épouvantables grognements en guise de prière. "Est-ce que ça va mieux, à présent?" a chuchoté Jerry quand William s'est rassis. Le pauvre petit voulait se montrer compatissant, mais M. Marsh l'a trouvé impertinent et est en colère contre lui. Évidemment, Jerry n'avait pas d'affaire à aller dans une assemblée de prières méthodiste. Mais les enfants Meredith vont où ça leur plaît.»

«J'espère qu'ils vont pas offenser Mme Alec Davis de l'entrée du port, dit Susan. C'est une femme très susceptible, d'après ce que j'ai compris, mais elle est à l'aise financièrement et verse une grosse contribution au salaire du pasteur. On m'a rapporté qu'elle prétend n'avoir jamais vu d'enfants plus mal élevés que les Meredith.»

«Chacune de vos paroles me convainc davantage que les Meredith sont de la race qui connaît Joseph», affirma Anne d'un air résolu.

«Tout compte fait, c'est la vérité, admit Mlle Cornelia. Et cela rétablit l'équilibre. En tout cas, comme on est pris avec eux, il faut se résigner et les défendre devant les méthodistes. Bon, je présume que je dois rentrer. Marshall doit être à la veille d'arriver à la maison — il est allé de l'autre côté du port, aujourd'hui — et, en vrai homme, il voudra son souper en rentrant. Je suis désolée de ne pas avoir vu les autres enfants. Et où est le docteur?»

«À l'entrée du port. Nous ne sommes de retour que depuis trois jours, et durant ce laps de temps, il a passé trois heures dans notre lit et mangé deux repas sous son propre toit.»

«Ma foi, toutes les personnes qui ont été malades pendant les six dernières semaines ont attendu son retour, et je ne les blâme pas. Quand le médecin de l'autre côté du port a épousé la fille de l'entrepreneur des pompes funèbres de Lowbridge, les gens ont commencé à se méfier de lui. Il faut que vous veniez bientôt à la maison avec le docteur nous raconter votre voyage. J'imagine que vous avez passé de merveilleux moments.»

«C'est vrai, acquiesça Anne. Cela a comblé des années de rêves. Le vieux monde est tout à fait charmant et fantastique. Mais nous sommes revenus très satisfaits de notre propre pays. Le Canada est le meilleur pays du monde, Mlle Cornelia.»

«Personne n'en a jamais douté», approuva Mlle Cornelia

d'un air suffisant.

«Et la vieille Île-du-Prince-Édouard est la plus jolie province, et Four Winds, l'endroit le plus adorable de l'île», ajouta Anne en riant, regardant avec adoration la splendeur du soleil couchant sur le vallon, le port et le golfe. Elle agita la main dans cette direction. «Je n'ai rien vu d'aussi ravissant en Europe, Mlle Cornelia. Vous devez partir? Les enfants seront désolés d'avoir raté votre visite.»

«Il faut qu'ils viennent me voir bientôt. Dites-leur que le pot de beignets est toujours plein.»

«Oh! Au souper, ils parlaient d'aller chez vous. Vous n'allez pas tarder à les voir apparaître; mais ils doivent maintenant se préparer pour le retour à l'école. Et les jumelles vont prendre des leçons de musique.»

«Pas avec la femme du pasteur méthodiste, j'espère?» demanda Mlle Cornelia avec anxiété.

«Non, avec Rosemary West. Je suis allée arranger tout ça avec elle hier soir. Quelle jolie fille!»

«Rosemary garde la forme. Elle n'est plus aussi jeune qu'elle l'était.»

«Je l'ai trouvée très charmante. Je n'avais jamais vraiment fait connaissance avec elle, vous savez. Elle vit dans un endroit si isolé, et je ne l'avais pratiquement vue qu'à l'église.»

«Les gens aiment toujours Rosemary West, même s'ils ne la comprennent pas, dit Mlle Cornelia, rendant inconsciemment hommage au charme de Rosemary. Ellen l'a toujours rabaissée, si l'on peut dire. Elle l'a tyrannisée tout en profitant d'elle à plusieurs points de vue. Rosemary a été fiancée, une fois, vous savez. Au jeune Martin Crawford. Son navire a fait naufrage aux îles de la Madeleine et tout l'équipage s'est noyé. Rosemary n'était alors qu'une enfant: elle avait dix-sept ans. Mais elle n'a jamais été la même après cela. Elle et Ellen n'ont pas beaucoup bougé de chez elles depuis le décès de leur mère. Elles ne vont pas souvent à leur propre église à Lowbridge et, d'après ce que je comprends, Ellen n'approuve pas l'idée de fréquenter assidûment l'église presbytérienne. À l'église méthodiste, elle ne va *jamais*, dois-je dire en sa faveur. La famille West a toujours été fortement épiscopalienne. Rosemary et Ellen sont à l'aise financièrement. Rosemary n'a pas vraiment besoin de donner des leçons de musique. Elle ne le fait que parce que cela lui plaît. Elles sont des parentes éloignées de Leslie, vous savez. Est-ce que les Ford viendront au port, cet été?»

«Non. Ils s'en vont au Japon et seront probablement absents un an. Le nouveau roman d'Owen a le Japon pour cadre. Ce sera le premier été que cette chère vieille Maison de rêve sera vide depuis que nous l'avons quittée.»

«J'aurais cru qu'Owen Ford pourrait trouver suffisamment de sujets d'inspiration au Canada plutôt que de traîner sa femme et ses enfants innocents dans une contrée païenne comme le Japon, grommela Mlle Cornelia. *Le Livre de vie* est le meilleur qu'il ait jamais écrit et c'est ici-même à Four Winds qu'il en a trouvé la matière.»

«C'est le Capitaine Jim qui la lui a presque toute fournie, vous savez. Et lui-même l'avait recueillie un peu partout dans le monde. Mais les livres d'Owen sont merveilleux, à mon avis.»

«Oh! Ils ne sont pas mauvais. Je me fais un point d'honneur de tous les lire, quoique j'aie toujours soutenu, ma chère Anne, que la lecture de romans soit un honteux gaspillage de temps. Je vais lui écrire ce que je pense de cette histoire de Japon, vous pouvez me croire. A-t-il l'intention de convertir Kenneth et Persis en païens?»

C'est sur cette énigme insoluble que Mlle Cornelia prit congé. Susan alla coucher Rilla pendant que Anne, assise dans les marches de la véranda sous les premières étoiles du soir, s'abandonnait à ses incorrigibles rêves et goûtait pour la centième fois le bonheur de voir chatoyer la lune sur le port de Four Winds.

3

Les enfants d'Ingleside

Si, pendant la journée, les enfants d'Ingleside aimaient bien jouer dans l'herbe luxuriante et les ombres fluides de la grande érablière entre Ingleside et l'étang de Glen St. Mary, rien ne valait la petite vallée nichée derrière l'érablière pour leurs jeux vespéraux. Elle incarnait pour eux un royaume enchanté. Un jour, regardant par les fenêtres du grenier d'Ingleside, à travers la brume qui était restée après un après-midi d'orage, ils avaient aperçu ce lieu ravissant au-dessus duquel un splendide arc-en-ciel formait une voûte, un arc-en-ciel dont l'une des extrémités semblait trempée dans un coin de l'étang qui sillonnait la partie la plus basse de la vallée.

«Appelons-la vallée Arc-en-ciel», avait proposé Walter avec ravissement. Et le nom lui était resté.

À l'extérieur de la vallée Arc-en-ciel, le vent pouvait souffler avec violence ou exubérance. Ici, il folâtrait toujours. Des sentiers sinueux et magiques couraient çà et là entre les racines moussues des conifères. Des cerisiers sauvages qui, à l'époque de la floraison, devenaient d'un blanc vaporeux, étaient éparpillés dans la vallée, mêlés aux épinettes noires. L'endroit était traversé par un ruisselet à l'onde ambrée prenant sa source au village du Glen. Les habitations du village étaient suffisamment éloignées; cependant, en haut de la vallée, on apercevait un cottage en ruines, abandonné, communément appelé la «vieille maison Bailey». Inhabité depuis plusieurs années, il était entouré d'un fossé herbeux et, à l'intérieur, dans l'ancien jardin, les enfants d'Ingleside pouvaient trouver violettes, marguerites et narcisses. Pour le reste, le jardin était envahi de cumin qui se balançait et écumait sous la lune des soirs d'été comme une mer d'argent.

Au sud s'étalait l'étang et, au-delà, le paysage se perdait dans les bois violets, sauf là où, sur une haute colline, une vieille ferme grise et solitaire dominait le vallon et le port. Bien qu'elle se trouvât à proximité du village, la vallée Arc-en-ciel avait un petit quelque chose de sauvagement sylvestre et solitaire qui la rendait chère aux enfants d'Ingleside.

Le vallée était parsemée d'adorables creux invitants dont le plus grand était le lieu de prédilection des enfants. C'est là qu'ils étaient rassemblés ce soir-là. Au cœur d'une futaie de jeunes épinettes, se trouvait une minuscule clairière tapissée d'herbe ouvrant sur la rive du ruisseau. Un bouleau argenté que Walter avait baptisé la «Dame blanche» s'y dressait, incroyablement droit. Cette clairière abritait également les «Arbres amoureux», comme Walter avait surnommé une épinette et un érable si près l'un de l'autre que leurs branches étaient inextricablement entrelacées. Jem avait suspendu à leurs branches une ficelle de grelots que lui avait donnés le forgeron du Glen, et chaque petite brise qui leur rendait visite provoquait des tintements mélodieux.

«Comme c'est bon d'être de retour! s'écria Nan. Tout compte fait, aucun des endroits d'Avonlea n'est aussi beau que la vallée Arc-en-ciel.»

N'empêche qu'ils aimaient beaucoup Avonlea. Une visite aux Pignons verts était toujours considérée comme une faveur spéciale. Tante Marilla était si gentille et généreuse, tout comme Mme Rachel Lynde, qui consacrait les loisirs de sa vieillesse à tricoter des courtepointes en fil de coton en prévision du jour où les filles d'Anne auraient besoin d'un trousseau. Ils y avaient aussi de sympathiques compagnons de jeux: les enfants d'«oncle» Davy et ceux de «tante» Diana. Ils connaissaient tous les coins que leur mère avait vénérés dans son enfance aux Pignons verts: le Sentier des amoureux, avec sa haie rose d'églantiers, la cour toujours impeccable, avec ses saules et ses peupliers, la Source de la fée, aussi limpide et jolie qu'autrefois, le Lac aux miroirs et Willowmere. Les jumelles dormaient dans l'ancienne chambre au pignon de leur mère, et tante Marilla avait l'habitude d'y entrer le soir, quand elle les croyait endormies, pour les couver du regard. Mais tout le monde savait que Jem était son favori.

Ce dernier était à présent très occupé à faire frire les petites truites qu'il venait de pêcher dans l'étang. Un cercle de pierres rouges au centre duquel un feu était allumé lui servait de poêle, et ses ustensiles culinaires consistaient en une vieille boîte de conserve aplatie au marteau et une fourchette à une dent. C'était néanmoins comme ça que de mémorables repas avaient été préparés bien avant aujourd'hui.

Jem était l'enfant de la maison de rêve. Tous les autres étaient nés à Ingleside. Il avait, comme sa mère, une chevelure rousse et ondulée, et les yeux noisette au regard franc de son père; il avait le nez fin de sa mère et, de son père, la bouche ferme au pli ironique. Et il était le seul de la famille à avoir des oreilles suffisamment bien dessinées pour contenter Susan qui, malgré ses récriminations, persistait à l'appeler Petit Jem. C'était outrageant, s'offusquait Jem, maintenant âgé de treize ans. Anne se montrait plus sensée.

«J'suis plus petit, maman, s'était-il écrié avec indignation le jour de ses huit ans. J'suis terriblement grand!»

Anne avait soupiré, ri, soupiré de nouveau; et plus jamais elle ne l'avait appelé Petit Jem, du moins pas devant lui.

Il était et avait toujours été un gamin résolu et fiable, fidèle à sa parole et d'un naturel peu loquace. Si ses professeurs ne le considéraient pas exceptionnellement brillant, il réussissait néanmoins dans toutes les matières. Il ne croyait jamais rien sans l'avoir lui-même vérifié. Une fois, Susan lui avait dit que s'il mettait la langue sur un loquet gelé, toute la peau s'arracherait. Jem s'était hâté de tenter l'expérience «juste pour voir si c'était vrai». Il avait découvert, au prix d'une langue douloureuse pendant plusieurs jours, que ce l'était. Jem acceptait pourtant de souffrir dans l'intérêt de la science. À force d'expérimentation et d'observations constantes, il apprit un grand nombre de choses et ses frères et sœurs considéraient tout à fait formidable sa connaissance approfondie de leur petit univers. Jem savait où poussaient les baies les plus précoces et les plus mûres, où les premières et pâlottes violettes s'éveillaient timidement de leur sommeil hivernal, et combien d'œufs bleutés on pouvait trouver dans le nid d'un certain rouge-gorge dans l'érablière. Il pouvait prédire l'avenir en effeuillant une marguerite, aspirer le suc du trèfle rouge, et extirper toutes sortes de racines comestibles sur les rives de l'étang pendant que Susan vivait dans la terreur quotidienne de retrouver tous les enfants empoisonnés. Il savait où trouver la plus succulente résine d'épinette, dans les nœuds d'ambre pâle de l'écorce couverte de lichen, il savait où on pouvait trouver les meilleures noix dans les bosquets de bouleaux autour de l'entrée du port et où pêcher la truite le long du ruisseau. Il pouvait imiter le cri de n'importe quel oiseau ou animal sauvage à Four Winds et connaissait le repaire de chacune des fleurs des champs, du printemps à l'automne.

Walter Blythe était assis sous la Dame blanche, un recueil de poèmes à ses côtés. Pour le moment, il ne lisait pas mais contemplait de ses beaux yeux émerveillés tantôt les saules près du ruisseau, auréolés d'une brume émeraude, et tantôt un troupeau de nuages floconneux, évoquant de petits moutons argentés rassemblés par le vent qui soufflait sur la vallée Arc-en-ciel. Les yeux de Walter étaient vraiment extraordinaires. Dans ses profondeurs anthracite, on pouvait lire toute la joie, la peine, le rire, la loyauté et les aspirations d'innombrables générations reposant sous terre.

Walter avait sauté une génération pour ce qui était de l'aspect extérieur. Il ne ressemblait à personne de sa parenté connue. Il était vraiment le plus bel enfant d'Ingleside, avec ses cheveux noirs et raides et ses traits finement ciselés. Mais il avait de sa mère toute la vive imagination et son amour passionné de la beauté. Le givre hivernal, l'invitation du printemps, les rêves de l'été et la splendeur automnale, tout cela avait un sens pour Walter.

À l'école, où Jem était un chef de file, on ne pensait pas grand bien de Walter. On le considérait comme une «mauviette» parce qu'il ne se battait jamais et ne participait que rarement aux sports, préférant s'isoler pour lire des livres, particulièrement des recueils de poésie. Walter adorait les poètes et se plongeait dans leurs écrits depuis qu'il avait appris à lire. Leur musique immortelle était imprimée dans son âme. Walter chérissait l'ambition de devenir lui-même poète un jour. La chose était du domaine du possible. Un certain «oncle Paul» — appelé ainsi par pure courtoisie — qui vivait à présent dans ce royaume mystérieux appelé les «États», était son modèle. Oncle Paul avait jadis été un écolier d'Avonlea et sa poésie était maintenant connue partout. Mais les élèves du Glen ne savaient rien des rêves de Walter et même s'ils les avaient connus, ils n'auraient pas été très impressionnés. Malgré ses carences en termes de prouesses physiques, il commandait cependant un certain respect involontaire à cause de son pouvoir de «parler comme un livre». Personne, à l'école de Glen St. Mary, ne pouvait s'exprimer comme lui. «On croirait entendre un pasteur», avait dit un garçon; et pour cette raison, on lui laissait généralement la paix et on ne le persécutait pas comme c'était souvent le cas à l'égard des garçons qu'on soupçonnait de ne pas aimer les coups de poing ou, pire encore, de les craindre.

Âgées de dix ans, les jumelles d'Ingleside rompaient avec la tradition en ne se ressemblant pas du tout. Anne, qu'on appelait toujours Nan, était ravissante avec ses yeux de velours couleur noisette et sa soyeuse chevelure marron. C'était une demoiselle primesautière et coquette — *Blythe* de

---

2. Blithe signifie joyeux en anglais. (N.D.L.T.)

nom et *blithe*[2] de caractère — comme l'avait remarqué un de ses professeurs. Elle avait, à la grande satisfaction de sa mère, un teint irréprochable.

«Je suis si contente qu'une de mes filles puisse porter du rose», avait-elle coutume de dire.

Diana Blythe, mieux connue sous le nom de Di, ressemblait beaucoup à sa mère avec sa chevelure rousse et ses yeux gris vert qui, dans le noir, scintillaient toujours d'un éclat particulier. Cela expliquait peut-être qu'elle fût la préférée de son père. Elle et Walter avaient beaucoup d'affinités; ce n'était qu'à elle qu'il lui arrivait de lire certains de ses vers; elle était la seule à savoir qu'il travaillait secrètement à un poème épique ressemblant de façon frappante, à certains points de vue, au célèbre «Marmion» de Sir Walter Scott. Elle ne répétait ses secrets à personne, même pas à Nan, et confiait tous les siens à Walter.

«Est-ce que ces poissons seront bientôt prêts? s'impatienta Nan en humant l'air de son joli nez. L'odeur me met l'eau à la bouche.»

«Ils sont presque prêts, répondit Jem en les retournant d'un geste adroit. Apportez le pain et les assiettes, les filles. Walter, réveille-toi.»

«Comme l'air brille ce soir», fit remarquer Walter d'un air rêveur. Non pas parce qu'il méprisait la truite grillée mais parce que, pour lui, la nourriture de l'âme prenait toujours la première place. «L'ange-fleur a marché sur la terre aujourd'hui, pour appeler les fleurs. Je vois ses ailes bleues sur la colline près de la forêt.»

«Toutes les ailes d'anges que je connais sont blanches», dit Nan.

«Celles de l'ange-fleur ne le sont pas. Elles sont d'un bleu pâle et brumeux, comme la vapeur dans la vallée. Oh! Comme j'aimerais voler! Ce doit être splendide.»

«On peut voler en rêve, quelques fois», dit Di.

«Je ne rêve jamais que je vole tout à fait, reprit Walter. Mais je rêve souvent que je m'élève de la terre et plane au-dessus des clôtures et des arbres. C'est merveilleux, et je pense toujours: "Ce n'est pas un rêve comme d'habitude. Cette fois-ci, c'est réel." Puis, je m'éveille et j'ai le cœur brisé.»

«Dépêche-toi, Nan», ordonna Jem.

Nan venait d'apporter la planche du banquet — une véritable planche — sur laquelle avaient été savourés d'innombrables mets de choix, assaisonnés comme nulle part ailleurs que dans la vallée Arc-en-ciel. Pour transformer cette planche en table, il suffisait de la poser sur deux grosses pierres moussues. De vieux journaux faisaient office de nappe tandis que la vaisselle était constituée d'assiettes brisées et de tasses sans anse que Susan avait mises au rebut. Nan prit le pain et le sel dans une boîte de conserve cachée au pied d'une épinette. Le ruisseau fournit une «bière» du jardin d'Eden pure comme du cristal. Quant au reste, une «sauce» spéciale, composée d'air pur et de jeunes appétits, conférait à tous les plats une saveur divine. S'asseoir dans la vallée Arc-en-ciel baignant dans une pénombre entre le doré et l'améthyste, regorgeant d'effluves de résine et de plantes printanières, entouré des pâles étoiles des fraisiers en fleurs, bercé par le soupir du vent et le tintement des clochettes dans la cime des arbres, en mangeant des truites grillées et du pain sec, voilà un bonheur que même les puissants du monde auraient pu envier aux enfants d'Anne Blythe.

«Asseyez-vous, invita Nan tandis que Jem posait sur la table son plat de truites grésillantes. C'est ton tour de réciter le bénédicité, Jem.»

«J'ai fait frire les truites, c'est suffisant, protesta Jem qui avait horreur de dire le bénédicité. Que Walter fasse la prière; il aime ça. Et ne t'éternise pas, Walt. Je meurs de faim.»

Mais Walter n'eut pas l'occasion de dire la prière, longue ou brève. Ils furent interrompus.

«Quelqu'un descend la colline du presbytère», s'écria Di.

4

Les enfants du presbytère

Tante Martha pouvait être, et était, une très médiocre maîtresse de maison; le révérend John Knox Meredith pouvait être, et était, un homme aussi distrait qu'accommodant. Mais il était indéniable qu'en dépit de son aspect délabré, le presbytère de Glen St. Mary avait quelque chose de tout à fait charmant et chaleureux. Même les ménagères exigeantes du Glen s'en rendaient compte et jugeaient inconsciemment l'endroit avec moins de sévérité. Son attrait était peut-être dû en partie à des facteurs accidentels: le lierre luxuriant qui s'agrippait aux murs de bardeaux gris, les acacias et le beaume de la Mecque qui fraternisaient en toute liberté dans le jardin, et la vue superbe, depuis les fenêtres, du port et des dunes. Ces choses avaient pourtant existé pendant le règne du prédécesseur de M. Meredith, et le presbytère était alors la résidence la plus impeccable, mais aussi la plus arrogante et la plus morne du Glen. C'était donc incontestablement la personnalité des nouveaux occupants qui lui donnait la plus grande partie de son charme. L'endroit baignait dans une atmosphère de rire et de camaraderie; les portes étaient toujours ouvertes; les mondes intérieur et extérieur se tendaient la main. L'amour était l'unique règle au presbytère de Glen St. Mary.

Les paroissiens prétendaient que M. Meredith gâtait ses

enfants. C'était probablement vrai. C'était également vrai qu'il était incapable de les gronder. «Ils n'ont pas de mère», avait-il coutume de soupirer devant quelque peccadille inhabituellement spectaculaire. Mais, appartenant à la secte des rêveurs, il n'était pas au courant de la moitié des activités de ses enfants. Même si les fenêtres de son bureau donnaient sur le cimetière, lorsqu'il arpentait la pièce, plongé dans de profondes réflexions sur l'immortalité de l'âme, il ne se doutait aucunement que Jerry et Carl jouaient à saute-mouton en s'esclaffant bruyamment au-dessus des pierres tombales de la résidence des méthodistes décédés. Cela lui sautait bien parfois aux yeux qu'on n'accordait pas au bien-être moral et physique de ses enfants la même attention que du vivant de sa femme, et son subconscient enregistrait vaguement que les repas et l'entretien de la maison étaient, sous le règne de tante Martha, très différents de ce qu'ils avaient été sous celui de Cecilia. Pour le reste, il vivait dans un monde de livres et d'abstractions; c'est pourquoi, malgré ses vêtements rarement brossés, il n'était pas un homme malheureux même s'il ne mangeait pas à sa faim, conclusion à laquelle les maîtresses de maison du Glen en étaient arrivées en constatant la pâleur ivoirine de son visage aux traits bien dessinés et la maigreur de ses mains.

Si jamais un cimetière pouvait être désigné comme un lieu réjouissant, c'était bien le cas du vieux cimetière méthodiste de Glen St. Mary. Si le nouveau, situé de l'autre côté de l'église méthodiste, était un endroit impeccablement tenu et lugubre à souhait, l'ancien avait été depuis si longtemps abandonné aux bons soins de Dame Nature qu'il était devenu très agréable.

Il était entouré de trois côtés par un muret de pierres et de gazon surmonté d'une chambranlante palissade grise et bordé d'une rangée de grands sapins aux branches touffues et odorantes. Construit par les premiers habitants du Glen, ce muret avait acquis avec le temps une réelle beauté grâce aux mousses et aux plantes qui poussaient dans ses crevasses, aux violettes qui teintaient sa base au début du printemps et aux asters et aux gerbes d'or qui ornaient ses recoins d'une splendeur automnale. De petites fougères se serraient les unes contre les autres entre ses pierres et çà et là se dressaient de grandes fougères arborescentes.

Il n'y avait, du côté est, ni clôture ni muret. Là, le cimetière se dispersait dans une jeune sapinière qui empiétait de plus en plus sur les tombes pour se perdre, à l'est, dans une épaisse forêt. Les harpes de la mer résonnaient dans l'air, mêlant leur mélodie à celle des vieux arbres gris, et les matins de printemps, des chœurs d'oiseaux célébraient la vie dans les ormes qui flanquaient les deux églises. Les enfants Meredith raffolaient du vieux cimetière.

Les tombes effondrées étaient envahies de lierre bermudienne, d'épinettes de jardin et de menthe. Des buissons de bleuets abondaient dans le coin sablonneux jouxtant la sapinière. On trouvait là les différents modèles de trois générations de pierres tombales, depuis la pierre oblongue et plate en grès rouge des premiers colons, en passant par l'époque des saules pleureurs et des mains jointes, jusqu'aux plus récents monstrueux monuments et urnes drapées. L'une de ces horreurs, la plus imposante et la plus laide du cimetière, était consacrée à la mémoire d'un certain Alec Davies qui, bien que né méthodiste, avait pris femme dans le clan presbytérien des Douglas. Converti par elle, il avait porté toute sa vie la bannière presbytérienne. À son décès, elle n'avait cependant pas osé le condamner à une éternité solitaire dans le cimetière presbytérien de l'autre côté du port. Les siens étant tous ensevelis dans le cimetière méthodiste, il était rentré au bercail à sa mort et sa veuve s'était consolée en lui érigeant un momument au-delà des moyens de n'importe quel méthodiste. Sans même savoir pourquoi, les enfants Meredith l'avaient en horreur mais ils adoraient les vieilles pierres plates semblables à des bancs entourés de hautes herbes. C'est vrai qu'elles faisaient des sièges confortables. Ils étaient en ce moment tous assis sur l'une d'elles. Fatigué du saute-mouton, Jerry jouait un air sur sa guimbarde. Carl était absorbé par la contemplation d'une bestiole étrange qu'il venait de découvrir et pour laquelle il éprouvait déjà une grande tendresse; Una essayait de coudre une robe pour sa poupée et Faith, appuyée sur ses petits poings basanés, battait la mesure de ses pieds nus.

Jerry avait de son père la chevelure et les grands yeux sombres, mais les siens étaient davantage brillants que rêveurs. Faith, sa sœur puînée, portait sa beauté comme une rose, insouciante et resplendissante. Elle avait les yeux mordorés, des boucles caramel et les joues vermeilles. Elle riait trop pour plaire aux paroissiens de son père et avait offensé la vieille Mme Taylor, veuve inconsolable de plusieurs maris, en déclarant espièglement — et, qui plus est, sur le parvis de l'église — «Le monde n'est pas une vallée de larmes, Mme Taylor, mais de rires.»

La petite Una, rêveuse, montrait peu de dispositions pour le rire. Ses tresses noires étaient irréprochables et ses yeux bleu foncé taillés en amande avaient une expression mélancolique. Sa bouche découvrait de petites dents nacrées et son visage s'éclairait à l'occasion d'un sourire timide et méditatif. Elle était, de l'avis général, beaucoup plus sensible que Faith et elle avait parfois l'intuition gênante que quelque chose allait de travers dans leur façon de vivre. Elle désirait redresser la situation mais ne savait pas comment. Elle époussetait les meubles de temps en temps, lorsqu'elle parvenait à mettre la main sur le plumeau qui n'était jamais rangé à la même place. Et, le samedi, quand elle trouvait la brosse à habits, elle nettoyait le meilleur complet de son père et y avait une fois cousu un bouton manquant avec du gros fil blanc. Le lendemain, à l'église, toutes les femmes virent ce bouton et la sérénité des Dames Patronnesses en fut perturbée pendant plusieurs semaines.

Carl avait les yeux clairs, vifs et bleu foncé, le regard intrépide et direct de sa défunte mère et ses cheveux châtains aux reflets d'or. Il connaissait les secrets des insectes et entretenait une sorte de «franc-maçonnerie» avec les abeilles et les coccinelles. Una répugnait à s'asseoir près de lui parce qu'elle ne savait jamais quelle inquiétante créature il pouvait avoir dissimulée sur lui. Jerry refusait de dormir avec lui parce qu'une fois Carl avait apporté une couleuvre dans le lit; Carl dormait donc avec ses étranges compagnons dans sa vieille couchette, si courte qu'il ne pouvait pas s'allonger. Et comme tante Martha faisait le lit, c'était peut-être aussi bien qu'elle fût pratiquement aveugle. Ils formaient cependant une équipe joyeuse et aimable et le cœur de Cecilia Meredith avait dû lui faire mal quand elle avait su qu'elle devait les laisser.

«Où aimeriez-vous être enterrés si vous étiez méthodistes?» demanda Faith avec bonne humeur.

La question donna cours à d'intéressantes spéculations.

«Il n'y a pas un grand choix. Ce cimetière-ci est déjà plein, répondit Jerry. J'aimerais le coin près de la route, j'imagine. Je pourrais entendre les attelages rouler et les gens parler.»

«Moi, j'aimerais ce petit creux sous le bouleau, dit Una. Il est toujours plein d'oiseaux qui s'égosillent le matin.»

«Je prendrais le lot des Porter où sont ensevelis tellement d'enfants. J'aime avoir de la compagnie, dit Faith. Et toi, Carl?»

«J'aimerais mieux ne pas être enterré du tout, mais si je dois l'être, je choisirais la fourmilière. Les fourmis sont rudement intéressantes.»

«Les personnes qui sont enterrées devaient être vraiment bonnes, remarqua Una qui venait de lire des épitaphes élogieuses. On dirait qu'il n'y a personne de méchant dans tout le cimetière. Les méthodistes sont peut-être meilleurs que les presbytériens.»

«Peut-être que les méthodistes enterrent les méchants comme des chats, suggéra Carl. Peut-être qu'ils ne les amènent pas au cimetière.»

«Impossible, protesta Faith. Les gens enterrés ici n'étaient pas meilleurs que les autres, Una. Mais quand une personne meurt, on ne doit dire que du bien d'elle, sinon elle revient nous hanter. C'est tante Martha qui me l'a dit. Quand j'ai demandé à papa si c'était vrai, il m'a regardée fixement en marmonnant: "Vrai? Vrai? Qu'est-ce que la vérité? Qu'est-ce que la vérité, ô Pilate plaisantin?" J'en ai conclu que ça devait être vrai.»

«Pensez-vous que M. Alec Davis reviendra me hanter si je lance un caillou sur l'urne au-dessus de son momument?» demanda Jerry.

«En tout cas, Mme Davis le ferait, gloussa Faith. À l'église, elle nous surveille comme un chat guette des souris. Dimanche dernier, j'ai fait une grimace à son neveu et il m'en a fait une en retour. Vous auriez dû la voir nous regarder. Je parie qu'elle lui a passé tout un savon quand ils sont sortis. Si Mme Marshall Elliott ne m'avait pas avertie de ne jamais offenser Mme Davis sous aucune considération, je lui aurais fait un pied-de-nez à elle aussi!»

«On prétend que Jem Blythe lui a tiré la langue une fois et qu'elle n'a jamais fait appel à son père depuis, même quand son mari était à l'article de la mort, raconta Jerry. Je me demande comment ils sont, ces Blythe.»

«Ils ont l'air pas mal», dit Faith. Les enfants du presbytère se trouvaient à la gare cet après-midi-là, quand les jeunes Blythe étaient arrivés. «Surtout Jem.»

«On raconte à l'école que Walter est une femmelette», poursuivit Jerry.

«Je ne le crois pas», protesta Una, qui avait trouvé Walter très séduisant.

«Il écrit des poèmes, en tout cas. L'an dernier, il a gagné le prix de poésie offert par le professeur, d'après ce que m'a raconté Bertie Shakespeare Drew. La mère de Bertie trouvait que son fils aurait dû le gagner à cause de son nom, mais Bertie dit que Shakespeare ou pas, il serait incapable d'écrire des vers, même si c'était une question de vie ou de mort.»

«Je présume qu'on va faire leur connaissance dès la rentrée des classes, dit Faith, songeuse. J'espère que les filles sont bien. La plupart des filles des environs ne me plaisent pas. Même les gentilles sont mesquines. Mais les jumelles Blythe ont l'air d'avoir bon caractère. Je croyais que les jumeaux étaient toujours identiques, mais celles-ci ne se ressemblent pas. À mon avis, c'est la rousse la plus sympathique.»

«Je trouve que leur mère a l'air gentille», dit Una en poussant un léger soupir. Una enviait toujours les enfants qui avaient une mère. Elle n'avait que six ans quand la sienne était morte, mais elle en avait quelques souvenirs précieux, conservés dans son cœur comme des joyaux: caresses du soir et petites rigolades matinales, regard aimant, voix tendre, et le plus joli, le plus joyeux des rires.

«On dit qu'elle est différente des autres gens», commenta Jerry.

«Selon Mme Elliott, c'est parce qu'elle n'a jamais grandi», expliqua Faith.

«Elle est plus grande que Mme Elliott, pourtant.»

«Oui, oui, mais c'est à l'intérieur; Mme Elliott prétend que Mme Blythe est restée une petite fille à l'intérieur.»

«Qu'est-ce que ça sent?» interrompit Carl en humant l'air.

Tous sentaient la même chose, à présent. Une odeur des plus délectables, provenant du vallon boisé en bas de la colline du presbytère, flottait dans l'air du soir.

«Ça me donne faim», déclara Jerry.

«On n'a eu que du pain et de la mélasse pour souper et du fricot froid pour dîner», se plaignit Una.

Tante Martha avait l'habitude de faire bouillir un énorme morceau de mouton au début de la semaine et d'en servir tous les jours, froid et graisseux, tant qu'il durait. Dans un moment d'inspiration, Faith avait baptisé ce plat «fricot» et c'est sous ce nom que, depuis, on le désignait au presbytère.

«Allons voir d'où provient cette odeur», proposa Jerry.

Ils se levèrent d'un bond, gambadèrent sur la pelouse avec l'abandon de jeunes chiots et dévalèrent la pente moussue, guidés par l'effluve délicieux qui se précisait de plus en plus. Quelques minutes plus tard, ils aboutirent, hors d'haleine, dans ce lieu sacré qu'est la vallée Arc-en-ciel où les Blythe s'apprêtaient à réciter le bénédicité et à manger.

Ils s'arrêtèrent, intimidés. Una regrettait leur précipitation. Mais Di Blythe se montrait toujours tout aussi impulsive. Elle s'avança vers eux, souriante.

«Je pense savoir qui vous êtes, dit-elle. Vous habitez au presbytère, n'est-ce pas?»

Faith hocha la tête, le visage creusé de fossettes.

«C'est l'odeur de vos truites qui nous a attirés. Nous nous demandions ce que c'était.»

«Vous n'avez qu'à vous asseoir et partager notre repas», suggéra Di.

«Vous en avez peut-être juste assez pour vous», dit Jerry, lorgnant l'assiette de fer blanc d'un air affamé.

«Nous en avons plein, trois chacun, assura Jem. Asseyez-vous.»

On n'eut pas besoin de faire plus de cérémonie. Tous prirent place sur les pierres moussues. Le festin s'éternisa dans la gaîté. Nan et Di auraient probablement été foudroyées d'horreur si elles avaient su — ce que Faith et Una savaient parfaitement — que Carl avait deux jeunes souris dans la poche de sa veste. Mais comme elles l'ignorèrent, cela ne leur fit aucun mal. Où les gens peuvent-ils le mieux lier connaissance qu'autour d'une table? Lorsque la dernière truite ne fut plus qu'un souvenir, les enfants du presbytère et ceux d'Ingleside étaient devenus des amis et alliés jurés. Depuis toujours et pour toujours. Ceux de la race de Joseph se reconnaissaient entre eux.

Ils se racontèrent leurs jeunes passés. Les enfants du presbytère apprirent l'histoire d'Avonlea et des Pignons verts, des traditions de la vallée Arc-en-ciel et de la petite maison près de la grève du port où Jem avait vu le jour. Les enfants d'Ingleside entendirent l'histoire de Maywater où les Meredith avaient vécu avant de venir s'installer au Glen, de la bien-aimée poupée borgne d'Una et du coq de Faith.

Faith avait tendance à s'offusquer quand les gens se moquaient d'elle parce qu'elle avait un coq comme animal familier. Les Blythe lui plurent en acceptant le fait sans poser de question.

«À mon avis, un coq splendide comme Adam est aussi agréable à cajoler qu'un chat ou un chien, dit-elle. S'il s'agissait d'un canari, personne ne s'en étonnerait. Et je l'ai eu quand il n'était encore qu'un minuscule poussin jaune. C'est Mme Johnson de Maywater qui me l'a donné. Une belette avait tué ses frères et sœurs. Je lui ai donné le prénom du mari de Mme Johnson. Je n'ai jamais aimé les poupées ni les chats. Les chats sont trop sournois et les poupées sont *mortes*.»

«Qui habite dans cette maison, là-bas?» demanda Jerry.

«Les demoiselles West, Rosemary et Ellen, répondit Nan. Mlle Rosemary va nous donner des cours de musique cet été, à Di et moi.»

Una fixa les heureuses jumelles avec des yeux dont l'expression était trop gentille pour être qualifiée d'envieuse. Oh! Si seulement elle pouvait suivre des cours de musique! C'était là un des rêves de sa vie secrète. Mais personne n'y avait jamais songé.

«Mlle Rosemary est si charmante et elle s'habille toujours si joliment, affirma Di. Elle a les cheveux de la couleur de la tire à la mélasse, ajouta-t-elle rêveusement, car Di, tout comme sa mère avant elle, ne s'était pas réconciliée avec ses propres tresses rousses.

«J'aime bien Mlle Ellen aussi, reprit Nan. Elle m'offrait toujours des bonbons quand elle venait à l'église. Mais elle fait peur à Di.»

«Elle a les sourcils tellement noirs et une voix si grave, expliqua Di. Oh! Comme Kenneth Ford avait peur d'elle quand il était petit! Maman raconte que le premier dimanche où Mme Ford l'a amené à l'église, Mlle Ellen s'y trouvait aussi, assise dans le banc juste derrière. Et dès que Kenneth l'a aperçue, il s'est mis à hurler sans s'arrêter jusqu'à ce que Mme Ford soit obligée de sortir avec lui.»

«Qui est Mme Ford?» s'enquit Una.

«Oh! Les Ford n'habitent pas ici. Ils ne viennent qu'en été. Et ils ne viendront pas cet été. Ils vivent dans la petite maison loin, loin sur la grève où papa et maman ont habité. Si vous pouviez voir Persis Ford! Elle est belle comme un ange.»

«Bertie Shakespeare Drew m'a parlé de Mme Ford,

interrompit Faith. Il paraît qu'elle a été mariée pendant quatorze ans à un homme mort qui est ressuscité.»

«Quelle sottise! s'écria Nan. Ce n'est pas ça du tout. Bertie Shakespeare est incapable de rapporter les faits tels qu'ils sont. Je connais toute l'histoire et je vous la raconterai un jour, mais pas aujourd'hui parce que c'est trop long et qu'il est temps de rentrer. Maman n'aime pas que nous restions dehors tard le soir quand c'est humide.»

Personne ne se préoccupait de savoir si les enfants du presbytère étaient dehors, que la soirée fût humide ou non. Tante Martha était déjà couchée et le pasteur était encore trop profondément perdu dans des spéculations sur l'immortalité de l'âme pour songer à la mortalité du corps. Mais ils rentrèrent aussi, se réjouissant à l'avance des bons moments à venir.

«Je crois que la vallée Arc-en-ciel est encore plus sympathique que le cimetière, commenta Una. Et j'adore ces Blythe. Et c'est si bien de pouvoir aimer les gens, parce que c'est si souvent difficile. Dimanche dernier, papa a dit dans son sermon qu'il faut aimer tout le monde. Mais comment faire? Comment peut-on aimer Mme Alec Davis?»

«Oh! Papa n'a dit ça que parce qu'il était en chaire, rétorqua Faith avec désinvolture. Il a trop de bon sens pour le penser réellement.»

Les enfants Blythe retournèrent à Ingleside, à l'exception de Jem qui s'absenta quelques instants pour une expédition solitaire dans un recoin éloigné de la vallée. Des fleurs de mai y poussaient et jamais il n'oubliait d'en rapporter un bouquet à sa mère tant qu'elles duraient.

5

Mary Vance entre en scène

«C'est en plein le genre de journée où l'on s'attend à ce qu'il se passe quelque chose», déclara Faith, répondant à l'appel de l'air cristallin et des collines bleutées. D'excellente humeur, elle se mit à danser toute seule une matelote sur la vieille pierre tombale d'Hezekiah Pollock, au grand scandale de deux vieilles filles qui s'adonnaient à passer par là au moment où Faith sautillait sur un pied autour de la tombe en agitant les bras et l'autre pied dans les airs.

«Et ça, grommela l'une, c'est la fille de notre pasteur.»

«Peut-on espérer autre chose de la famille d'un veuf?» ronchonna l'autre. Et toutes deux branlèrent du chef.

C'était tôt le samedi matin et les Meredith étaient dehors dans la rosée, merveilleusement conscients que c'était un jour de congé. Ils n'avaient jamais eu de travail à faire les jours de congé. Même Nan et Di assumaient certaines tâches ménagères le samedi matin, mais les filles du presbytère étaient libres de vagabonder de l'aurore au couchant si cela leur chantait. Si la situation faisait l'affaire de Faith, Una se sentait secrètement humiliée de n'avoir jamais rien appris à faire. Les autres filles de sa classe savaient cuisiner, coudre et tricoter alors qu'elle n'était qu'une petite ignorante.

Jerry proposa d'aller en exploration; ils partirent donc en flânant dans la sapinière, cueillant Carl en chemin; ce dernier, agenouillé dans l'herbe humide, était en train d'étudier ses chères fourmis. Après avoir traversé la sapinière, ils aboutirent dans le pré de M. Taylor, parsemé des spectres blancs des pissenlits; dans un coin retiré se dressait une vieille grange en ruines dans laquelle M. Taylor entreposait à l'occasion son surplus de foin, mais qui ne servait jamais à rien d'autre. Les enfants Meredith s'y rassemblèrent et s'y promenèrent quelques minutes.

«Qu'est-ce que c'est?» chuchota soudain Una.

Ils tendirent l'oreille. On percevait un léger mais distinct bruissement dans le grenier à foin. Les Meredith se regardèrent.

«Je vais aller voir de quoi il s'agit», dit résolument Jerry.

«Oh non, n'y va pas», supplia Una, agrippant son bras.

«J'y vais.»

«On y va tous, alors», décida Faith.

Ils gravirent l'échelle branlante; Jerry et Faith avançaient d'une allure intrépide tandis qu'Una était pâle de frayeur et que Carl, plutôt distrait, spéculait sur la possibilité de découvrir une chauve-souris dans le grenier. Il y avait longtemps qu'il souhaitait en voir une à la lumière du jour.

Arrivés en haut, ils virent ce qui avait causé le petit bruit et cette vision les laissa muets quelques instants.

Une fille était blottie dans un petit nid dans le foin, paraissant venir tout juste d'émerger du sommeil. Elle se leva en les apercevant, plutôt tremblante, semblait-il, et dans le rayon de soleil qui traversait la fenêtre voilée de toiles d'araignée derrière elle, ils constatèrent que son mince visage basané était blafard sous son hâle. Son épaisse chevelure blond filasse était divisée en deux tresses ternes et ses yeux étranges — des yeux blancs, pensèrent les enfants du presbytère — lancèrent un regard à la fois provocateur et pitoyable. Ses yeux étaient en réalité d'un bleu si pâle qu'il paraissait presque blanc, surtout en contraste avec l'anneau noir et étroit qui encerclait ses iris. Tête et pieds nus, elle était attifée d'un haillon qui lui servait de robe, en tissu écossais délavé, beaucoup trop court et trop serré pour elle. Quant à son âge, son visage fripé le rendait difficile à déterminer, mais d'après sa taille, on pouvait lui donner environ douze ans.

«Qui es-tu?» demanda Jerry.

La fillette regarda autour d'elle, comme si elle cherchait par où s'échapper. Puis, avec un petit frémissement de désespoir, elle parut y renoncer.

«Je suis Mary Vance», répondit-elle.

«Et d'où tu viens?» poursuivit Jerry.

Au lieu de répondre, Mary s'assit brusquement, ou s'effondra plutôt, dans le foin et éclata en sanglots. Faith se précipita aussitôt à côté d'elle et entoura de son bras les maigres épaules tressautantes.

«Toi, arrête de l'asticoter», ordonna-t-elle à Jerry. Puis elle serra la pauvre petite contre elle. «Ne pleure pas, mon chou. Dis-nous seulement ce qui t'arrive. Nous sommes des amis.»

«J'ai tellement, tellement faim, gémit Mary. J'ai... j'ai rien avalé depuis jeudi matin, sauf un peu d'eau du ruisseau là-bas.»

Les enfants du presbytère se jetèrent un regard horrifié. Faith bondit.

«Tu vas venir immédiatement au presbytère et manger quelque chose avant de dire un mot de plus.»

Mary eut un mouvement de recul.

«Oh! J'peux pas. Qu'est-ce que vos parents vont dire? Puis ils vont me renvoyer.»

«On n'a pas de mère, et notre père ne fera pas attention à toi. Ni tante Martha. Viens, je te dis.»

Faith tapa du pied avec impatience. Cette fille bizarre allait-elle insister pour se laisser mourir de faim à sa propre porte?

Mary céda. Elle était si faible qu'elle pouvait à peine descendre l'échelle, mais ils réussirent à l'amener en bas et à lui faire traverser le champ pour arriver à la cuisine du presbytère. Tante Martha, occupée à concocter sa popote du samedi, ne lui prêta aucune attention. Faith et Una se ruèrent dans le garde-manger et le pillèrent des victuailles qu'il contenait: du fricot, du pain, du beurre, du lait et une tarte douteuse. Mary Vance attaqua voracement la nourriture et ne fit aucune commentaire désobligeant pendant que les autres, debout autour d'elle, la regardaient. Jerry remarqua qu'elle avait une jolie bouche et des dents très belles, égales et blanches. Faith conclut, avec une secrète horreur, que Mary ne portait rien d'autre sur elle que ce lambeau décoloré. Una était envahie de pure pitié, Carl, d'étonnement amusé, et tous, de curiosité.

«À présent, viens au cimetière et raconte-nous ton histoire», ordonna Faith lorsque l'appétit de Mary parut faiblir. Mary ne se fit pas prier. La nourriture lui avait redonné sa vivacité naturelle tout en lui déliant la langue.

«Vous le répéterez pas à votre père ni à personne?» recommanda-t-elle une fois installée sur la pierre tombale de M. Pollock. Les enfants du presbytère étaient assis en rang d'oignon sur une tombe en face d'elle. Enfin, l'existence était pimentée de mystère et d'aventure. Enfin, quelque chose était arrivé.

«Non, on le répétera pas.»

«Juré, craché?»

«Juré, craché.»

«Bon, ben, j'me suis sauvée. J'habitais chez Mme Wiley de l'autre côté du port. Vous connaissez Mme Wiley?»

«Non.»

«Ben, tant mieux pour vous. C'est une femme terrible. Seigneur, comme je la déteste! Elle me faisait mourir au travail et me donnait pratiquement rien à manger, et elle me battait presque tous les jours. Regardez.»

Mary roula ses manches déchirées et tendit ses bras décharnés et ses mains tellement gercées que la peau était pratiquement à vif. Ils étaient couverts d'ecchymoses. Les enfants du presbytère frémirent. Faith devint écarlate d'indignation. Les yeux bleus d'Una se remplirent de larmes.

«Hier soir, elle m'a battue avec un bâton, reprit Mary avec indifférence, parce que j'ai laissé la vache donner un coup de patte dans un seau de lait. Comment j'pouvais l'savoir que c'te maudite vache allait ruer?»

Ses interlocuteurs ressentirent un trouble pas vraiment désagréable. Ils n'auraient jamais même imaginé utiliser des termes aussi crus, mais c'était plutôt émoustillant d'entendre quelqu'un d'autre le faire. Cette Mary Vance était sûrement une créature hors du commun.

«Je ne te blâme pas de t'être enfuie», dit Faith.

«Oh! C'est pas à cause des coups que j'me suis sauvée. Ça faisait partie de la routine. J'y étais maudidement bien habituée. Non, j'ai décidé de m'enfuir y a une semaine parce que j'ai découvert que Mme Wiley allait louer sa ferme pour partir à Lowbridge et qu'elle avait l'intention de m'donner à une de ses cousines qui habite sur la route de Charlottetown. Ça, j'allais pas le supporter. Elle est encore plus méchante que Mme Wiley. Mme Wiley m'a prêtée à elle un mois l'été passé et j'aimerais mieux vivre avec Satan en personne.»

Émoi numéro deux. Mais Una eut l'air sceptique.

«Alors j'ai décidé de foutre le camp. J'avais économisé les soixante-dix cents que Mme Crawford m'avait donnés quand j'ai planté ses pommes de terre au printemps. Mme Wiley était pas au courant. Elle était en visite chez sa cousine quand j'les ai plantées. J'ai pensé à m'faufiler jusqu'au Glen et à acheter un billet pour Charlottetown où j'essaierais de m'trouver du travail. J'suis débrouillarde, vous pouvez m'croire. Y a pas un seul os paresseux dans mon corps. Alors j'suis partie jeudi matin avant que Mme Wiley soit levée et j'ai marché jusqu'au Glen... six milles. Et quand j'suis arrivée à la gare, j'me suis aperçue que j'avais perdu mon argent. J'sais pas où ni comment. En tout cas, j'l'avais plus. Qu'est-ce que j'pouvais faire? Si je retournais chez la vieille Mme Wiley, elle m'arracherait la peau des os. Alors j'suis venue m'cacher dans cette vieille grange.»

«Et qu'est-ce que tu comptes faire, à présent?» demanda Jerry.

«J'sais pas. J'suppose qu'il va falloir que j'y retourne et que j'avale ma pilule. À présent que j'ai quelque chose dans l'estomac, j'imagine que j'arriverai à supporter ça.»

Mais si Mary crânait, la peur était pourtant perceptible dans son regard. Una se glissa soudain près d'elle et l'entoura de son bras.

«N'y retourne pas. Reste ici, avec nous.»

«Oh! Mme Wiley va m'faire rechercher, dit Mary. Elle est probablement déjà sur ma piste. J'imagine que j'pourrais rester ici jusqu'à ce qu'elle me retrouve, si ça vous dérange pas. J'étais une maudite folle de penser à m'échapper. Elle traquerait une belette jusque dans son terrier. Mais j'étais si misérable.»

La voix de Mary trembla, mais elle avait honte de montrer sa faiblesse.

«J'ai même pas été traitée comme un chien pendant ces quatre années», expliqua-t-elle en relevant la tête.

«Tu es restée quatre ans avec Mme Wiley?»

«Ouais. Elle m'a prise à l'orphelinat de Hopetown quand j'avais huit ans.»

«Mme Blythe vient du même endroit!» s'exclama Faith.

«J'suis restée deux ans à l'hospice. On m'avait placée là quand j'avais six ans. Ma mère s'était pendue et mon père s'était tranché la gorge.»

«Juste ciel! Pourquoi?» s'écria Jerry.

«La boisson», répondit laconiquement Mary.

«Et tu n'as aucun parent?»

«Pas un maudit que j'connais. J'ai pourtant dû en avoir. J'porte le nom d'une demi-douzaine d'entre eux. Mon nom au complet est Mary Martha Lucilla Moore Ball Vance. Essayez de faire mieux. Mon grand-père avait de l'argent. J'gage qu'il était plus riche que le vôtre. Mais mon père a tout bu et ma mère a fait sa part. Ils se gênaient pas pour me battre, eux non plus. Seigneur! J'ai été tellement rossée dans ma vie qu'on dirait que j'ai appris à aimer ça.»

Mary secoua la tête. Elle devinait que les enfants du presbytère la plaignaient et elle ne voulait pas être prise en pitié. Elle voulait être enviée. Elle regarda gaiement autour d'elle. À présent qu'ils n'étaient plus ternis par la faim, ses yeux étranges brillaient. Elle montrerait à ces jeunes quel personnage elle était.

«J'ai eu plein de maladies, poursuivit-elle fièrement. Ils sont rares, les enfants qui auraient survécu à autant de maladies que moi. J'ai eu la scarlatine, la rougeole, l'érysipèle, les oreillons, la coqueluche et la *piumonie*.»

«As-tu déjà attrapé une maladie fatale?» demanda Una.

«J'sais pas», répondit Mary d'un air perplexe.

«Bien sûr que non, se moqua Jerry. Quand on attrape une maladie fatale, on meurt.»

«Oh! ben j'suis pas exactement morte, dit Mary, mais j'ai passé proche, une fois. On a cru que je l'étais et on se préparait à m'enterrer quand j'suis revenue à la vie.»

«À quoi ça ressemble d'être à moitié morte?» demanda Jerry avec curiosité.

«À rien. J'm'en suis pas rendu compte sur le coup. C'est quand j'ai eu ma *piumonie*. Mme Wiley voulait pas appeler le docteur, elle disait qu'elle allait pas faire une dépense pareille pour une servante. C'est la vieille Christina MacAllister qui m'a soignée avec des cataplasmes. Elle m'a guérie. Mais des fois j'pense que l'autre moitié aurait dû mourir aussi. J'aurais été mieux comme ça.»

«J'imagine que c'est vrai, si on va au ciel», remarqua Faith, pas vraiment convaincue.

«Ben, à quel autre endroit est-ce qu'on peut aller?» demanda Mary, déconcertée.

«Il y a l'enfer, tu sais», répondit Una en baissant le ton et serrant Mary contre elle pour atténuer le côté terrible de cette suggestion.

«L'enfer? C'est quoi, ça?»

«Eh bien, c'est là où vit Satan, expliqua Jerry. Tu as déjà entendu parler de lui, puisque tu as prononcé son nom.»

«Oh! oui, mais j'savais pas qu'il vivait quelque part. J'pensais qu'il faisait juste errer un peu partout. De son vivant, M. Wiley avait coutume de mentionner le diable. Il disait toujours à tout le monde d'y aller. J'croyais que ça s'trouvait quelque part au Nouveau-Brunswick, d'où il venait.»

«L'enfer est un lieu terrible, dit Faith avec cet air dramatiquement ravi qu'ont les gens en racontant des choses épouvantables. Les méchants y vont à leur mort et ils brûlent dans le feu pour l'éternité.»

«Qui t'a dit ça?» demanda Mary, incrédule.

«C'est dans la Bible. Et M. Isaac Crothers nous l'a confirmé, à l'école du dimanche de Maywater. C'était un marguillier et un pilier de l'église et il connaissait toutes ces choses. Mais tu n'as pas à t'inquiéter. Si tu es bonne, tu iras au ciel, et si tu es méchante, j'imagine que tu préférerais aller en enfer.»

«Non, protesta Mary avec assurance. Peu importe mon degré de méchanceté, j'voudrais pas brûler pendant l'éternité. Je sais ce que c'est. Une fois, par accident, j'ai pris un tisonnier brûlant. Qu'est-ce qu'il faut faire pour être bon?»

«Il faut aller à l'église et à l'école du dimanche, lire la Bible, faire ta prière tous les soirs et donner de l'argent pour les missions», énuméra Una.

«C'est beaucoup, commenta Mary. Y a autre chose?»

«Tu dois demander à Dieu de te pardonner les péchés que tu as commis.»

«J'en ai jamais com... commis, affirma Mary. De toute façon, c'est quoi, un péché?»

«Oh! Mary, tu en as sûrement commis. Tout le monde en fait. Tu n'as jamais menti?»

«Souvent», avoua Mary.

«C'est un terrible péché», déclara solennellement Una.

«Es-tu en train de me dire qu'on m'enverra en enfer pour avoir raconté une menterie de temps en temps? Mais fallait ben! J'm'en serais pas sortie vivante, une fois, si j'avais pas menti à M. Wiley. J'ai évité plus d'une taloche en mentant, vous pouvez me croire.»

Una soupira. Elle se sentait incapable de résoudre toutes ces difficultés. La pensée d'être cruellement fouettée lui donna la chair de poule. Elle aurait probablement menti, elle aussi. Elle serra plus fort la petite main calleuse de Mary.

«Est-ce ta seule robe?» demanda Faith dont la nature

joyeuse refusait de s'attarder à des sujets déplaisants.

«J'ai mis celle-là parce qu'elle est usée à la corde, s'écria Mary en rougissant. C'est Mme Wiley qui m'achetait mes vêtements et j'voulais rien lui devoir. J'suis honnête, moi. Si j'me sauvais, j'allais pas prendre quoi que ce soit de valeur qui lui appartenait. Quand j'serai grande, j'aurai une robe de satin bleu. Puis vos propres habits sont pas si élégants que ça. J'pensais que les enfants de pasteur étaient toujours bien habillés.»

C'était clair que Mary avait du caractère et qu'il valait mieux mettre des gants blancs pour aborder certains sujets avec elle. Mais il émanait d'elle un charme étrange et sauvage qui les captivait tous. Ils l'amenèrent à la vallée Arc-en-ciel cet après-midi-là et la présentèrent aux Blythe comme «une amie de l'autre côté du port en visite chez nous». Ceux-ci l'acceptèrent d'emblée, peut-être parce qu'elle avait à présent une apparence passablement respectable. Après le déjeuner — pendant lequel tante Martha n'avait cessé de marmonner et M. Meredith, dans un état de semi-inconscience, avait ruminé son sermon du dimanche — Faith avait persuadé Mary de revêtir une de ses robes ainsi que certains autres accessoires vestimentaires. Avec ses cheveux impeccablement nattés, Mary était pour ainsi dire à la hauteur de la situation. Connaissant plusieurs nouveaux jeux excitants, elle se révéla une camarade acceptable. Sa conversation était pimentée et, en fait, Nan et Di se jetèrent des regards en coin en entendant certaines de ses expressions. Si elles n'étaient pas certaines de ce que leur mère aurait pensé d'elle, elles savaient exactement comment Susan l'aurait jugée. Mais comme elle était en visite au presbytère, elle ne devait pas poser de problème.

Lorsque vint l'heure du coucher, il restait à savoir où Mary allait dormir.

«On ne peut pas lui donner la chambre d'ami, vous savez», dit Faith d'un air perplexe.

«J'ai pas de poux!» s'écria Mary, indignée.

«Oh! Ce n'est pas ce que je voulais dire, protesta Faith.

La chambre d'ami est tout à l'envers. Les souris ont rongé un gros trou dans le matelas de plumes et y ont fait leur nid. On ne s'en était pas rendu compte avant que tante Martha y fasse dormir le révérend Fisher la semaine dernière. Il n'a pas mis de temps à s'en apercevoir, lui! Alors papa a dû lui prêter son lit et dormir sur le canapé du bureau. Comme tante Martha, d'après ce qu'elle dit, n'a pas encore eu le temps de réparer le lit de la chambre d'ami, personne ne peut dormir là, que sa tête soit propre ou non. Et notre chambre est si petite, et nos lits si étroits que tu ne peux dormir avec nous.»

«J'peux retourner dormir dans la grange si vous m'prêtez une couverture, proposa philosophiquement Mary. Il faisait plutôt froid hier soir, mais pour le reste, j'ai déjà connu des lits pires que ça.»

«Oh! non, non, il ne faut pas, dit Una. J'ai pensé à un plan. Vous savez, le petit lit à tréteaux que l'ancien pasteur a laissé dans le grenier, avec le vieux matelas? On n'a qu'à y mettre les draps de la chambre d'ami. Ça ne te dérangera pas de dormir dans le grenier, Mary? Notre chambre est juste au-dessous.»

«N'importe où fera l'affaire. Seigneur! J'ai jamais eu de ma vie un endroit décent où dormir. Chez Mme Wiley, j'couchais dans l'grenier au-dessus de la cuisine. Le toit coulait en été et en hiver, la neige entrait. J'avais rien qu'une vieille paillasse sur le plancher. J'suis absolument pas susceptible à propos de l'endroit où je dors.»

Le grenier du presbytère était une longue pièce sombre au plafond bas divisée par une cloison au pignon du fond. On y dressa le lit de Mary avec les draps joliment ourlés et le couvre-lit que Cecilia Meredith avait un jour fièrement brodé pour la chambre d'ami, et qui survivaient encore aux incertains lavages de tante Martha. On se souhaita bonne nuit et le silence tomba sur le presbytère. Una était sur le point de s'endormir quand un bruit provenant de la pièce au-dessus la fit se dresser dans son lit.

«Écoute, Faith, chuchota-t-elle, Mary pleure.»

Faith ne répondit pas: elle dormait. Una se glissa alors

hors de son lit et, dans sa petite chemise de nuit blanche, elle se rendit jusqu'au grenier. Le plancher qui craquait rendait son arrivée évidente et, quant elle parvint à la chambrette du coin, tout baignait dans un silence lunaire et on ne voyait qu'une bosse au milieu du lit.

«Mary», chuchota Una.

Aucune réponse.

Una se faufila près du lit et tira la couverture.

«Mary, je sais que tu pleures. Je t'ai entendue. Est-ce que tu te sens seule?»

Mary, toujours muette, émergea alors des couvertures.

«Laisse-moi me coucher à côté de toi. J'ai froid», poursuivit Una qui grelottait dans l'air glacial, car la petite fenêtre du grenier était ouverte, laissant entrer le souffle vif de la côte nord.

Mary se poussa et Una se pelotonna près d'elle.

«À présent, tu ne t'ennuieras plus. On n'aurait pas dû te laisser ici toute seule la première nuit.»

«J'm'ennuyais pas», renifla Mary.

«Pourquoi pleurais-tu, alors?»

«Oh! J'me suis mise à penser à des choses quand j'me suis retrouvée ici toute seule. J'ai pensé qu'il faudrait que j'retourne chez Mᵐᵉ Wiley, et que j'serais battue pour m'être sauvée, et... et qu'j'irais en enfer pour avoir menti. Tout ça me tourmentait.»

«Oh! Mary, dit la pauvre Una, en détresse. Je ne crois pas que Dieu t'enverra en enfer pour avoir menti alors que tu ne savais pas que c'était péché. Il ne pourrait pas faire ça. Tout de même, Il est bon et gentil. Évidemment, tu ne dois plus le faire à présent.»

«Si j'peux plus mentir, qu'est-ce que j'vais devenir? sanglota Mary. Tu peux pas comprendre, toi. Tu connais rien de ces choses. Tu as une maison et un père gentil, même si j'ai eu l'impression qu'il était pas tout à fait là. En tout cas, il te cogne pas et tu manges à ta faim, même si ta vieille tante sait absolument pas cuisiner. Seigneur, si j'te disais que c'est la première fois que j'ai la sensation d'avoir assez mangé. J'ai été battue toute ma vie, sauf les deux ans que j'ai passés à l'orphelinat. On me battait pas là-bas, et c'était pas trop mal, même si la matrone avait mauvais caractère. Elle avait toujours l'air sur le point de m'arracher les oreilles. Mais Mme Wiley est une vraie terreur, rien d'autre, et quand j'pense qu'il va falloir que je retourne chez elle, j'suis morte de peur.»

«Peut-être que tu ne seras pas obligée d'y retourner. Peut-être qu'on va trouver un moyen de l'éviter. Demandons à Dieu qu'Il s'arrange pour que tu n'aies pas à retourner chez Mme Wiley. Tu récites tes prières, n'est-ce pas, Mary?»

«Oh! oui. J'répète toujours une vieille formule avant d'me coucher, acquiesça Mary avec indifférence. Mais j'ai jamais pensé à rien demander de spécial. Comme personne s'est jamais occupé d'moi dans c'monde, j'ai jamais supposé que Dieu l'ferait. Il se préoccupe peut-être plus de toi, vu que t'es la fille d'un pasteur.»

«Il se préoccupe autant de toi que de moi, j'en suis sûre. Ta famille, tes parents, ça Lui est égal. Demande-Lui de t'aider et moi aussi, je vais prier pour toi.»

«D'accord, approuva Mary. Si ça fait pas de bien, ça pourra pas faire de mal. Si tu connaissais Mme Wiley aussi bien que moi, tu penserais pas que Dieu puisse vouloir avoir affaire à elle. De toute façon, j'ai fini de pleurer. C'est beaucoup mieux ici qu'hier soir dans la vieille grange, avec les souris qui couraient partout. Regarde le phare de Four Winds. N'est-ce pas qu'il est joli?»

«On ne peut le voir que de cette fenêtre, dit Una. J'adore le regarder.»

«C'est vrai? Moi aussi. J'le voyais du grenier de chez les Wiley, et c'était la seule consolation que j'avais. Quand j'avais mal partout après avoir été battue, j'le regardais et ça m'faisait oublier tous les endroits où j'avais mal. J'pensais aux bateaux qui s'en allaient loin, loin et j'imaginais que j'en étais un et que moi aussi je partais. Les soirs d'hiver, quand il était éteint, j'me sentais vraiment seule. Dis-moi, Una, pourquoi vous êtes si gentils avec moi qui suis une étrangère?»

«Parce qu'il faut l'être. La Bible nous dit qu'il faut être

bon avec tout le monde.»

«Ah! oui? Alors j'imagine que la plupart des gens s'en balancent. J'me rappelle pas que personne ait été bon avec moi avant, aussi vrai que j'suis là. Dis, Una, tu trouves pas qu'elles sont jolies, les ombres sur le mur? On dirait des petits oiseaux qui dansent. Dis, Una, j'aime toute ta famille et les garçons Blythe et Di. Mais Nan me plaît pas, elle est trop fière.»

«Oh! non, Mary, elle n'est pas fière du tout, protesta sincèrement Una. Pas une miette.»

«Tu m'en diras tant! Une fille qui se tient la tête comme elle est fière. Je l'aime pas.»

«Nous, nous l'aimons beaucoup.»

«Oh! J'suppose que vous l'aimez plus que moi, pas vrai? demanda Mary, jalouse.

«Mon Dieu, Mary, on la connaît depuis des semaines et toi, depuis seulement quelques heures», bredouilla Mary.

«Vous l'aimez plus que moi, alors? s'écria Mary d'un ton rageur. Pas de problème. Aimez-la tant que vous voulez. J'm'en fiche. J'peux très bien me passer de vous.»

Et elle se tourna brusquement vers le mur.

«Oh! Mary, dit Una en posant tendrement le bras sur le dos récalcitrant de Mary, ne parle pas comme ça. Je t'aime vraiment beaucoup. Et tu me fais de la peine.»

Pas de réponse. Una étouffa un sanglot. Mary se retourna aussitôt et pressa Una contre elle.

«Chut, ordonna-t-elle. Pleure pas pour c'que j'ai dit. Fallait que j'sois aussi mesquine que l'diable pour parler comme ça. Vous êtes tellement gentils avec moi que j'mériterais d'être écorchée vive. J'ai bien mérité toutes les raclées que j'ai reçues. Calme-toi, à présent. Si tu pleures encore, j'vais m'en aller en chemise de nuit et me noyer dans le port.»

À cette terrible menace, Una ravala ses sanglots. Mary sécha ses larmes avec le volant de dentelle de la taie d'oreiller et, une fois l'harmonie revenue, toutes deux se blottirent de nouveau dans les bras l'une de l'autre pour regarder les ombres des vignes sur le mur éclairé par la lune jusqu'à ce qu'elles s'endorment.

Et pendant ce temps-là, au-dessous, le révérend John Meredith marchait de long en large dans son bureau, le visage recueilli et les yeux brillants, méditant sur le message qu'il livrerait le lendemain, inconscient que sous son propre toit se trouvait un petit être égaré, butant dans les ténèbres et l'ignorance, envahi de terreur et de difficultés dont il ne pouvait venir à bout dans ce combat inégal qu'il menait contre un monde indifférent.

6

Mary reste au presbytère

Le lendemain, les enfants du presbytère amenèrent Mary Vance à l'église. Mary commença par refuser catégoriquement.

«Tu n'allais pas à l'église quand tu habitais de l'autre côté du port?» demanda Una.

«Tu parles! Mme Wiley a jamais été très portée sur la religion, mais j'y allais tous les dimanches où j'pouvais m'éclipser. Ça m'faisait du bien d'être quelque part où j'pouvais m'asseoir un bout de temps. Mais j'peux pas aller à l'église dans cette vieille défroque.»

Cette difficulté fut éliminée lorsque Faith offrit de lui prêter sa deuxième meilleure robe.

«Elle a un peu déteint et il manque deux boutons, mais je pense que ça ira.»

«J'vais recoudre les deux boutons en criant lapin», dit Mary.

«Pas le dimanche», protesta Una, choquée.

«Faut battre le fer quand il est chaud. Passe-moi une aiguille et du fil et regarde ailleurs si ça te scandalise.»

Les bottines d'école de Faith et un vieux chapeau de velours noir ayant appartenu à Cecilia Meredith complétèrent le costume de Mary; elle alla donc à l'église. Sa conduite n'eut rien d'excentrique, et même si certaines personnes s'interrogèrent sur l'identité de la petite pauvresse qui accompagnait les enfants du presbytère, elle n'attira pas trop l'attention. Elle écouta le sermon avec tout le sérieux voulu et joignit avec enthousiasme sa voix au chant. Il s'avéra qu'elle avait une voix claire et forte et une bonne oreille.

«Le Seigneur est mon *verger*», claironna joyeusement Mary. Mᵐᵉ Jimmy Milgrave, dont le banc était juste devant celui du presbytère, se tourna brusquement et examina l'enfant de la tête aux pieds. Mary, dans un élan d'impertinence tout à fait superflu, tira la langue à Mᵐᵉ Milgrave, à la consternation d'Una.

«J'ai pas pu m'en empêcher, se justifia-t-elle après l'office. Qu'est-ce qu'elle avait à me dévisager comme ça? Quelles manières, vraiment! J'suis bien contente de lui avoir tiré la langue. J'aurais dû la tirer encore plus. Dites, j'ai vu Rob MacAllister qui habite de l'autre côté du port. J'me demande s'il va parler de moi à Mᵐᵉ Wiley.»

Aucune Mᵐᵉ Wiley ne se montra et, quelques jours plus tard, les enfants oublièrent cette menace. Mary semblait installée à demeure au presbytère. Mais elle refusa d'aller à l'école avec les autres.

«Pas question. J'ai fini mes études, trancha-t-elle quand Faith essaya de la convaincre. J'suis allée à l'école quatre hivers pendant que j'restais chez Mᵐᵉ Wiley et ça m'a suffi. J'en ai ma claque de m'faire asticoter parce je remets pas mes devoirs à temps. J'ai pas l'temps de faire des devoirs.»

«Notre professeur ne t'asticotera pas. Il est vraiment sympathique», assura Faith.

«J'irai pas. J'sais lire et écrire et calculer jusqu'aux fractions. J'veux rien de plus. Allez-y, vous autres, moi, j'vais rester à la maison. Vous avez pas besoin d'avoir peur que j'vole quelque chose. J'vous jure que j'suis honnête.»

Pendant que les autres étaient à l'école, Mary s'employa à faire le ménage du presbytère. Quelques jours plus tard, l'endroit était complètement métamorphosé. Les planchers étaient balayés, les meubles, époussetés, toutes les choses remises en place. Elle reprisa le couvre-lit de la chambre d'ami, cousit les boutons manquants, rapiéça les vêtements et

envahit même le bureau munie d'un balai et d'une pelle à
poussière et en fit sortir M. Meredith pendant qu'elle y mettait de l'ordre. Il restait pourtant un domaine où tante Martha lui refusait d'intervenir. Tante Martha était peut-être très
puérile et à moitié sourde et aveugle, mais elle était résolue à
garder le contrôle du ravitaillement, malgré les ruses et les
stratagèmes de Mary.

«J'vous assure que vous auriez des repas convenables si
tante Martha me laissait cuisiner, confia-t-elle, indignée, aux
enfants du presbytère. Y aurait plus de "fricot", ni de porridge
grumeleux, ni de lait écrémé. Voulez-vous bien m'dire ce
qu'elle fait de toute la crème?»

«Elle la donne au chat. Il lui appartient, tu sais», répondit Faith.

«J'lui en ferais, un chat, moi! s'exclama maussadement
Mary. J'aime pas les chats, d'ailleurs. Ils appartiennent au
Malin. Ça paraît dans leurs yeux. J'suppose que si c'est la
volonté de tante Martha, y a plus rien à dire. Mais ça m'é-
nerve de voir gaspiller d'la bonne nourriture.»

Après l'école, ils allaient toujours à la vallée Arc-en-ciel.
Mary refusait de jouer dans le cimetière. Elle avait peur des
fantômes, disait-elle.

«Ça n'existe pas, les fantômes», déclara Jem Blythe.

«Vraiment?»

«Tu en as déjà vu un?»

«J'en ai vu des centaines», rétorqua Mary.

«À quoi ils ressemblaient?» demanda Carl.

«Ils étaient effrayants. Habillés en blanc avec des têtes et
des mains de squelette.»

«Et qu'est-ce que tu as fait?» demanda Una.

«J'ai pris mes jambes à mon cou», dit Mary. Puis elle
surprit le regard de Walter et rougit. Mary redoutait beaucoup Walter. Ses yeux la rendaient nerveuse, avait-elle confié aux filles du presbytère.

«Quand j'les regarde, j'pense à tous les mensonges que
j'ai racontés dans ma vie, et j'voudrais les avoir jamais dits.»

Jem était le préféré de Mary. Lorsqu'il l'amena au grenier,

à Ingleside, et lui montra le musée de curiosités que lui avait léguées le Capitaine Jim Boyd, elle fut flattée et enchantée. Elle gagna également le cœur de Carl en s'intéressant à ses coccinelles et ses fourmis. On ne peut nier que Mary s'entendait beaucoup mieux avec les garçons qu'avec les filles. Dès le deuxième jour, elle eut une violente altercation avec Nan Blythe.

«Ta mère est une sorcière, lança-t-elle à Nan d'un ton méprisant. Les femmes aux cheveux roux sont toujours des sorcières.» Ensuite, elle et Faith se fâchèrent à cause du coq. Mary déclara qu'il avait la queue trop courte. Faith répliqua avec colère que Dieu devait sans doute savoir de quelle longueur faire la queue des coqs. Elles ne s'adressèrent pas la parole une journée entière après cela. Mary traita la poupée chauve et borgne d'Una avec considération; mais quand cette dernière lui montra son autre précieux trésor — l'image d'un ange portant un bébé, probablement au ciel — Mary décréta qu'il ressemblait trop à un fantôme pour elle. Una se retira dans sa chambre pour pleurer, mais, regrettant ses paroles, Mary alla la trouver, la serra dans ses bras et implora son pardon. Personne ne pouvait rester longtemps fâchée contre Mary, pas même Nan qui avait plutôt tendance à garder ses rancunes et ne pardonna jamais tout à fait l'insulte faite à sa mère. Mary était joviale. Elle pouvait raconter les histoires de fantômes les plus passionnantes. Les séances à la vallée Arc-en-ciel se révélèrent indéniablement plus stimulantes après la venue de Mary. Elle apprit à jouer de la guimbarde et, en peu de temps, elle éclipsa Jerry.

«J'suis jamais tombée sur quelque chose que j'pouvais pas faire quand j'm'y mettais», déclara-t-elle. Mary perdait rarement une occasion de se faire valoir. Elle leur enseigna à faire des sachets avec les épaisses feuilles de «vit-toujours» qui fleurissaient dans le vieux jardin Baley; elle les initia aux savoureuses qualités des baies acides qui poussaient dans les niches du muret du cimetière; et elle pouvait, avec ses longs doigts flexibles, projeter les plus merveilleuses ombres chinoises sur les murs. Et quand ils allaient tous chercher de la résine à la vallée Arc-en-ciel, Mary se vantait toujours de trouver la plus grosse «mâchée». Parfois, ils détestaient Mary, et parfois, ils l'aimaient. Mais toujours ils la trouvaient intéressante. Ils se soumirent donc humblement à son autorité et, après deux semaines, ils en étaient venus à penser qu'elle était parmi eux depuis toujours.

«C'est vraiment bizarre que Mme Wiley m'ait pas recherchée, dit Mary. J'arrive pas à comprendre ça.»

«Peut-être qu'elle ne va plus se préoccuper de toi du tout, dit Una. Alors, tu auras juste à continuer à habiter ici.»

«Y a pas assez de place ici pour moi et la vieille Martha, rétorqua sombrement Mary. C'est bien de pouvoir manger à sa faim — j'm'étais souvent demandé à quoi ça ressemblait — mais j'veux pas manger n'importe quoi. Et Mme Wiley peut encore venir. Elle a un bâton en réserve pour moi. J'y pense pas trop durant la journée, mais j'vous assure, les filles, que ça m'trotte dans la tête quand la nuit arrive et que j'me retrouve toute seule dans l'grenier, tellement que j'aimerais autant qu'elle vienne et qu'on en finisse. J'me demande si une vraie bonne raclée serait pire que toutes les douzaines que j'ai imaginées depuis que j'me suis sauvée. Est-ce qu'un d'entre vous a déjà été fouetté?»

«Bien sûr que non, protesta Faith, indignée. Jamais papa ne ferait une telle chose.»

«Vous savez rien de la vie, dit Mary en poussant un soupir mi-envieux, mi-condescendant. Vous savez pas ce par quoi j'suis passée. Et les Blythe non plus ont jamais été battus, j'suppose?»

«Non, j'imagine que non. Mais je crois qu'ils ont déjà reçu la fessée quand ils étaient très petits.»

«Ça compte pas, une fessée, fit Mary avec mépris. Si j'avais juste reçu des fessées, j'aurais eu l'impression de m'faire flatter. Eh ben, la vie est pas juste. J'serais prête à prendre ma part de taloches mais j'en ai reçu mauditement trop.»

«Ce n'est pas bien de dire ce mot, Mary, reprocha Una. Tu m'avais promis de ne plus le prononcer.»

«Oh! Ça va. Si tu savais quels mots j'pourrais dire si

j'voulais, tu f'rais pas tant d'histoires à propos de maudite-ment. Et tu sais très bien que j'ai plus jamais menti depuis que j'suis ici.»

«Et qu'en est-il de tous les fantômes que tu dis avoir vus?» demanda Faith.

Mary rougit.

«C'est pas pareil, lança-t-elle avec défi. J'savais que vous croiriez pas ces histoires et j'avais pas l'intention de vous les faire avaler. Puis, aussi vrai que vous êtes là, j'ai vraiment vu quelque chose de drôle un soir que j'passais devant le cime-tière de l'autre côté du port. J'sais pas si c'était un fantôme ou la vieille rosse blanche de Sandy Crawford, mais ça avait l'air rudement bizarre et j'vous assure que j'ai pris la poudre d'escampette.»

7

Une histoire de poisson

Rilla Blythe marchait fièrement et peut-être même avec un tantinet de vanité dans la rue principale du Glen, puis elle monta la butte menant au presbytère, portant précieusement un petit panier de succulentes fraises précoces que Susan avait fait pousser dans un coin ensoleillé d'Ingleside. Susan avait recommandé à Rilla de ne remettre ce panier à personne d'autre que tante Martha ou M. Meredith, et Rilla, très fière de s'être fait confier une telle responsabilité, était résolue à suivre les instructions à la lettre.

Susan l'avait joliment habillée d'une robe blanche, empesée et brodée, d'un ceinturon bleu et d'escarpins perlés. Ses longues boucles cuivrées étaient soyeuses et rondes, et Susan l'avait autorisée à coiffer son meilleur chapeau, par considération pour le presbytère. Il s'agissait d'un bibi plutôt élaboré où n'étaient entrés en ligne de compte ni le goût de Susan ni celui d'Anne, et la petite Rilla jubilait dans ses splendeurs de soie, de dentelle et de fleurs. Elle était très consciente de ce chapeau et j'ai bien peur qu'elle se pavanait en se rendant au presbytère. La démarche, ou le chapeau, ou les deux, portèrent sur les nerfs de Mary Vance qui se balançait sur la clôture. Il faut dire qu'elle les avait à ce moment-là à fleur de peau, tante Martha ayant refusé de lui laisser peler les pommes de terre et l'ayant chassée de la cuisine.

«C'est ça, vous allez nous servir des patates à moitié bouillies et à moitié épluchées, comme d'habitude! Seigneur, c'est pas moi qui vais m'plaindre le jour de vos funérailles», avait hurlé Mary. Elle était sortie de la cuisine en claquant la porte si fort que même tante Martha l'avait entendue et que, dans son bureau, M. Meredith avait ressenti la vibration et songé distraitement qu'il venait d'y avoir une légère secousse sismique. Puis il avait continué à rédiger son sermon.

Mary glissa de la clôture et barra la route à l'irréprochable infante d'Ingleside.

«Qu'est-ce que t'as là?» demanda-t-elle en essayant de prendre le panier.

Rilla résista.

«Ze l'apporte à M. Meredith», zozota-t-elle.

«Donne-le-moi. J'vais m'en charger», dit Mary.

«Non. Susan a dit que ze devais le donner à personne d'autre que M. Meredith ou tante Martha», insista Rilla.

Mary lui jeta un regard hostile.

«Tu t'prends pour le nombril du monde, hein, habillée comme une poupée? Regarde-moi. Ma robe est toute déchirée et j'm'en fiche. J'aime mieux être en loques qu'être une poupée. Retourne chez toi et dis-leur de te mettre dans une vitrine. Allez, regarde-moi, regarde-moi!»

Mary exécuta une danse sauvage autour de Rilla consternée et déconcertée, faisant tourbillonner sa jupe en lambeaux et vociférant «Regarde-moi, regarde-moi» jusqu'à ce que la pauvre petite en fût tout étourdie. Mais quand Rilla tenta de s'avancer vers la clôture, Mary fonça de nouveau sur elle.

«Tu me donnes ce panier», ordonna-t-elle en grimaçant. Mary était passée maître dans l'art de faire des grimaces. Elle pouvait se donner une apparence absolument grotesque et inquiétante dans laquelle ses étranges yeux blancs brillaient de l'éclat le plus insolite.

«Ze veux pas, bredouilla Rilla, effrayée mais résolue. Laisse-moi passer, Mary Vance.»

Mary la laissa passer un instant puis regarda autour d'elle. À l'intérieur du clos se trouvait une petite claie sur laquelle séchaient une demi-douzaine de grosses morues. Un des paroissiens les avait offertes à M. Meredith un jour, peut-être en remplacement de la souscription qu'il avait omis de verser pour le salaire. M. Meredith l'avait remercié et avait complètement oublié les poissons qui se seraient rapidement gâtés si l'infatigable Mary ne les avait pas préparés pour être séchés et n'avait pas personnellement fignolé la claie.

Mary eut une inspiration diabolique. Elle se précipita vers la claie et saisit le plus gros poisson qui s'y trouvait, une chose énorme et plate presque aussi grosse qu'elle-même. D'un élan, elle s'abattit sur Rilla terrifiée, en brandissant son ahurissant missile. Le courage de Rilla l'abandonna. La perspective de recevoir un coup de morue séchée était si inouïe que Rilla ne put l'affronter. Poussant un hurlement, elle laissa tomber son panier et s'enfuit. Les belles fraises que Susan avait si tendrement choisies pour le pasteur roulèrent en un torrent rose sur la route poussiéreuse et se firent piétiner par la poursuivante et la poursuivie. Le panier et son contenu avaient disparu de l'esprit de Mary. Elle ne songeait plus qu'au plaisir de faire à Rilla Blythe la peur de sa vie. Elle lui montrerait qu'il ne fallait pas venir la narguer dans ses beaux atours.

Rilla dévala la colline et se précipita dans la rue. La terreur lui donnant des ailes, elle parvenait à conserver son avance sur Mary qui, quelque peu handicapée par sa propre hilarité, arrivait toutefois à trouver assez de souffle pour lancer des cris à faire dresser les cheveux sur la tête, tout en courant et en faisant tournoyer son poisson dans les airs. Tout le monde se rua aux fenêtres et aux grilles pour les voir filer dans la rue du Glen. Mary sentit qu'elle faisait un effet du tonnerre et en fut ravie. Rilla, aveuglée par la frayeur et hors d'haleine, comprit qu'elle ne pourrait plus courir davantage. Encore un instant et cette terrible fille serait sur elle avec la morue. C'est alors que l'infortunée enfant trébucha et s'affala dans une mare de boue au bout de la rue, au moment précis où Mlle Cornelia sortait du magasin de Carter Flagg.

Cette dernière évalua la situation d'un coup d'œil. Mary aussi. Elle stoppa aussitôt sa course folle et avant que Mlle Cornelia ait eu le temps d'ouvrir la bouche, elle avait fait volte-face et grimpait la butte aussi vite qu'elle l'avait descendue. Mlle Cornelia serra les lèvres de façon menaçante, mais elle savait qu'il était inutile de songer à la poursuivre. Elle releva plutôt la pauvre Rilla en larmes et tout échevelée, et la ramena chez elle. Rilla avait le cœur brisé. Sa robe, ses escarpins et son chapeau étaient fichus et sa petite fierté de six ans avait été sérieusement amochée.

Blême d'indignation, Susan écouta Mlle Cornelia relater l'exploit de Mary Vance.

«Oh! L'effrontée, la petite effrontée!» s'écria-t-elle en amenant Rilla pour la nettoyer et la réconforter.

«Cette chose a assez duré, ma chère Anne, dit Mlle Cornelia d'un air résolu. Il faut agir. *Qui* est cette créature qui habite au presbytère et d'où vient-elle?»

«J'ai entendu dire qu'il s'agissait d'une fillette de l'autre côté du port en visite au presbytère», répondit Anne qui voyait le côté comique de la poursuite avec une morue et pensait secrètement que Rilla était plutôt vaniteuse et qu'une leçon ou deux ne lui feraient pas de mal.

«Je connais toutes les familles de l'autre côté du port qui fréquentent notre église et cette petite coquine n'appartient à aucune d'elles, rétorqua Mlle Cornelia. Elle est pratiquement en haillons et lorsqu'elle vient à l'église, elle porte les vieux vêtements de Faith Meredith. Il y a là un mystère et je vais essayer de l'élucider, vu que personne d'autre ne le fera. Je crois que c'est elle qui est à l'origine de ce qui s'est passé l'autre jour chez Warren Mead, dans le bosquet d'épinettes. Vous savez qu'ils ont failli faire mourir sa mère de peur?»

«Non. J'ai su qu'on avait fait venir Gilbert, mais j'ignorais pourquoi.»

«Eh bien, vous savez qu'elle a le cœur fragile. Un jour de la semaine dernière, alors qu'elle se trouvait toute seule sur la véranda, elle a entendu les plus terrifiants appels à l'aide et au meurtre venant du bosquet, des hurlements vraiment épouvantables, chère Anne. Son cœur a aussitôt flanché. Warren, qui était dans la grange, les a aussi entendus et il est allé voir de quoi il s'agissait. Il a trouvé les enfants du presbytère assis sur un arbre déraciné et criant au meurtre de toute la force de leurs poumons. Ils lui ont expliqué que ce n'était qu'un jeu et qu'ils n'auraient jamais cru que quelqu'un les entendrait. Ils jouaient aux Indiens. Warren est retourné à la maison et a découvert sa pauvre mère inconsciente sur la véranda.»

Susan, qui venait de revenir, renifla avec mépris.

«À mon avis, elle était loin d'être inconsciente, et vous pouvez me croire sur parole, Mᵐᵉ Marshall Elliott. Ça fait quarante ans que j'entends parler du cœur fragile d'Amelia Warren. Elle l'avait déjà à vingt ans. Elle adore faire des histoires avec ça et pour faire venir le docteur, n'importe quel prétexte est bon.»

«Je ne crois pas que Gilbert ait considéré son attaque très sérieuse», ajouta Anne.

«Oh! Sans doute, admit Mˡˡᵉ Cornelia. Mais cela a fait jaser les gens et comme les Mead sont méthodistes, c'est encore pire. Qu'est-ce qui va advenir de ces enfants? Il m'arrive, chère Anne, de ne pas fermer l'œil de la nuit tellement je me tracasse à leur sujet. Je me demande vraiment s'ils ont assez à manger, car leur père est si perdu dans ses rêves qu'il oublie souvent qu'il a un estomac, et cette vieille fainéante ne se donne pas la peine de cuisiner comme elle le devrait. Ils sont en train de devenir complètement fous et avec la venue des vacances, cela risque d'être encore pire.»

«C'est vrai qu'ils ont bien du plaisir», dit Anne, riant au souvenir de certaines frasques de la vallée Arc-en-ciel qui lui étaient venues aux oreilles. Et ce sont tous de braves, francs, loyaux et honnêtes petits.»

«Tout compte fait, chère Mᵐᵉ Docteur, ce sont de bons enfants, concéda Susan. J'admets que le péché originel est bien ancré en eux, mais c'est peut-être aussi bien comme ça parce que sinon, ils sont tellement mignons que cela pourrait les gâter. Mais je maintiens que le cimetière est pas un endroit convenable pour jouer.»

«Mais ils jouent calmement quand il sont là, insista Anne pour les excuser. Ils ne courent ni ne crient comme ils le font ailleurs. Si vous entendiez les hurlements qui montent de la vallée Arc-en-ciel parfois! Je dois cependant avouer que ma propre progéniture y tient une large part. Hier soir, ils ont simulé un combat et ont dû "tonner" eux-mêmes, parce que, comme m'a expliqué Jem, ils n'avaient pas d'artillerie pour le faire. Jem est arrivé à l'âge où tous les garçons aspirent à devenir soldats.»

«Eh bien, grâce à Dieu, il ne sera pas un militaire, affirma Mlle Cornelia. Je n'ai jamais approuvé le fait que nos garçons aillent se mettre le nez dans les problèmes de l'Afrique du Sud. Mais c'est fini à présent, et il ne se produira sans doute plus jamais rien de ce genre. Je crois que le monde est en train de s'assagir. Quant aux Meredith, je l'ai déjà dit plusieurs fois et je le répète, si M. Meredith avait une femme, tout irait bien.»

«D'après ce qu'on m'a dit, il est allé deux fois chez les Kirk, la semaine dernière», annonça Susan.

«Bon, fit Mlle Cornelia d'un ton pénétré, j'ai pour principe qu'un pasteur ne doit jamais prendre femme dans sa propre paroisse. D'habitude, cela le gâte. Mais ça ne serait pas mauvais dans ce cas-ci. Tout le monde aime bien Elizabeth Kirk et personne n'a vraiment envie de devenir la belle-mère de ces enfants. Même les filles Hill reculent devant cette perspective. Elles n'ont pas encore tendu de piège à M. Meredith. À mon avis, Elizabeth Kirk lui ferait une bonne épouse. Mais l'ennui, ma chère Anne, c'est qu'elle est tellement ordinaire et que comme tous les hommes, M. Meredith a beau être dans la lune, il est attiré par les belles femmes. Dans ce domaine, il est pas mal moins désincarné, vous pouvez me croire.»

«Elizabeth Kirk est une très bonne personne, mais on raconte que, dans le temps, les gens crevaient pratiquement de froid dans la chambre d'ami de sa mère, chère Mme Docteur, affirma sombrement Susan. Si j'avais le sentiment d'avoir le droit d'exprimer mon opinion sur un sujet aussi solennel que le mariage, je dirais que Sarah, la cousine d'Elizabeth de l'autre côté du port, ferait une meilleure épouse pour M. Meredith.»

«Juste ciel! Sarah est méthodiste!» s'écria Mlle Cornelia aussi ahurie que si l'on avait proposé une Hottentote comme épouse du pasteur.

«Elle deviendrait probablement presbytérienne si elle épousait M. Meredith», rétorqua Susan.

Mlle Cornelia secoua la tête. Il était évident que, pour elle, c'était «méthodiste un jour, méthodiste toujours».

«Sarah Kirk est tout à fait hors de question, déclara-t-elle d'un ton catégorique. La même chose pour Emmeline Drew, même si tous les Drew essaient d'organiser le mariage. Ils lui jettent littéralement la pauvre Emmeline dans les bras et il ne s'en doute même pas.»

«Je dois admettre qu'Emmeline Drew a pas une once de jugeote, dit Susan. C'est le genre de femme à mettre une bouillotte dans votre lit une nuit de canicule et à se sentir insultée si vous la remerciez pas. Et sa mère était une maîtresse de maison plus que médiocre, chère Mme Docteur. Avez-vous déjà entendu l'histoire de sa lavette? Un jour, elle a perdu sa lavette. Mais elle l'a retrouvée le lendemain. Pour ça, oui, elle l'a retrouvée, chère Mme Docteur, à la table, dans l'oie, mêlée à la farce. Croyez-vous qu'une telle femme pourrait être la belle-mère d'un pasteur? Moi, non. Mais pas de doute que je ferais mieux d'employer mon temps à repriser les pantalons du petit Jem qu'à commérer à propos de mes voisins. Il les a scandaleusement déchirés hier soir, dans la vallée Arc-en-ciel.»

«Où est Walter?» demanda Anne.

«Il manigance encore quelque chose, j'en ai peur, chère Mme Docteur. Il est dans le grenier en train de gribouiller dans un cahier d'exercices. Et il a pas eu d'aussi bons résultats en arithmétique qu'il aurait dû, ce mois-ci, à ce que le professeur m'a dit. Je sais trop bien pourquoi. Il écrivait des rimes stupides au lieu de faire ses additions. J'ai bien peur que ce garçon devienne un poète, chère Mme Docteur.»

«Il l'est déjà, Susan.»

«Ma foi, ça a pas l'air de vous énerver, chère Mme Docteur. Je suppose que c'est ce qu'il y a de mieux à faire quand on en a la force. J'avais un oncle qui a commencé par être poète et a fini vagabond. Notre famille avait terriblement honte de lui.»

«Vous ne semblez pas avoir une haute opinion des poètes, Susan», fit Anne en riant.

«Mais qui en a, chère Mme Docteur?» s'écria Susan, franchement stupéfaite.

«Et qu'en est-il de Shakespeare et de Milton? Et des poètes de la Bible?»

«On dit que Milton arrivait pas à s'entendre avec sa femme et que Shakespeare était pas du tout respectable dans son temps. Quant à la Bible, les choses étaient évidemment différentes à cette époque sacrée — même si j'ai jamais pensé grand bien de ce roi David, quoi que vous puissiez en dire. J'ai jamais vu rien de bien résulter de la poésie, et je prie pour que ce cher enfant se débarrasse de cette manie. Sinon, nous verrons si l'huile de foie de morue peut être de quelque utilité dans ce cas-ci.»

8

Mlle Cornelia s'en mêle

Mlle Cornelia se rendit au presbytère le lendemain et fit passer un interrogatoire à Mary qui, étant une jeune personne remplie de discernement et d'astuce, raconta simplement et franchement son histoire sans l'assaisonner de jérémiades ni de bravade. Si l'impression de Mlle Cornelia fut plus favorable qu'elle ne s'y était attendue, elle estima néanmoins de son devoir de se montrer sans complaisance.

«Crois-tu, demanda-t-elle sévèrement, avoir démontré ta gratitude à cette famille, qui t'a d'ailleurs témoigné beaucoup trop de bonté, en insultant et en pourchassant une de leurs petites amies comme tu l'as fait hier?»

Mary ne fit aucune difficulté à admettre ses torts.

«C'était rudement vilain de ma part, dites donc. Mais j'sais pas c'qui m'a pris. Cette grosse morue avait l'air tellement pratique. Mais j'ai regretté, après coup, et j'ai pleuré hier soir après être allée m'coucher. Demandez à Una. J'voulais pas lui dire pourquoi parce que j'avais honte, et alors, elle a pensé que quelqu'un m'avait blessée et elle a pleuré, elle aussi. Seigneur, comme si on pouvait encore me blesser! Mais c'qui m'inquiète, c'est pourquoi Mme Wiley m'a pas fait rechercher. Ça lui ressemble pas.»

Mlle Cornelia trouvait aussi cela plutôt étrange, mais elle se contenta de recommander fermement à Mary de ne pas prendre de nouvelles libertés avec les morues du pasteur et alla communiquer les nouvelles à Ingleside.

«Si ce que cette enfant raconte est vrai, il faut aller au fond de la question, dit-elle. J'en sais long sur cette Wiley, vous pouvez me croire. Marshall la connaissait bien quand il habitait de l'autre côté du port. Je l'ai entendu l'été dernier raconter quelque chose sur elle et une fillette qu'elle gardait, cette Mary, sans aucun doute. Quelqu'un lui avait dit qu'elle la faisait mourir au travail sans lui donner la moitié de la nourriture et des vêtements dont elle avait besoin. Comme vous le savez, chère Anne, je n'ai pas l'habitude de frayer avec les gens de l'autre côté du port. Mais je vais envoyer Marshall se renseigner demain. Ensuite, j'aurai une conversation avec le pasteur. Figurez-vous, chère Anne, que les Meredith l'ont trouvée pratiquement morte de faim dans la vieille grange de James Taylor. Elle y avait passé la nuit, toute seule, affamée et transie de froid. Pendant que nous, bien repus, nous dormions tranquillement dans nos lits.»

«Pauvre petite, dit Anne, qui imaginait l'un de ses propres enfants chéris, gelé, affamé et seul dans des circonstances similaires. Si on a abusé d'elle, il ne faut pas la renvoyer là-bas, Mᴸᴸᵉ Cornelia. J'ai moi-même été une orpheline dans une situation très semblable.»

«Nous devrons consulter les gens de l'orphelinat d'Hopetown, répondit Mᴸᴸᵉ Cornelia. De toute façon, on ne peut la laisser au presbytère. Dieu sait ce qu'elle pourrait apprendre à ces pauvres petits. J'ai cru comprendre qu'elle jurait. Quand on pense qu'elle est là depuis deux semaines et que M. Meredith n'a pas encore réagi! Voulez-vous bien me dire pourquoi un homme comme ça a une famille? Seigneur, Anne, il aurait dû entrer chez les moines!»

Deux soirs plus tard, Mᴸᴸᵉ Cornelia était de retour à Ingleside.

«C'est la chose la plus stupéfiante! s'exclama-t-elle. Mᵐᵉ Wiley a été trouvée morte dans son lit le matin même où Mary s'est enfuie. Cela faisait des années qu'elle avait des problèmes cardiaques et le médecin l'avait avertie que cela pourrait lui arriver n'importe quand. Elle avait envoyé son homme de peine quelque part et il n'y avait personne à la maison. Ce sont des voisins qui l'ont découverte le lendemain. Ils ont remarqué l'absence de l'enfant, à ce qu'il paraît, mais ils ont supposé que Mme Wiley l'avait envoyée, comme elle l'avait dit, chez sa cousine qui habite près de Charlottetown. Comme la cousine en question n'est pas venue aux funérailles, personne n'a su que Mary n'était pas chez elle. Les gens à qui Marshall a parlé lui ont raconté des choses sur la façon dont Mme Wiley traitait cette Mary qui lui ont fait bouillir le sang dans les veines, à ce qu'il m'a dit. Vous savez, Marshall entre en fureur quand il entend parler d'un enfant maltraité. Les gens ont dit qu'elle la fouettait sans pitié pour la moindre peccadille. Certaines personnes avaient l'intention d'écrire aux autorités de l'orphelinat, mais quand c'est l'affaire de tout le monde, ce n'est l'affaire de personne, alors rien n'a été fait.»

«C'est dommage que cette Wiley soit morte, commenta Susan d'un ton féroce. J'aimerais aller de l'autre côté du port lui faire savoir ma façon de penser. Affamer et battre un enfant, chère Mme Docteur! Comme vous le savez, j'ai rien contre le fait d'administrer une fessée quand elle est méritée, mais pas plus. Et qu'est-ce qui va advenir de cette pauvre petite, à présent, Mme Marshall Elliott?»

«Elle devra retourner à l'asile d'Hopetown, je suppose. Je pense que, dans les environs, tous ceux qui veulent garder un orphelin en ont un. Je vais aller voir M. Meredith demain et lui dire ce que je pense de toute cette affaire.»

«Et elle va le faire, pas de doute, chère Mme Docteur, soupira Susan après le départ de Mlle Cornelia. Y a rien à son épreuve, elle poserait même des bardeaux sur le clocher de l'église, si la lubie lui en prenait. Mais j'arrive pas à comprendre comment même Cornelia Bryant peut parler à un pasteur comme elle le fait. On croirait qu'elle s'adresse à Pierre Jean Jacques.»

Quand Mlle Cornelia fut partie, Nan Blythe émergea du hamac où elle étudiait ses leçons et se glissa vers la vallée

Arc-en-ciel. Les autres s'y trouvaient déjà. Jem et Jerry jouaient au palet avec de vieux fers à cheval que le forgeron du Glen leur avait prêtés. Carl traquait des fourmis sur une butte ensoleillée. Couché sur le ventre dans la fougère, Walter lisait à Mary, à Di, à Faith et à Una des passages d'un merveilleux livre sur les personnages légendaires où l'on trouvait des choses fascinantes sur Jean le Prêtre et le Juif errant, sur les bâtons de sourcier et les hommes à queue, sur Schamir, le ver qui fendait les rochers et indiquait le chemin vers le trésor, sur les îles enchantées et les jeunes filles cygnes. Walter eut un véritable choc en apprenant que Guillaume Tell et Gelert étaient aussi des mythes. L'histoire de l'évêque Hatto allait le garder éveillé toute cette nuit-là. Il avait pourtant une prédilection pour l'histoire du Joueur de pipeau d'Hamelin et celle du Saint-Graal. Il les lisait avec émotion pendant que les clochettes des Arbres amoureux tintinnabulaient dans la brise estivale et que les ombres fraîches du soir descendaient sur la vallée.

«Dites, vous trouvez pas que ce sont des menteries intéressantes?» s'écria Mary, pleine d'admiration, quand Walter eut refermé le livre.

«Ce ne sont pas des mensonges», protesta Di d'un ton indigné.

«Vous voulez dire que c'est vrai?» insista Mary, incrédule.

«Non, pas exactement. C'est comme tes histoires de fantômes. Elles n'étaient pas vraies, mais comme tu ne t'attendais pas à ce qu'on les croie, elles n'étaient pas des mensonges.»

«En tout cas, c'que t'as dit sur les bâtons de sourcier est authentique, affirma Mary. Le vieux Jack Crawford de l'autre côté du port sait s'en servir. De partout on l'envoie chercher quand on veut creuser un puits. Et j'pense que j'connais le Juif errant.»

«Oh! Mary!» s'écria Una, terrifiée.

«J'vous l'dis, aussi vrai qu'vous êtes là. Un vieil homme est venu chez Mme Wiley, un jour, l'automne passé. Il avait l'air tellement vieux qu'il pourrait être *n'importe quoi*. Elle lui a demandé s'il croyait que les poteaux de cèdre allaient durer. Et il a répondu: "Durer? Ils vont durer mille ans. J'le sais, parce j'les ai vérifiés deux fois." S'il a deux mille ans, qui est-ce qu'il pourrait être sinon le Juif errant?»

«Je ne crois pas que le Juif errant s'associerait avec une personne comme Mᵐᵉ Wiley», déclara Faith d'un ton convaincu.

«Maman et moi, on adore la légende du Joueur de pipeau d'Hamelin, dit Di. J'ai toujours de la peine pour le pauvre petit boiteux qui n'arrivait pas à suivre les autres et s'est fait fermer au nez la porte de la montagne. Il a dû être si désappointé. Il me semble que, toute sa vie, il a dû se demander quelle chose merveilleuse il avait ratée et a regretté de n'avoir pas pu entrer avec les autres.»

«Mais comme sa mère a dû être contente, suggéra doucement Una. Il me semble que, depuis toujours, elle avait dû souffrir de le voir boiter. Peut-être même que cela la faisait pleurer. Mais elle n'aurait plus jamais de peine, jamais. Elle se réjouirait qu'il soit boiteux parce que ç'aurait été grâce à son infirmité qu'elle ne l'aurait pas perdu.»

«Un jour, reprit rêveusement Walter, regardant loin vers le ciel, le Joueur de pipeau viendra sur cette colline et dans la vallée Arc-en-ciel, et il jouera des airs doux et entraînants. Et je le suivrai, jusqu'à la plage, jusqu'à la mer, loin de vous toutes. Je ne crois pas que j'aurai envie d'y aller — Jem, oui, il aime tellement l'aventure —, mais je n'aurai pas le choix. La musique ne cessera de m'appeler jusqu'à ce que je la suive.»

«Nous irons tous», s'écria Di, s'enflammant à l'évocation de cette vision de Walter, et croyant presque apercevoir la silhouette moqueuse du Joueur de pipeau s'éloignant dans la vallée sombre.

«Non, vous resterez ici à attendre, répondit Walter, ses grands yeux magnifiques brillant d'un éclat étrange. Vous attendrez notre retour. Et peut-être que nous ne reviendrons pas, parce que tant que le Joueur joue, nous ne pouvons pas revenir. Il va peut-être nous entraîner tout autour de la terre. Et vous resterez toujours là, à nous attendre, encore et encore.»

«Oh! Boucle-la, coupa Mary en frissonnant. Fais pas cette tête, Walter Blythe. Tu m'donnes la chair de poule. Tu veux me faire brailler? Il m'semble que j'vois cet horrible vieux Joueur de pipeau aller son chemin, et vous, les gars, en train d'le suivre, et nous, les filles, toutes seules, en train d'vous attendre. J'sais pas pourquoi — j'ai jamais été du genre à pleurnicher — mais dès que t'as commencé ton baratin, les larmes m'ont monté aux yeux.»

Walter sourit d'un air triomphant. Il aimait tester son pouvoir sur ses compagnons, jouer avec leurs émotions, provoquer leurs larmes, toucher leurs âmes. Cela satisfaisait un instinct de dramaturge en lui. Mais derrière sa victoire se cachait quelque menace mystérieuse qui lui donnait froid dans le dos. Le Joueur de pipeau lui avait semblé très réel, comme si le voile léger qui masquait le futur avait pendant un instant été soulevé dans la pénombre étoilée de la vallée Arc-en-ciel et qu'il avait pu apercevoir, le temps d'un éclair, ce que les années à venir lui réservaient.

Revenant leur faire le rapport des faits et gestes du pays des fourmis, Carl les ramena à la réalité.

«Les fourmis sont rudement intéressantes, s'exclama Mary, contente d'échapper à l'emprise mélancolique du Joueur de pipeau. Carl et moi, on a passé tout l'après-midi de samedi à surveiller la fourmilière dans le cimetière. J'aurais jamais cru qu'il y avait tellement à voir chez les insectes. Elles sont plutôt batailleuses, ces bibites, dites donc; d'après c'qu'on a pu voir, il y en a qui commencent la bagarre sans même avoir de motif. Et certaines sont lâches. Elles ont tellement peur qu'elles s'agrippent deux par deux en une boule et laissent les autres leur taper dessus. Elles veulent absolument pas se battre. D'autres sont paresseuses et refusent de travailler. On les regardait s'esquiver. Et il y avait une fourmi morte de chagrin parce qu'une autre s'était fait tuer. Elle travaillait plus, mangeait plus, faisait juste se laisser mourir, c'est vrai, aussi vrai que le bon D... que le paradis existe.»

Un silence consterné tomba. Tout le monde avait compris que Mary n'avait pas commencé par dire «paradis».

Faith et Di échangèrent des regards dignes de Mlle Cornelia elle-même. Walter et Carl eurent l'air mal à l'aise et la lèvre d'Una trembla.

Mary, gênée, s'agita.

«Ça m'a échappé, j'vous assure, aussi vrai que... je veux dire aussi vrai que vous êtes là, puis j'en ai ravalé la moitié. Vous êtes rudement prudes avec moi, vous autres. Vous auriez dû entendre les Wiley quand ils s'engueulaient.»

«Les dames n'emploient pas ces mots-là», décréta Faith d'un ton hautain.

«Ce n'est pas bien», chuchota Una.

«J'suis pas une dame, dit Mary. Comment j'aurais pu dev'nir une dame? Mais j'le dirai plus jamais si j'peux m'en empêcher. J'vous le promets.»

«De plus, renchérit Una, tu ne peux t'attendre à ce que Dieu exauce tes prières si tu invoques Son nom en vain.»

«J'm'attends pas à ce qu'Il les exauce de toute façon, répliqua Mary, sceptique. Ça fait une semaine que j'Lui demande de régler cette affaire Wiley et Il a rien fait. J'vais laisser tomber.»

C'est à ce moment que Nan arriva, hors d'haleine.

«Oh! Mary, j'ai des nouvelles pour toi. Mme Elliott s'est rendue de l'autre côté du port et devine ce qu'elle a appris! Mme Wiley est morte, on l'a retrouvée morte dans son lit le matin même de ta fugue. Alors tu ne seras plus jamais obligée d'y retourner.»

«Morte!» s'écria Mary, stupéfaite. Puis elle frissonna.

«Penses-tu que mes prières ont quelque chose à voir là-dedans? demanda-t-elle à Una d'un ton implorant. Si oui, j'prierai plus jamais de ma vie. Seigneur, elle pourrait revenir me hanter.»

«Non, non, Mary, la rassura Una. Ça n'a rien à voir. Mme Wiley est morte bien avant que tu aies commencé à prier à son sujet.»

«C'est vrai, admit Mary, revenant de sa panique. Mais j'vous assure que ça m'a fichu un coup. J'aimerais pas penser que mes prières ont provoqué la mort de quelqu'un. Jamais j'ai pensé à sa mort quand j'priais. Elle n'avait pas l'air de quelqu'un qui allait mourir. Est-ce que Mme Elliott a parlé de moi?»

«Elle a dit que tu devrais probablement retourner à l'asile.»

«C'est bien c'que j'pensais, dit sombrement Mary. Et ils vont encore me donner à quelqu'un, probablement à une personne comme Mme Wiley. Bon, j'suppose que j'suis capable d'endurer ça. J'suis forte.»

«Je vais prier pour que tu ne sois pas obligée de partir», chuchota Una à Mary sur le chemin du retour.

«Fais à ta guise, répondit Mary d'un ton résolu, mais moi, je jure que je prierai pas. J'ai ai assez de cette histoire de prière. Regarde ce que ça a donné. Si Mme Wiley était morte après ma prière, ç'aurait été de ma faute.»

«Mais non, pas du tout, objecta Una. J'aimerais être capable de mieux t'expliquer. Papa le pourrait, lui, je le sais, si tu lui parlais, Mary.»

«Puis quoi encore! J'sais pas quoi faire de ton père, si tu veux le savoir. Il passe à côté de moi et s'aperçoit pas que j'suis là, même en plein jour. J'suis pas fière, mais j'suis pas un paillasson, non plus.»

«Oh! Mary, c'est le caractère de papa. La plupart du temps, il ne nous voit pas, nous non plus. Il est plongé dans ses pensées, c'est tout. Et je vais prier Dieu qu'Il te laisse à Four Winds, parce que je t'aime, Mary.»

«D'accord. Mais parle-moi plus de personne qui meurt à cause de ça. Moi aussi, j'aimerais bien rester à Four Winds. J'aime ça, et j'aime le port, et le phare, et vous, et les Blythe. Vous êtes les seuls amis que j'aie jamais eus et ça me briserait le cœur de vous quitter.»

9

Una s'en mêle

Mlle Cornelia eut avec M. Meredith une conversation qui donna un choc à cet homme lunatique. Elle lui fit remarquer, d'une façon pas vraiment déférente, qu'il avait manqué à son devoir en permettant à une épave comme Mary Vance de venir s'installer au sein de sa famille sans rien savoir, ni rien cherché à savoir, à son sujet.

«Je ne dis pas qu'il y ait eu grand mal de fait, bien sûr, conclut-elle. À vrai dire, cette Mary n'est pas ce qu'on pourrait appeler une mauvaise fille. J'ai interrogé les enfants Blythe et les vôtres et d'après ce qu'ils m'ont confié, on n'a rien à lui reprocher, sauf qu'elle n'utilise pas une langue très châtiée. Mais pensez à ce qui aurait *pu* se produire si elle avait été comme certains de ces orphelins de notre connaissance. Vous savez vous-même ce que la pauvre petite créature que gardait Jim Flagg a enseigné à ses enfants.»

M. Meredith le savait et il fut sincèrement troublé en prenant conscience de sa propre négligence.

«Mais qu'est-ce qu'il faut faire, Mme Elliott? demanda-t-il d'un ton où perçait son impuissance. On ne peut renvoyer la pauvre petite. Il faut qu'on s'occupe d'elle.»

«Bien entendu. Nous ferions mieux d'écrire dès maintenant aux autorités d'Hopetown. En attendant leur réponse, j'imagine qu'elle peut bien rester ici quelques jours de plus.

Mais gardez les oreilles et les yeux ouverts, M. Meredith.»

Susan aurait été foudroyée d'horreur si elle avait entendu Mᴵˡᵉ Cornelia admonester un pasteur de cette façon. Mais cette dernière retourna chez elle, satisfaite du devoir accompli. Le même soir, M. Meredith demanda à Mary de l'accompagner dans son bureau. Mary obtempéra, livide de peur. Mais elle eut la surprise de sa pauvre et misérable petite vie. Cet homme, qui l'avait si terriblement intimidée, était l'être le plus doux, le plus gentil qu'elle eût jamais rencontré. Avant de comprendre ce qui lui arrivait, Mary se retrouva en train de déverser dans son oreille tous ses problèmes. Elle reçut en échange une sympathie et une tendre compréhension telles qu'elle n'en avait jamais imaginées. Quand elle sortit du bureau, son visage et ses yeux étaient si adoucis qu'Una eut peine à la reconnaître.

«Ton père est juste et gentil quand il sort des nues, déclara-t-elle avec un reniflement qui avait presque l'air d'un sanglot. C'est dommage qu'il se réveille pas plus souvent. Il a dit que j'étais pas à blâmer pour la mort de Mᵐᵉ Wiley, mais qu'il faut que j'essaie de penser à ses bons côtés plutôt qu'à ses mauvais. J'sais pas quels bons côtés elle avait, sauf qu'elle tenait sa maison propre et faisait du beurre de première qualité. J'sais que j'me suis usé les bras à frotter son vieux plancher de cuisine plein de nœuds. Mais après cette conversation, j'suis d'accord avec tout c'que dit ton père.»

Mary se révéla une compagne de jeu plutôt morne les jours qui suivirent. Elle confia à Una que plus elle songeait à retourner à l'asile, plus elle détestait cette idée. Una se creusa les méninges à essayer de trouver un moyen d'éviter cela, mais ce fut Nan Blythe qui vint à la rescousse avec une suggestion quelque peu époustouflante.

«Mᵐᵉ Elliott pourrait la prendre chez elle. Elle a une très grande maison et M. Elliott veut toujours qu'elle se fasse aider. Ce serait un endroit splendide pour Mary. Mais il faudrait qu'elle se conduise bien.»

«Oh! Nan, crois-tu que Mᵐᵉ Elliott la prendrait?»

«Tu pourrais toujours le lui demander.»

Pour commencer, Una crut qu'elle n'en serait pas capable. Elle était si timide qu'elle tremblait à l'idée de demander une faveur à quelqu'un. De plus, cette Mme Elliott énergique et affairée lui inspirait un respect mêlé de crainte. Elle l'aimait beaucoup et appréciait toujours de lui rendre visite; mais aller chez elle lui demander d'adopter Mary Vance lui semblait si présomptueux qu'elle en défaillait de timidité.

Lorsque les autorités d'Hopetown écrivirent à M. Meredith de leur renvoyer Mary sans délai, Mary s'endormit en pleurant ce soir-là dans le grenier du presbytère. Una trouva alors le courage du désespoir. Le lendemain soir, elle se faufila hors du presbytère et emprunta le chemin du port. Elle entendit fuser des rires joyeux au loin, dans la vallée Arc-en-ciel; mais sa route ne passait pas par là. Elle était terriblement pâle et terriblement déterminée, tellement qu'elle marcha sans voir les personnes qu'elle croisa. Mme Stanley Flagg en fut froissée et déclara qu'en vieillissant, Una Meredith deviendrait aussi distraite que son père.

Mlle Cornelia vivait à mi-chemin entre le Glen et la pointe de Four Winds dans une maison dont la teinte originale vert criard avait été atténuée en un agréable gris vert. Marshall Elliott avait planté des arbres tout autour et semé un jardin de roses et une haie d'épinettes. L'endroit était devenu très différent de ce qu'il avait été par les années passées. Les enfants du presbytère et ceux d'Ingleside aimaient y aller. C'était une belle randonnée par la vieille route du port au bout de laquelle vous attendait toujours un pot de biscuits bien garni.

Au loin, la mer brumeuse léchait doucement le sable. Trois gros navires glissaient sur l'eau du port comme de grands goélands blancs. Une goélette remontait le canal. L'univers de Four Winds baignait dans des couleurs scintillantes, une musique subtile et un éclat étrange, où chacun aurait pu être heureux. Mais quand Una atteignit la barrière de Mlle Cornelia, ses jambes se dérobèrent sous elle.

Mlle Cornelia était seule sur la véranda. Una avait espéré que M. Elliott fût présent. Il était si grand, si chaleureux, si pétillant que sa présence lui aurait donné du cœur au ventre.

Una prit place sur le petit tabouret que son hôtesse avait
sorti et essaya de mastiquer le beignet qu'elle lui avait offert.
Il lui restait en travers de la gorge, mais elle faisait des efforts
désespérés pour ne pas offenser Mlle Cornelia. Elle n'arrivait
pas à parler; elle était toujours aussi pâle; et ses grands yeux
bleu sombre avaient l'air si misérable que Mlle Cornelia conclut que la fillette avait un problème.

«Qu'est-ce que tu as derrière la tête, ma chérie? demanda-t-elle. Il y a quelque chose, c'est évident.»

Una avala la dernière bouchée de son beignet et déglutit
désespérément.

«Mme Elliott, voulez-vous prendre Mary Vance?» articula-t-elle d'un air suppliant.

Mlle Cornelia la dévisagea, interloquée.

«Moi! Prendre Mary Vance? Tu veux dire, la garder?»

«Oui, la garder, l'adopter, répondit passionnément Una,
retrouvant son courage à présent que la glace était rompue.
Oh! Mme Elliott, je vous en prie. Elle ne veut pas retourner à
l'orphelinat, elle pleure toutes les nuits en y pensant. Elle a
tellement peur qu'on l'envoie dans une autre maison où elle
sera traitée durement. Et elle est si adroite. Il n'y a rien qu'elle
ne puisse pas faire. Je sais que vous ne le regretterez pas si
vous la prenez.»

«Je n'ai jamais envisagé une telle chose», dit Mlle Cornelia, plutôt désemparée.

«Allez-vous l'envisager?» implora Una.

«Mais, je ne veux pas d'aide, ma chérie. Je suis tout à fait
capable de faire le travail toute seule. Et je n'aurais jamais
songé à prendre une orpheline même si j'avais besoin d'aide.»

Toute lumière quitta les yeux d'Una. Ses lèvres tremblèrent. Elle se rassit sur le tabouret, pathétique petite silhouette exprimant la déception, et fondit en larmes.

«Non, ma chérie, ne pleure pas», s'exclama Mlle Cornelia,
bouleversée. Elle n'avait jamais pu supporter de faire souffrir
un enfant. «Je ne dis pas que je ne la prendrai pas... mais
l'idée est si inattendue que j'ai été déroutée. Il faut que j'y
réfléchisse.»

«Mary est si adroite», répéta Una.

«Hum! C'est ce qu'on m'a dit. Et on m'a également dit qu'elle jurait. Est-ce vrai?»

«Je ne l'ai jamais entendue jurer... *exactement*, bredouilla Una, mal à l'aise. Mais j'ai bien peur qu'elle en soit capable.»

«Tu m'en diras tant! Est-ce qu'elle est franche?»

«Je pense que oui, sauf quand elle a peur d'être battue.»

«Et tu me demandes de la prendre!»

«Il faut bien que *quelqu'un* la prenne, sanglota Una. Que *quelqu'un* s'occupe d'elle.»

«Tu as raison. C'est peut-être de mon devoir de le faire, soupira Mlle Cornelia. Eh bien, il faudra que j'en discute avec M. Elliott. Alors, n'en parle pas tout de suite. Prends un autre beignet, ma chouette.»

Una en prit un et le mangea de meilleur appétit.

«J'aime beaucoup les beignets, avoua-t-elle. Tante Martha n'en fait jamais. Mais Mlle Susan à Ingleside en fait et elle nous permet quelquefois d'en apporter une assiettée à la vallée Arc-en-ciel. Savez-vous ce que je fais quand j'ai envie de manger des beignets et que je n'en ai pas, Mme Elliott?»

«Non, ma chérie. Qu'est-ce que c'est?»

«Je prends le vieux livre de recettes de ma mère et je lis celle des beignets. Tous les plats ont l'air tellement bons. Je fais toujours cela quand j'ai faim, surtout quand nous avons eu du fricot pour dîner. Dans ces cas-là, je lis la recette du poulet frit et de l'oie rôtie. Maman savait préparer tous ces mets délicieux.»

«Les enfants du presbytère vont mourir de faim si M. Meredith ne se marie pas, déclara Mlle Cornelia, indignée, à son mari, après le départ d'Una. Et il ne le fera pas, et qu'y pouvons-nous? Et est-ce que nous devons prendre cette petite Mary, Marshall?»

«Oui, prends-la», répondit laconiquement ce dernier.

«Un vrai homme, fit son épouse d'un ton désespéré. "Prends-la", comme si c'était aussi simple que ça. Des centaines de choses sont à considérer, crois-moi.»

«Prends-la, et on les considérera après, Cornelia.»

Mlle Cornelia finit par s'y résoudre et les gens d'Ingleside furent les premiers à qui elle fit part de sa décision.

«Magnifique, s'écria Anne, ravie. C'était exactement ce que j'espérais que vous feriez, Mlle Cornelia. Je voulais que la pauvre enfant trouve un foyer. J'ai déjà été une petite orpheline comme elle, sans foyer.»

«Je n'ai pas l'impression que cette Mary ait jamais été ni ne sera jamais tellement à votre image, rétorqua sombrement Mlle Cornelia. Elle est d'une autre trempe que vous. Mais elle est aussi un être humain avec une âme à sauver. Je me suis procuré un catéchisme abrégé et un peigne fin et je vais faire mon devoir envers elle, à présent que j'ai mis la main à la pâte, prenez-en ma parole.»

En apprenant la nouvelle, Mary réagit avec une sage satisfaction.

«Je m'attendais pas à une telle chance», dit-elle.

«Il va falloir que tu te surveilles avec Mme Elliott», recommanda Nan.

«J'en suis capable, répliqua vivement Mary. J'sais m'conduire aussi bien que toi quand j'le veux, Nan Blythe.»

«Tu ne devras pas utiliser de gros mots, tu sais, Mary», renchérit anxieusement Una.

«J'imagine qu'elle en tomberait raide morte, fit Mary en souriant, la perspective faisant briller ses yeux blancs d'une lueur espiègle. Mais t'as pas à t'inquiéter, Una. J'vais devenir une vraie sainte-nitouche. J'vais m'tenir le corps raide.»

«Tu ne devras pas mentir, non plus», ajouta Faith.

«Même pas pour éviter une raclée?» plaida Mary.

«Mme Elliott ne te battra jamais, jamais», s'exclama Di.

«Tu penses? demanda Mary, sceptique. Si jamais j'me retrouve dans un endroit où j'suis pas battue, j'aurai l'impression d'être au paradis. Pas de danger que j'raconte des menteries, alors. C'est pas que j'aime ça, mentir, j'dirais même que ça m'plaît pas du tout.»

La veille du départ de Mary, on organisa un pique-nique en son honneur dans la vallée Arc-en-ciel et, ce soir-là, tous les enfants du presbytère lui offrirent un souvenir puisé dans leur maigre coffre aux trésors. Carl lui donna son arche de Noé, et Jerry, sa deuxième meilleure guimbarde. Faith lui offrit une petite brosse à cheveux, que Mary avait toujours admirée, au dos orné d'un miroir. Hésitant entre un vieux sac à main perlé et une réconfortante image de Daniel dans la fosse aux lions, Una la laissa finalement choisir. Mary avait follement envie du sac perlé, mais comme elle savait qu'Una l'aimait beaucoup, elle dit:

«Donne-moi Daniel. J'préfère ça, parce que j'ai un faible pour les lions. J'aurais pourtant préféré qu'ils mangent Daniel. Ç'aurait été pas mal plus excitant.»

Au moment du coucher, Mary persuada Una de dormir avec elle.

«C'est la dernière fois, dit-elle. Il pleut, ce soir, et j'ai horreur de dormir là-haut toute seule quand il pleut sur le cimetière. Ça m'dérange pas quand il fait beau, mais une nuit comme celle-ci, j'vois rien d'autre que la pluie qui tombe à verse sur les vieilles pierres blanches, et le vent dans la fenêtre me fait penser aux morts qui pleurent parce qu'ils sont pas capables d'entrer.»

«Les filles Blythe et moi, nous aimons les soirs de pluie», dit Una, une fois qu'elles se retrouvèrent blotties dans la petite chambre sous les combles.

«J'peux les supporter quand j'suis pas à la portée du cimetière, répondit Mary. Si j'étais seule ici, j'm'ennuierais tellement que j'verserais toutes les larmes de mon corps. Ça m'fait vraiment de la peine de vous quitter.»

«Je suis sûre que Mme Elliott te permettra souvent de venir jouer ici. Et tu seras sage, n'est-ce pas, Mary?»

«Oh! J'vais essayer, soupira Mary. Mais ça sera pas aussi facile pour moi que pour toi d'être sage, en dedans comme en dehors, j'veux dire. Tu viens pas d'une famille de vauriens comme moi.»

«Tes parents ont pourtant dû avoir des qualités aussi, protesta Una. Tu dois te montrer à leur hauteur et ne pas t'occuper de leurs défauts.»

«J'crois pas qu'ils aient eu des qualités, répliqua sombrement Mary. J'ai jamais entendu parler d'une seule. Mon grand-père avait de l'argent, mais on dit qu'il était un escroc. Non, il faut que j'commence à partir de moi et que j'fasse de mon mieux.»

«Et Dieu t'aidera, tu sais, Mary, si tu le Lui demandes.»

«J'en sais rien.»

«Oh! Mary! Tu sais bien que tu as demandé à Dieu de te trouver un foyer et qu'Il t'a exaucée.»

«J'vois pas c'qu'Il a à faire là-dedans, rétorqua Mary. C'est toi qui a mis cette idée dans la tête de Mme Elliott.»

«Mais Dieu a mis dans son cœur la décision de te prendre. Le fait que j'lui aie suggéré l'idée n'aurait rien donné sans Lui.»

«Bon, ben y a peut-être quelque chose de vrai dans c'que tu dis, admit Mary. T'en fais pas, j'ai rien contre Dieu, Una. J'ai pas d'objection à Lui donner une chance. Mais j'crois sincèrement qu'Il ressemble beaucoup à ton père, toujours dans la lune et inaccessible la plupart du temps, mais s'réveillant parfois et devenant rudement bon, gentil et sensé.»

«Oh! Mary, non! s'exclama Una. Dieu n'est pas du tout comme papa, j'veux veux dire qu'Il est mille fois meilleur et plus gentil que lui.»

«Qu'Il soit seulement aussi bon que ton père, et ça f'ra mon affaire, conclut Mary. Quand ton père m'a parlé, j'ai eu l'impression que j'pourrais plus jamais être méchante.»

«J'aimerais que tu parles de Dieu avec papa, soupira Una. Il peut expliquer tout ça bien mieux que moi.»

«Eh ben, j'le ferai, la prochaine fois qu'il s'réveillera. Le soir où il m'a parlé dans son bureau, il m'a clairement fait comprendre que mes prières avaient pas tué Mme Wiley. Ça m'a enlevé un poids de la conscience, mais à présent, j'fais très attention quand j'prie. J'suppose que c'est encore la vieille formule qui est la plus sûre. Dis, Una, il m'semble que si on doit prier pour quelqu'un, on ferait mieux de s'adresser au diable qu'à Dieu. Si, comme tu dis, Dieu est bon, Il nous fera pas de mal de toute façon, mais j'ai l'impression que l'diable, lui, a besoin d'être amadoué. J'crois que la manière la plus sensée serait de lui dire: "Bon diable, ne me tente pas, je t'en prie. Laisse-moi tranquille, s'il te plaît." Es-tu d'accord?»

«Oh! non, non, Mary. Je suis certaine que ça ne peut être bien de prier le diable. Et il ne pourrait rien faire de bien parce qu'il est méchant. Ça pourrait l'exaspérer et le rendre encore plus dangereux que jamais.»

«Bon, fit Mary d'un air têtu, comme on peut pas s'entendre sur cette affaire de Dieu, inutile de continuer à en parler avant d'avoir la possibilité de découvrir la vérité. D'ici là, j'ferai de mon mieux toute seule.»

«Si maman était en vie, elle pourrait tout nous expliquer, elle», soupira Una.

«J'voudrais qu'elle soit vivante, dit Mary. J'me demande c'que vous allez dev'nir, vous autres, les jeunes, quand j'serai partie. En tout cas, essaie de tenir la maison un peu en ordre. C'est scandaleux, c'que les gens en disent. Et la première chose que tu sauras, c'est que ton père va se remarier et alors, vous allez vous r'trouver Gros-Jean comme devant.»

Una était interloquée. La possibilité que son père se remarie ne lui était jamais venue à l'esprit. Cela ne lui plaisait pas et elle resta silencieuse, frissonnant à cette perspective.

«Les belles-mères sont des créatures effrayantes, poursuivit Mary. J'pourrais te glacer le sang dans les veines si j'te racontais tout c'que j'sais à leur sujet. Les enfants Wilson qui restaient en face de chez les Wiley en avaient une. Elle était aussi cruelle avec eux que Mᵐᵉ Wiley avec moi. Ce serait affreux si vous vous retrouviez avec une marâtre.»

«Je suis certaine qu'il ne fera pas ça, fit Una avec frénésie. Papa n'épousera jamais personne d'autre.»

«J'suppose qu'on va le harceler jusqu'à ce qu'il le fasse, dit mélancoliquement Mary. Toutes les vieilles filles du coin sont après lui. Y a rien à leur épreuve. Et la pire chose chez les belles-mères, c'est qu'elles passent leur temps à monter votre père contre vous. Après, il vous aime plus. Il prend toujours sa part et celle de ses enfants à elle. Tu comprends, elle lui fait croire que vous êtes tous méchants.»

«Tu n'aurais jamais dû me dire ça, sanglota Una. Ça me rend si malheureuse.»

«J'voulais seulement t'avertir, dit Mary d'un ton repentant. Évidemment, ton père est tellement distrait que ça s'peut que jamais il pensera à se remarier. Mais vaut mieux être prêt.»

Longtemps après que Mary fut sereinement endormie, la petite Una était encore éveillée, les yeux brûlants de larmes. Oh! Comme ce serait épouvantable si son père épousait quelqu'un qui le ferait haïr ses enfants, elle, Jerry, Faith et Carl! Una ne pouvait supporter cette idée, elle ne le pouvait tout simplement pas!

Si Mary n'avait pas instillé le poison qu'avait craint Mlle Cornelia dans l'esprit des enfants du presbytère, elle était pourtant arrivée, avec les meilleures intentions du monde, à faire une petite sottise. Mais elle dormait d'un sommeil sans rêve tandis qu'Una ne pouvait fermer l'œil, que la pluie tombait et que le vent gémissait autour du vieux presbytère gris. Et le révérend John Meredith oublia complètement de se coucher parce qu'il était en train de lire une biographie de saint Augustin. Une aube grisâtre venait de poindre quand il le termina, et il monta à l'étage, aux prises avec des problèmes qui s'étaient produits deux mille ans auparavant. La porte de la chambre des filles était ouverte et il aperçut Faith qui dormait. Comme elle était rose et ravissante. Il se demanda où pouvait bien être Una. Elle était peut-être allée passer la nuit chez ses amies Blythe. Elle y allait de temps en temps, et elle considérait cela comme une faveur toute particulière. John Meredith soupira. Il sentit que là où se trouvait Una n'aurait pas dû être un mystère pour lui. Cecilia se serait beaucoup mieux occupée d'elle.

Si seulement Cecilia était encore avec lui! Comme elle avait été jolie et gaie! Comme ses chansons avaient résonné dans le vieux presbytère de Maywater! Et elle était partie si soudainement, emportant avec elle le rire et la musique et ne laissant que le silence; oui, elle était partie si vite qu'il n'était jamais tout à fait revenu de sa stupeur. Comment elle, si belle et si vivante, avait-elle pu mourir?

La perspective d'un deuxième mariage ne s'était jamais sérieusement présentée à l'esprit de John Meredith. Il avait aimé sa femme d'un amour si profond qu'il ne croyait pas possible d'éprouver jamais un sentiment analogue envers une autre. Il avait vaguement l'idée que Faith aurait avant peu l'âge de prendre la place de sa mère. Jusque-là, il devait faire de son mieux tout seul. Il soupira et entra dans sa chambre où le lit n'avait pas été fait. Tante Martha avait oublié de le faire, et Mary n'avait pas osé s'en occuper parce que tante Martha lui avait formellement interdit de toucher à quoi que ce soit dans la chambre du pasteur. Mais M. Meredith ne s'en aperçut même pas. Saint Augustin occupait entièrement ses pensées.

10

Les filles du presbytère font le ménage

«Zut, bougonna Faith, s'asseyant dans son lit en frissonnant. Il pleut. Je déteste les dimanches de pluie. Le dimanche est déjà suffisamment ennuyeux quand il fait beau.»

«Nous ne devrions pas trouver les dimanches ennuyeux, répondit Una en s'étirant, essayant de rassembler ses esprits engourdis; elle avait l'impression désagréable d'avoir dormi trop longtemps.

«Pourtant c'est vrai, reprit candidement Faith. Mary Vance dit que la plupart du temps, elle s'ennuie tellement le dimanche qu'elle pourrait se pendre.»

«Nous devrions aimer les dimanches plus que Mary Vance, fit remarquer Una d'un air penaud. Nous sommes des enfants de pasteur.»

«J'préférerais que nous soyons les enfants d'un forgeron, protesta maussadement Faith, à la recherche de ses chaussettes. Alors, personne ne s'attendrait à ce que nous fassions mieux que les autres. Mais regarde les trous à mes talons. Mary a raccommodé mes bas avant de partir et ils sont aussi troués qu'avant. Lève-toi, Una. Je ne peux pas préparer le déjeuner toute seule. Oh! Seigneur! J'aimerais que papa et Jerry soient ici. Qui aurait cru que l'absence de papa se ferait tellement sentir? On ne le voit déjà pas beaucoup quand il est là. Pourtant, on dirait que la maison est vide. Il faut que je me dépêche d'aller prendre des nouvelles de tante Martha.»

«Est-ce qu'elle va mieux?» s'informa Una quand Faith revint.

«Non. Elle se plaint toujours. On devrait peut-être en parler au Dr Blythe. Mais elle ne veut pas. Elle dit qu'elle n'a jamais consulté de médecin de sa vie et que ce n'est pas aujourd'hui qu'elle va commencer. Elle prétend que les médecins ne font rien d'autre qu'empoisonner les gens. Penses-tu que ce soit vrai?»

«Non, évidemment, protesta Una, indignée. Je suis certaine que le Dr Blythe n'empoisonnerait jamais personne.»

«Bon, il faudra refrictionner le dos de tante Martha après le déjeuner. Nous ferons mieux de ne pas le faire avec des flanelles aussi chaudes qu'hier.»

Faith pouffa de rire à ce souvenir. Elles avaient pratiquement ébouillanté le dos de la pauvre tante Martha. Una soupira. Mary Vance aurait su exactement à quelle température les flanelles devaient être pour un tour de reins. Mais elles, elles ne savaient rien. Et comment pouvaient-elles apprendre si ce n'est en faisant des expériences malheureuses? Dans ce cas-ci, c'était la pauvre tante Martha qui en avait fait les frais.

Le lundi précédent, M. Meredith était parti prendre de courtes vacances en Nouvelle-Écosse et il avait amené Jerry. Le mercredi, tante Martha avait eu une attaque d'un mal mystérieux et récurrent qu'elle appelait «tour de reins», mal qui l'assaillait toujours aux moments les plus inopportuns. Elle était incapable de se lever, chaque mouvement lui causant une souffrance intolérable. Et elle refusait systématiquement de faire venir un médecin. Faith et Una préparaient les repas et veillaient sur elle. Les repas, aussi bien ne pas en parler même s'ils n'étaient pas vraiment pires que ceux de tante Martha. Plusieurs femmes du village se seraient fait un plaisir de leur donner un coup de main, mais tante Martha ne voulaient pas qu'elles connaissent son état.

«Il faut qu'vous preniez les choses en main jusqu'à ce que j'sois sur pieds, grogna-t-elle. Grâce à Dieu, John est absent. Y a plein de viande froide et de pain et vous pouvez vous essayer à faire du gruau.»

Les filles avaient essayé sans, jusqu'à présent, obtenir beaucoup de succès. Le premier jour, le gruau était trop clair. Le deuxième, il était si épais qu'on pouvait le trancher au couteau. Et les deux fois, il était brûlé.

«Je déteste le gruau, déclara Faith avec hargne. Quand j'aurai ma maison à moi, jamais je n'en ferai.»

«Qu'est-ce que tes enfants vont devenir, alors? demanda Una. Les enfants doivent manger du gruau, sinon il ne grandissent pas. C'est ce que tout le monde prétend.»

«Il faudra qu'ils s'en passent ou qu'ils restent des nains, répliqua Faith avec entêtement. Tiens, Una, brasse-le pendant que je mets le couvert. Si j'arrête une minute, cette horrible bouillie va coller au fond. Il est neuf heures et demie. Nous serons en retard à l'école du dimanche.»

«Je n'ai encore vu passer personne, fit remarquer Una. Il n'y aura probablement pas grand-monde dehors. Il pleut à boire debout. Et quand il n'y a pas de sermon, les gens ne font pas tout ce chemin pour amener les enfants.»

«Va chercher Carl», dit Faith.

Il s'avéra que Carl avait mal à la gorge, parce qu'il s'était mouillé en poursuivant des libellules dans le marais de la vallée Arc-en-ciel, la veille au soir. Il était revenu à la maison avec des chaussettes et des bottes trempées et ne s'était pas changé pour s'asseoir dehors. Il ne pouvait rien avaler et Faith le renvoya se coucher. Elle et Una laissèrent la table telle quelle et partirent pour l'école du dimanche. La salle était vide lorsqu'elles arrivèrent et personne ne se présenta. Elles attendirent jusqu'à onze heures et décidèrent de rentrer.

«On dirait qu'il n'y a personne non plus à l'école du dimanche méthodiste», remarqua Una.

«Tant mieux, se réjouit Faith. Je détesterais l'idée que les méthodistes soient meilleurs que les presbytériens pour ce qui est d'aller à l'école du dimanche sous la pluie. Mais comme il n'y a pas de sermon dans leur église non plus, ils auront sans doute le catéchisme l'après-midi.»

Una lava la vaisselle et fit un excellent travail, l'ayant appris de Mary Vance. Faith balaya le plancher à sa façon puis se fit une coupure au doigt en pelant des pommes de terre pour le dîner.

«J'aimerais que nous ayons autre chose à manger que du fricot, soupira Una. Je suis si fatiguée de ça. Les enfants Blythe ne connaissent pas le fricot. Et jamais nous n'avons de pouding. Nan prétend que Susan s'évanouirait s'ils n'avaient pas de pouding le dimanche. Pourquoi ne sommes-nous pas comme les autres, Faith?»

«Je ne veux pas être comme les autres, fit Faith en riant, pansant son doigt sanglant. J'aime être moi-même. C'est plus intéressant. Jessie Drew est peut-être une bonne maîtresse de maison comme sa mère, mais ça te plairait d'être stupide comme elle?»

«Notre maison n'est pas comme il faut. C'est Mary Vance qui le dit. Elle dit que le désordre fait jaser les gens.»

Faith eut une inspiration.

«Nous allons faire le ménage, s'écria-t-elle. Nous nous mettrons au travail demain. C'est une vraie chance que tante Martha soit au lit et ne puisse s'en mêler. Tout sera joli et propre pour le retour de papa, exactement comme c'était quand Mary est partie. N'importe qui est capable de balayer, d'épousseter et de laver les fenêtres. Personne n'aura plus rien à redire. Jem prétend que ce ne sont que les vieilles chouettes qui jacassent, mais leurs paroles blessent autant que celles des autres.»

«J'espère qu'il fera beau, demain, acquiesça Una, enthousiaste. Oh! Faith, ce sera magnifique d'avoir une maison propre comme tout le monde.»

«J'espère que le mal de dos de tante Martha va durer jusqu'à demain, poursuivit Faith. Sinon, nous n'avancerons à rien.»

L'aimable souhait de Faith fut exaucé. Le lendemain, tante Martha était toujours incapable de se lever. Carl, encore très mal en point, fut également très facile à convaincre de garder le lit. Ni Faith ni Una n'avaient la moindre idée de la gravité de son cas; une mère attentive aurait appelé le médecin sans délai; mais il n'y avait pas de mère, et le pauvre petit Carl, la gorge en feu, la tête douloureuse et les joues écarlates, s'enroula dans ses draps froissés et souffrit tout seul, quelque peu réconforté par la présence d'un petit lézard vert dans la poche de sa chemise de nuit en lambeaux.

Un soleil d'été apparut après la pluie. C'était une journée idéale pour faire le ménage et les deux fillettes se mirent joyeusement au travail.

«Nous allons nettoyer la salle à manger et le salon, décida Faith. Inutile de s'occuper du bureau et ça n'a pas vraiment d'importance à l'étage. Pour commencer, nous allons tout sortir.»

Ainsi fut fait. Les meubles furent empilés sur la véranda et la pelouse, et les tapis drapèrent gaiement la clôture du cimetière méthodiste. Un balayage en règle suivit, après quoi Una tenta d'épousseter tandis que Faith lavait les fenêtres, brisant un carreau et en craquant deux par la même occasion. Una examina d'un air perplexe les vitres sillonnées de coulisses.

«On dirait que quelque chose ne va pas, commenta-t-elle. Les fenêtres de Mme Elliott et celles de Susan brillent et scintillent.»

«Peu importe. Le soleil entrera bien quand même, interrompit Faith avec bonne humeur. Elles sont sûrement propres après tout le savon et l'eau que j'ai utilisés, et c'est ça le principal. Comme il est passé onze heures, je vais essuyer le dégât sur le plancher et nous irons dehors. Tu vas épousseter les meubles et je vais battre les tapis. Je vais le faire dans le cimetière. Je n'ai pas l'intention d'envoyer valser la poussière partout sur la pelouse.»

Ce fut une activité qui plut à Faith. Elle trouva très divertissant de se tenir debout sur la tombe d'Hezekiah Pollock à frapper et à secouer les tapis. Il va sans dire que le marguillier Abraham Clow et son épouse, passant par là dans leur confortable boghei à deux places, semblèrent lui jeter un regard lugubrement désapprobateur.

«N'est-ce pas une chose terrible à voir?» s'exclama solennellement le marguillier Abraham.

«Je ne l'aurais jamais cru si je ne l'avais pas vu de mes propres yeux», répondit son épouse d'un ton plus solennel encore.

Faith agita gaiement un paillasson en direction du couple Clow. Que le marguillier et sa femme ne lui renvoient pas son salut ne l'inquiéta nullement. Tout le monde savait que jamais le marguillier Abraham n'avait été vu en train de sourire depuis que, quatorze ans auparavant, il avait été nommé directeur de l'école du dimanche. Mais elle se sentit blessée que ni Minnie ni Adella Clow ne lui répondent. Faith aimait bien Minnie et Adella. Après les Blythe, elles étaient ses meilleures amies à l'école et elle aidait toujours Adella à faire ses additions. Voilà la reconnaissance qu'on lui témoignait. Ses amies l'ignoraient parce qu'elle secouait des tapis dans un vieux cimetière où, comme le disait Mary Vance, personne n'avait été enterré depuis des années. Faith se précipita vers la véranda où elle retrouva Una, également vexée parce que les fillettes Clow ne l'avaient pas saluée elle non plus.

«Je présume qu'elles sont fâchées pour une raison ou pour une autre, suggéra Faith. Elles sont peut-être jalouses parce qu'on passe beaucoup de temps à jouer avec les Blythe dans la vallée Arc-en-ciel. Attends seulement que l'école commence et qu'Adella me demande de l'aider en calcul! Nous serons quittes, alors. Allons, rentrons les choses. Je suis complètement crevée et je n'ai pas l'impression que les tapis auront meilleure apparence, bien que j'aie envoyé des tonnes de poussière dans le cimetière. Je déteste faire le ménage.»

Les deux fillettes épuisées ne finirent pas de nettoyer les deux chambres avant deux heures. Elles mangèrent une bouchée dans la cuisine, décidées à laver la vaisselle aussitôt après. Mais Faith tomba sur un nouveau livre d'histoire que Di Blythe lui avait prêté et se plongea dedans jusqu'au coucher du soleil. Una apporta une tasse de thé fort à Carl, mais le trouva endormi; elle se blottit donc dans le lit de Jerry et céda elle aussi au sommeil. Entre-temps, une histoire saugrenue faisait le tour de Glen St. Mary et les gens s'interrogeaient mutuellement, d'un air grave, sur ce qu'il fallait faire de ces enfants du presbytère.

«Il n'y a pas de quoi rire, tu peux me croire, confia Mlle Cornelia à son mari, en poussant un profond soupir. Au début, je ne voulais pas le croire. Quand Miranda Drew a raconté cette histoire après-midi en revenant de l'école du dimanche méthodiste, j'ai tout simplement haussé les épaules. Mais Mme Abraham a dit qu'elle et son mari le marguillier l'ont vu de leurs propres yeux.»

«Vu quoi?» demanda Marshall.

«Faith et Una Meredith sont restées chez elles ce matin et ont fait le ménage au lieu d'aller à l'école du dimanche, annonça Mlle Cornelia avec l'accent du désespoir. Quand le marguillier Abraham est revenu de l'église — il était resté plus tard pour remettre les livres de la bibliothèque en ordre — il les a aperçues en train de battre les tapis dans le cimetière méthodiste. Je ne pourrai plus jamais regarder un méthodiste en face. Pense au scandale que cela va provoquer!»

Cela en provoqua certainement un, qui prit de plus en plus d'ampleur à mesure que la rumeur se propageait, jusqu'à ce que les habitants de l'autre côté du port apprennent que non seulement les filles du presbytère avaient nettoyé la maison et fait la lessive un dimanche, mais que cela s'était terminé par un pique-nique dans le cimetière pendant que se déroulait l'école du dimanche méthodiste. Le seul foyer qui continua à ignorer béatement l'effroyable nouvelle fut le presbytère lui-même; le lendemain, que Faith et Una croyaient sincèrement être un mardi, il pleuvait encore; et il plut pendant les trois jours suivants; personne ne s'approcha du presbytère et les filles du presbytère n'allèrent nulle part; elles auraient pu patauger dans la vallée Arc-en-ciel envahie de brume jusqu'à Ingleside, mais toute la famille Blythe, à l'exception de Susan et du docteur, était allée en visite à Avonlea.

«Ce sont nos dernières tranches de pain et il n'y a plus de fricot, annonça Faith. Qu'allons-nous faire si tante Martha ne se rétablit pas bientôt?»

«Nous pouvons acheter du pain au village et il reste la morue que Mary a fait sécher, répondit Una. Mais nous ne savons pas comment la faire cuire.»

«Oh! C'est facile, fit Faith en riant. Il n'y a qu'à la faire bouillir.»

Ce qui fut fait, mais elles omirent de la faire tremper avant et elle était si salée qu'elles ne purent la manger. Elles eurent très faim, ce soir-là; le lendemain, elles virent cependant la fin de leurs ennuis. Le soleil était revenu; Carl était rétabli et le mal de dos de tante Martha la quitta aussi soudainement qu'il était apparu; le boucher se présenta au presbytère et chassa la famine. Pour couronner le tout, les enfants Blythe étaient de retour et, avec les enfants du presbytère et Mary Vance, ils eurent une fois de plus leur rendez-vous au crépuscule dans la vallée Arc-en-ciel où les pâquerettes semblaient flotter sur l'herbe comme des esprits dans la rosée et les grelots des Arbres amoureux tintaient comme les clochettes des fées dans la brunante embaumée.

11

Une épouvantable découverte

«Eh bien, vous vous êtes mis dans de beaux draps, les jeunes!»

C'est ainsi que Mary salua ses amis quand elle les rejoignit dans la vallée. Mlle Cornelia se trouvait à Ingleside, tenant un interminable conciliabule avec Anne et Susan, et Mary espérait que la séance fût longue, car c'était la première fois depuis deux semaines qu'elle était autorisée à s'amuser avec ses amis dans la chère vallée Arc-en-ciel.

«Comment ça?» questionnèrent-ils tous en chœur, à l'exception de Walter, dans la lune comme à l'accoutumée.

«C'est à vous que je m'adresse, les jeunes du presbytère, reprit Mary. C'était vraiment affreux de votre part. J'aurais jamais fait ça pour tout l'or au monde, et j'ai pas été élevée dans un presbytère, moi, pas été élevée nulle part, d'ailleurs, j'ai juste poussé tant bien que mal.»

«Qu'est-ce qu'on a fait?» demanda Faith, interloquée.

«Fait? Vous avez du culot de me l'demander! C'est effrayant, c'qu'on raconte! J'm'attends à c'que ça ruine la réputation de votre père dans la paroisse. Jamais il pourra s'en remettre, le pauvre homme! C'est lui que tout le monde blâme, et c'est pas juste. Mais y a rien de juste dans c'bas monde. Vous devriez avoir honte.»

«Mais qu'est-ce qu'on a bien pu faire?» insista Una, au

désespoir. Faith resta muette, mais ses yeux mordorés lancèrent un éclair méprisant à Mary.

«Oh! Faites pas les innocentes! s'écria Mary, les foudroyant du regard. Tout le monde est au courant.»

«Pas moi, interrompit Jem avec indignation. Que je ne te prenne pas à faire pleurer Una, Mary Vance. De quoi parles-tu?»

«C'est possible que tu sois pas au courant, toi, tu viens juste d'arriver de l'ouest», admit Mary, quelque peu subjuguée. Jem avait le tour avec elle. «Mais le reste du monde le sait, je t'en passe un papier.»

«Sait quoi?»

«Que dimanche dernier, Faith et Una sont restées à la maison à *faire le ménage* au lieu d'aller à l'école du dimanche.»

«Ce n'est pas vrai», protestèrent passionnément Faith et Una.

Mary les regarda d'un air hautain.

«J'aurais jamais cru que vous nieriez, après m'avoir tant rebattu les oreilles sur le mensonge, fit-elle. Tout le monde est au courant, alors à quoi ça vous sert de dire le contraire? Le marguillier Clow et sa femme vous ont vues. Y en a qui disent que ça va diviser l'église, mais j'pense pas que ça aille aussi loin. Vous avez du front tout le tour de la tête!»

Nan Blythe se leva et entoura de ses bras ses amies médusées.

«Elles ont eu la gentillesse de t'accueillir, de te nourrir et de t'habiller quand tu étais affamée dans la grange de M. Taylor, Mary Vance, dit-elle. Tu es vraiment reconnaissante, d'après ce que je peux voir.»

«J'le suis, répliqua Mary. T'en douterais pas si tu m'avais entendue prendre la défense de M. Meredith. J'me suis écorché la langue à parler en sa faveur, cette semaine. J'ai dit et répété que c'était pas de sa faute si ses jeunes avaient fait le ménage le dimanche. Il était pas là, et elles étaient censées savoir quoi faire.»

«Mais nous n'avons pas fait le ménage, protesta Una. C'est *lundi* que nous l'avons fait, pas vrai, Faith?»

«Évidemment, renchérit Faith, ses yeux lançant des éclairs. Nous nous sommes rendues à l'école du dimanche malgré la pluie, et personne ne s'est présenté, pas même le marguillier Abraham, malgré tout ce qu'il raconte sur les premiers chrétiens.»

«C'est samedi qu'il a plu, coupa Mary. Dimanche, il faisait très beau. J'suis pas allée à l'école du dimanche parce que j'avais mal aux dents, mais tous les autres s'y sont rendus et ils ont aperçu vos affaires sur le gazon. Pis le marguillier Abraham et sa femme vous ont vues en train de battre des tapis dans le cimetière.»

Una s'effondra au milieu des marguerites et se mit à pleurer.

«Voyons, fit Jem d'un ton résolu, il faut clarifier ça. *Quelqu'un* s'est trompé. Dimanche, il faisait beau, Faith. Comment as-tu pu prendre le samedi pour le dimanche?»

«L'assemblée de prières était jeudi soir, cria Faith, et Adam est tombé dans la soupière vendredi, quand le chat de tante Martha l'a poursuivi, et il a gâché notre dîner. Samedi, il y avait une couleuvre dans la cave et Carl l'a prise avec un bâton fourchu et l'a apportée dehors, et dimanche, il pleuvait, voilà!»

«L'assemblée de prières était mercredi soir, rectifia Mary. C'est le marguillier Baxter qui devait la diriger et comme il ne pouvait pas y aller le jeudi, elle a été changée pour le mercredi. Tu étais juste une journée à l'avance, Faith Meredith, et vous avez vraiment travaillé un dimanche!»

Faith éclata soudain de rire.

«Je suppose que oui. Quelle blague!»

«J'me demande si votre père va la trouver drôle», fit Mary d'un ton acerbe.

«Il n'y aura plus de problème quand les gens vont s'apercevoir que ce n'était qu'une erreur, poursuivit Faith avec insouciance. Nous leur expliquerons.»

«Vous pourrez bien expliquer jusqu'à en avoir la face noire, dit Mary, mais une menterie comme celle-là voyagera plus vite et plus loin que vous pourrez jamais le faire.

J'connais la vie plus que vous, et j'le sais. Y aura plein de gens qui voudront jamais croire que c'était une erreur.»

«Ils le croiront si je leur dis.»

«Tu peux pas le dire à tout le monde, insista Mary. Non, j't'assure que vous avez déshonoré votre père.»

Si la soirée d'Una se trouva gâchée par cette sinistre réflexion, Faith refusa quant à elle de se sentir coupable. De plus, elle avait un plan qui rétablirait la situation. Elle relégua donc derrière elle le passé et sa bévue et s'abandonna tout entière au plaisir de l'instant présent. Jem partit pêcher et Walter, émergeant de sa rêverie, entreprit de décrire les forêts du ciel. Mary tendit l'oreille et écouta respectueusement. Vénérant Walter, elle se délectait de l'entendre «parler comme un livre». Cela la ravissait toujours. Ayant lu Coleridge ce jour-là, Walter se figurait un paradis où

Des ruisseaux serpentaient dans des parcs de lumière,
En pleine floraison, des arbres embaumaient,
Des forêts immuables, des collines séculaires,
Les vallons chatoyants, de verdure entouraient.

«J'savais pas qu'il y avait des forêts dans le ciel, remarqua Mary, en prenant une longue inspiration. J'pensais qu'il y avait seulement des rues.»

«Bien sûr qu'il y a des forêts, dit Nan. Ni maman ni moi ne pouvons vivre sans arbres, alors à quoi cela servirait-il d'aller au ciel s'il n'y avait pas d'arbres?»

«Il y a des villes aussi, reprit le jeune rêveur, des villes splendides, de la couleur du soleil couchant, avec des tours en saphirs et des dômes en arcs-en-ciel. Elles sont en or et en diamants, des rues entières en diamants, scintillant comme le soleil. Dans les parcs, il y a des fontaines de cristal qui reçoivent les caresses de la lumière, et partout, s'épanouissent des asphodèles, les fleurs du paradis.»

«Imaginez! s'écria Mary. Une fois, j'ai vu la rue principale de Charlottetown, et j'trouvais ça tellement magnifique, mais j'suppose que c'est rien, comparé au ciel. Seigneur, ça a l'air fantastique, de la façon dont tu le décris, mais tu crois pas que ça risque d'être un peu ennuyeux?»

«Oh! J'présume qu'on pourra s'amuser quand les anges auront le dos tourné», dit Faith avec assurance.

«Il n'y a que du plaisir au paradis», déclara Di.

«C'est pas écrit dans la Bible, ça», protesta Mary qui, après avoir tant lu les Saintes Écritures le dimanche après-midi sous l'œil de Mlle Cornelia, se considérait à présent comme une autorité en la matière.

«Maman dit que la Bible est écrite au figuré», dit Nan.

«Est-ce que ça veut dire qu'elle ne dit pas la vérité?» demanda Mary avec espoir.

«Non, pas vraiment. Mais je crois que ça signifie que le ciel sera exactement comme on veut qu'il soit.»

«J'aimerais qu'il ressemble à la vallée Arc-en-ciel, dit Mary, avec vous autres pour jaser et jouer avec moi. Ça m'suffirait. En tout cas, on peut pas aller au ciel avant d'être mort, et même là, on en est pas sûr, alors pourquoi s'inquiéter de ça? Voilà Jem avec une ficelle de truites et c'est mon tour de les faire frire.»

«Nous devrions en savoir davantage sur le paradis que Walter, puisque nous sommes les enfants du pasteur», commenta Una sur le chemin du retour.

«Nous en *savons* autant que lui, mais Walter peut *imaginer*, répondit Faith. Mme Elliott prétend qu'il tient ça de sa mère.»

«Si seulement nous n'avions pas fait cette erreur dimanche dernier», soupira Una.

«Ne t'en fais pas. J'ai un plan formidable pour expliquer la chose à tout le monde, la rasssura Faith. Attends à demain soir.»

12

Une explication courageuse

C'était le révérend Dᴿ Cooper qui prêchait le lendemain soir et l'église presbytérienne était bondée de gens venus d'un peu partout. Le révérend Docteur avait la réputation d'être un conférencier très éloquent; et, se souvenant du vieux dicton selon lequel un pasteur devrait porter ses plus beaux vêtements en ville et ses plus beaux sermons à la campagne, il impressionna son auditoire par le discours tout à fait érudit qu'il prononça. Pourtant, quand les gens retournèrent chez eux ce soir-là, ce n'était pas le sermon du Dᴿ Cooper qui alimentait leurs conversations. Ils l'avaient totalement oublié.

Le Dᴿ Cooper avait conclu par une fervente exhortation, essuyé la sueur qui perlait sur son front massif, prononcé ce «Prions, mes frères» qui l'avait rendu célèbre, et avait dûment prié. Il y avait eu une légère pause. À l'église de Glen St. Mary, la vieille habitude de faire la quête après le sermon plutôt qu'avant subsistait — principalement parce que les méthodistes avaient adopté la nouvelle façon de faire, et que ni Mˡˡᵉ Cornelia, ni le marguillier Clow ne voulaient entendre parler de marcher dans les traces des méthodistes. Charles Baxter et Thomas Douglas, qui assumaient la responsabilité de passer les plateaux, étaient sur le point de se lever de leurs sièges. L'organiste avait installé sa partition et la chorale s'était éclairci la gorge. Tout à coup, Faith Meredith se leva dans le banc du presbytère, s'avança jusqu'à l'estrade de la chaire et fit face à l'audience médusée.

Mlle Cornelia se souleva à demi de son siège puis se rassit. Son banc étant assez éloigné de la chaire, elle conclut que quelles que soient les intentions de Faith, le mal serait déjà à moitié fait avant qu'elle arrive jusqu'à elle. Inutile alors de rendre le spectacle plus dramatique que ce qu'il devait être. Jetant un regard angoissé à Mme Dr Blythe et un autre en direction de Deacon Warren de l'église méthodiste, Mlle Cornelia se résigna à subir un nouveau scandale.

«Si au moins la petite était vêtue convenablement», maugréa-t-elle intérieurement.

Faith, ayant renversé de l'encre sur sa tenue du dimanche, avait sereinement revêtu une vieille robe en tissu imprimé d'un rose délavé. Un accroc dans la jupe avait été reprisé avec du coton écarlate et l'ourlet avait été abaissé, laissant voir une bande claire d'un rose vif autour de la jupe. Mais Faith ne songeait aucunement à son accoutrement. Elle se sentait soudainement nerveuse. Ce qui avait paru si facile en imagination était en réalité plutôt difficile à accomplir. Confrontée à tous ces regards interrogateurs qui la fixaient, Faith faillit perdre courage. Les lumières étaient si aveuglantes, le silence, si terrifiant. Elle eut l'impression qu'elle n'arriverait pas à prononcer un mot. Mais il le fallait, son père *devait* être lavé de tout soupçon. Seulement... les paroles ne sortaient pas.

Le petit visage nacré et implorant d'Una luisait dans le banc du presbytère. Les enfants Blythe étaient déconcertés. À l'arrière, sous le jubé, Faith aperçut le gracieux sourire de Mlle Rosemary West et celui, amusé, de Mlle Ellen. Mais rien de cela ne fut d'aucun secours. Ce fut Bertie Shakespeare Drew qui sauva la situation. Assis au premier rang du jubé, Bertie Shakespeare fit à Faith une mimique moqueuse. Cette dernière lui lança en retour un regard menaçant et, dans sa fureur, elle oublia son trac. Retrouvant la voix, elle parla clairement et courageusement.

«Je veux expliquer quelque chose, commença-t-elle, et je veux le faire maintenant pour que tous ceux qui ont entendu l'autre version entendent celle-ci. Les gens prétendent qu'Una et moi, nous sommes restées à la maison dimanche dernier et avons fait le ménage au lieu d'aller au catéchisme. Eh bien! c'est vrai, mais nous ne l'avons pas fait exprès. Nous avons confondu les jours de la semaine. Tout est de la faute du marguillier Baxter — agitation dans le banc Baxter — il a changé le jour de l'assemblée de prières qui devait se tenir le mercredi soir, alors nous avons cru que jeudi était vendredi et ainsi de suite jusqu'au samedi que nous avons pris pour le dimanche. Comme Carl et tante Martha étaient tous deux malades et incapables de se lever, ils n'ont pu nous détromper. Nous nous sommes rendues à l'école du dimanche sous l'averse de samedi et personne n'est venu. Nous avons alors pensé faire le ménage lundi pour faire taire les vieilles commères qui n'arrêtent pas de raconter que le presbytère est sale — émoi général dans toute l'assemblée — et c'est ce que nous avons fait. J'ai secoué les tapis dans le cimetière méthodiste parce que c'est un endroit tellement pratique et non pas pour manquer de respect aux morts. Ce ne sont pas les morts qui ont monté toute cette histoire en épingle, ce sont les vivants. Et personne d'entre vous n'a le droit de blâmer mon père pour ce qui s'est passé; il n'était pas là, il ne pouvait pas le savoir, et, de toute façon, nous pensions que c'était lundi. C'est le meilleur des pères qui aient jamais existé sur terre et nous l'aimons de tout notre cœur.»

La tirade de Faith se termina dans un sanglot. Elle dévala les marches et s'éclipsa par la porte de côté. Là, réconfortée par l'amical clair de lune d'un soir d'été, elle cessa d'avoir mal à la gorge et aux yeux. La terrible explication était donnée et, à présent, tout le monde savait que son père n'était coupable de rien et qu'elle et Una n'avaient pas eu la vilenie de faire sciemment le ménage un dimanche.

À l'intérieur de l'église, pendant que les gens se dévisageaient avec ahurissement, Thomas Douglas se leva et, le visage inexpressif, il remonta l'allée. Son devoir était clair:

que le ciel leur tombe ou non sur la tête, il fallait faire la quête. Ainsi fut fait; la chorale, mal à l'aise, entonna le motet, consciente qu'il tombait terriblement à plat; le Dr Cooper donna le signal de l'hymne final et prononça la bénédiction avec considérablement moins d'onction que d'habitude. Le sens de l'humour du révérend Docteur avait été chatouillé par la performance de Faith. En outre, John Meredith était bien connu des cercles presbytériens.

M. Meredith retourna chez lui le lendemain après-midi mais, auparavant, Faith s'organisa pour scandaliser une fois de plus la population de Glen St. Mary. En réaction à l'intensité de la pression subie le dimanche soir, elle débordait particulièrement, le lundi, de ce que Mlle Cornelia aurait appelé «diablerie». Ce qui l'amena à défier Walter Blythe de traverser la rue principale sur le dos d'un cochon, pendant qu'elle en chevauchait un autre.

Les gorets en question étaient deux grandes bêtes efflanquées censées appartenir au père de Bertie Shakespeare Drew et qui, depuis une quinzaine de jours, rôdaient dans le chemin jouxtant le presbytère. Walter ne voulait pas courir dans Glen St. Mary sur un cochon, mais tout ce que Faith Meredith le défiait de faire devait être fait. Ils dévalèrent donc la pente et firent irruption dans le village, Faith pliée en deux par le rire sur son coursier terrifié, et Walter rouge de honte. Ils frôlèrent le pasteur lui-même, qui arrivait de la gare; un peu moins dans la lune que d'habitude — il avait dû s'entretenir avec Mlle Cornelia dans le train, ce qui le réveillait toujours temporairement — il les remarqua et pensa qu'il devait absolument parler à Faith et lui dire qu'une telle conduite n'était pas convenable. Arrivé chez lui, il avait cependant oublié cet incident futile. Walter et Faith passèrent à côté de Mme Alec Davis qui poussa un hurlement d'horreur, puis à côté de Mlle Rosemary West, qui rit puis soupira. Finalement, juste avant que les porcs aboutissent dans la cour de Bertie Shakespeare Drew pour n'en plus jamais ressortir tant le choc avait été pénible pour leurs nerfs, Faith et Walter sautèrent de leur monture, au moment précis ou le D^r et Mme Blythe arrivaient d'un pas rapide.

«C'est comme ça que tu élèves tes garçon», fit Gilbert avec une feinte sévérité.

«Je les gâte peut-être un peu, admit Anne, l'air contrit, mais, oh! Gilbert, quand je songe à ma propre enfance avant d'arriver aux Pignons verts, je n'ai pas le cœur de me montrer trop stricte. Comme j'avais faim d'amour et de plaisir, petite cendrillon mal aimée que j'étais, avec jamais un instant pour jouer! Ils s'amusent tellement avec les enfants du presbytère.»

«Et les pauvres cochons, eux?»

Anne essaya sans succès de garder son sérieux.

«Penses-tu vraiment qu'ils en ont souffert? demanda-t-elle. Rien, selon moi, ne peut faire de mal à ces bêtes. Elles ont été la plaie du voisinage cet été et les Drew ne veulent pas les enfermer. Mais je vais parler à Walter, si j'arrive à le faire sans pouffer de rire.»

Mlle Cornelia se présenta à Ingleside ce soir-là pour soulager son esprit à propos des événements du dimanche soir. À sa grande surprise, elle découvrit qu'Anne ne voyait pas le comportement de Faith du même œil qu'elle.

«J'avoue avoir trouvé qu'il y avait quelque chose de courageux et de pathétique dans sa façon de faire face à cette assemblée, dit-elle. C'était évident qu'elle était mortellement terrifiée, et pourtant, elle était décidée à ce que son père soit exonéré de tout blâme. Cela m'a plu.»

«Oh! C'est sûr que la pauvre enfant était bien intentionnée, soupira Mlle Cornelia, mais c'était quand même une chose terrible à faire, et les gens jacassent encore plus. Ce n'était plus tellement cette histoire du ménage du dimanche qui les dérangeait. On en parlait de moins en moins, et cet esclandre a tout remis sur le tapis. Rosemary West est comme vous: en quittant l'église hier soir, elle a dit qu'elle avait trouvé Faith courageuse, mais qu'elle avait eu pitié d'elle aussi. Quant à Mlle Ellen, elle a considéré que c'était une excellente plaisanterie et a déclaré qu'il y avait des années qu'elle ne s'était autant amusée à l'église. Elles s'en fichent, évidemment: elles sont épiscopaliennes. Mais c'est différent pour nous, presbytériens. Et il y avait tellement d'étrangers ce soir-là, sans compter la foule de méthodistes. Mme Leander Crawford a eu tant de peine qu'elle en a pleuré. Et Mme Alec Davis a dit que la petite effrontée méritait une bonne fessée.»

«Mme Leander Crawford passe son temps à pleurnicher à l'église, laissa tomber Susan avec mépris. Tout ce que le pasteur peut dire d'émouvant lui arrache des larmes. Mais on voit pas souvent son nom sur une liste de souscriptions, chère Mme Docteur. Faut croire que les larmes coûtent moins cher. Une fois, elle a essayé de me dire que tante Martha était une ménagère vraiment malpropre; et j'ai eu envie de lui répondre: "Tout le monde sait que vous-même avez été vue en train de préparer des gâteaux dans le bac à vaisselle, Mme Leander Crawford!" Mais je l'ai pas dit, chère Mme Docteur, parce que je me respecte trop pour m'abaisser à discuter avec des gens de son espèce. J'pourrais raconter des choses pires encore sur Mme Leander Crawford, si j'étais disposée à commérer. Quant à Mme Alec Davis, si c'était à moi qu'elle avait dit ça, savez-vous c'que je lui aurais répondu, chère Mme Docteur? J'aurais dit: "J'doute pas que vous donneriez une fessée à Faith, Mme Davis, mais jamais vous aurez l'occasion de porter la main sur la fille d'un pasteur, que ce soit dans ce monde-ci ou dans l'autre.»

«Si seulement la pauvre Faith avait été habillée convenablement, se lamenta Mlle Cornelia, le mal aurait été moins grand. Mais la voir là, debout sur l'estrade, dans cette robe affreuse!»

«Mais elle était propre, chère Mme Docteur, la défendit Susan. Ce sont des enfants propres. Ils sont peut-être étourdis et insouciants, chère Mme Docteur, j'dis pas le contraire, mais jamais ils négligent de se laver derrière les oreilles.»

«Quand on pense que Faith a oublié quel jour était dimanche, insista Mlle Cornelia. En grandissant, elle sera aussi négligente et dénuée de sens pratique que son père, vous pouvez me croire. Je suppose que Carl aurait su ce qui en était, s'il n'avait pas été malade. J'ignore quel était son problème, mais j'ai idée qu'il a mangé les bleuets qui poussent dans le cimetière. Pas étonnant que ça l'ait rendu malade. Si j'étais méthodiste, j'essaierais au moins de nettoyer mon cimetière.»

«Je suis d'avis que Carl a seulement mangé les baies amères qui poussent sur le muret, émit Susan avec espoir. Je crois pas qu'aucun fils de pasteur avalerait des bleuets qui poussent sur la tombe des morts. Ce serait moins grave, vous savez, chère Mme Docteur, de manger les choses qui poussent sur le muret.»

«La pire chose de la performance de Faith a été la grimace qu'elle a faite à quelqu'un de l'assemblée avant de commencer, reprit Mlle Cornelia. Le marguillier Clow prétend qu'elle lui était adressée. Et vous a-t-on dit que Faith a été vue chevauchant un cochon aujourd'hui?»

«Je l'ai moi-même vue. Walter était avec elle. Je l'ai un peu — un tout petit peu — réprimandé à ce sujet. Il n'a pas dit grand-chose, mais il m'a donné l'impression que c'était son idée et que Faith n'est pas à blâmer.»

«J'le crois pas, chère Mme Docteur, s'écria Susan en levant les bras. Walter est comme ça, il assume le blâme. Mais vous savez comme moi, chère Mme Docteur, que jamais le cher petit aurait songé à chevaucher un goret, même s'il écrit des vers.»

«Oh! Ça ne fait aucun doute que cette lubie a germé dans la tête de Faith Meredith, trancha Mlle Cornelia. Et je ne dis pas que je suis désolée que les vieux porcs d'Amos Drew aient été remis à leur place, pour une fois. Mais la fille du pasteur!»

«Et le fils du docteur!» fit Anne, imitant le ton de Mlle Cornelia. Puis, elle éclata de rire. «Ce ne sont que des enfants, chère Mlle Cornelia. Et vous savez qu'ils n'ont jamais rien fait de mal, ils sont seulement espiègles et impulsifs, tout comme je l'ai moi-même déjà été. Ils deviendront posés et respectables avec le temps, tout comme moi.»

Mlle Cornelia rit, elle aussi.

«Ma chère Anne, il y a des fois où je sais que votre apparence convenable n'est qu'une façade et que vous brûlez

d'envie de commettre encore quelque action puérile et foli-
chonne. Ma foi, je me sens moins découragée. D'une certaine façon, une conversation avec vous produit toujours cet
effet sur moi. Et c'est exactement le contraire quand je rends
visite à Barbara Samson. Je sors de là avec l'impression que
tout va et ira toujours de travers. Mais évidemment, passer sa
vie avec un homme comme Joe Samson ne doit pas être tout
à fait réjouissant.»

«C'est très étrange de penser qu'elle a épousé Joe Samson
après toutes les occasions qu'elle a eues, remarqua Susan.
Elle était très recherchée dans son jeune temps. Elle avait
coutume de se vanter devant moi qu'elle avait vingt et un
soupirants sans compter M. Pethick.»

«Qui était M. Pethick?»

«Ma foi, c'était une sorte de crampon, chère Mme Docteur, mais on pouvait pas vraiment l'appeler un soupirant. Il
avait pas vraiment d'intentions. Vingt et un amoureux, et
moi qui en ai jamais eu un seul! Mais Barbara est allée à la
chasse et a fini par attraper le mauvais gibier. On prétend
pourtant qu'il peut faire de meilleurs biscuits à la poudre à
pâte qu'elle et qu'elle lui demande toujours de les préparer
quand ils ont de la visite à l'heure du thé.»

«Ça me rappelle que j'ai moi-même des invités pour le
thé demain et que je dois rentrer pétrir mon pain, fit Mlle
Cornelia. Mary prétend qu'elle est capable de le faire et je
n'en doute pas. Mais tant que je vivrai et serai en possession
de mes moyens, je pétrirai mon pain moi-même, vous pouvez
me croire.»

«Comment Mary va-t-elle?» s'enquit Anne.

«Je n'ai rien à redire à son sujet, dit mélancoliquement
Mlle Cornelia. Elle commence à avoir de la chair sur les os, et
elle est respectueuse, quoique je n'arrive pas à sonder tout ce
qu'elle a derrière la tête. C'est une petite rusée. On pourrait
creuser pendant mille ans avant d'atteindre le fond de cette
enfant, vous pouvez me croire. Pour ce qui est du travail, je
n'ai jamais vu quelqu'un comme elle. Elle en raffole. Mme
Wiley s'est peut-être montrée cruelle avec elle, mais les gens

ont tort de dire qu'elle a obligé Mary à travailler. Elle est une travailleuse née. Je me demande parfois ce qui va s'user en premier, chez elle: ses jambes ou sa langue. Je n'ai plus suffisamment de travail pour m'empêcher de dire des sottises, ces jours-ci. Je serai vraiment contente à la rentrée des classes parce que j'aurai enfin quelque chose à faire. Mary ne veut pas retourner à l'école, mais j'ai fait preuve d'autorité et j'ai dit qu'elle devrait y aller. Pas question que les méthodistes racontent que je l'empêche de fréquenter l'école pour flâner et ne rien faire.»

13

La maison sur la colline

Une petite source intarissable, toujours glacée et limpide comme le cristal, coulait dans un creux caché par les bouleaux au bas la vallée Arc-en-ciel, à proximité du marécage. Peu de gens se doutaient de son existence. Les enfants du presbytère et ceux d'Ingleside la connaissaient, évidemment, de même qu'ils connaissaient tout ce qui avait un rapport avec la vallée magique. Ils allaient à l'occasion s'y désaltérer, et elle figurait dans plusieurs de leurs saynètes comme une vieille fontaine romantique. Anne était au courant de son existence et l'aimait parce que, d'une certaine façon, elle lui rappelait sa chère Source des fées, aux Pignons verts. Rosemary West la connaissait et, pour elle aussi, elle incarnait une fontaine romantique. Dix-huit ans auparavant, elle s'était assise près d'elle un crépuscule de printemps et avait écouté Martin Crawford lui avouer en bredouillant son amour fervent de jeune homme. Elle lui avait en retour chuchoté son secret et ils s'étaient échangé baisers et promesses au cœur de la forêt sauvage. Jamais plus ils ne s'y étaient retrouvés ensemble — Martin s'étant peu après embarqué pour son voyage fatal; mais pour Rosemary, c'était toujours un lieu sacré, auréolé par cet immortel instant de jeunesse et d'amour. Chaque fois qu'elle passait à proximité, elle s'y arrêtait et allait à son rendez-vous clandestin avec son vieux rêve, rêve dont la douleur s'était depuis longtemps estompée pour laisser place à une douceur inoubliable.

La source était cachée. On aurait pu passer à dix pieds d'elle sans jamais avoir soupçonné son existence. Deux générations plus tôt, un énorme pin était pratiquement tombé à travers. Rien ne restait de l'arbre que son tronc friable où la fougère poussait dru, faisant à l'onde un toit vert et un écran ajouré. À côté, un érable au tronc étrangement noueux et tordu, rampant sur une petite distance avant de se dresser dans les airs, formait ainsi un siège pittoresque; et septembre avait entouré le vallon d'une écharpe de pâles asters bleu fumée.

Revenant un soir de sa tournée pastorale à l'entrée du port, John Meredith emprunta le chemin qui, par la vallée Arc-en-ciel, traversait les champs. Il s'arrêta pour boire à la source. Quelques jours auparavant, Walter Blythe la lui avait montrée, un après-midi, et ils avaient longuement bavardé ensemble, assis sur le tronc de l'érable. Sous des apparences timides et réservées, John Meredith avait le cœur d'un gamin. On l'appelait Jack dans son enfance, même si personne ne l'aurait jamais cru, à Glen St. Mary. Walter et lui avaient sympathisé et s'étaient confiés sans réserve l'un à l'autre. M. Meredith avait exploré certains recoins secrets et sacrés de l'âme du garçon, où même Di n'avait pas accès. Ce moment avait marqué le début de leur amitié et Walter sut qu'il n'aurait plus jamais peur du pasteur.

«Je n'aurais jamais cru qu'il était possible de lier vraiment connaissance avec un pasteur», avait-il confié à sa mère ce soir-là.

John Meredith but de l'eau dans sa fine main blanche, dont la poigne d'acier surprenait toujours ceux qui n'en avaient pas encore fait l'expérience, puis il s'assit sur le tronc de l'érable. Il n'était pas pressé de rentrer; c'était un endroit ravissant et il se sentait épuisé après toutes ces conversations triviales avec de nombreuses personnes au bon cœur mais à l'esprit obtus. Là où il se trouvait, le vent hantait la vallée Arc-en-ciel et les étoiles y montaient la garde; plus loin pourtant, montaient les notes joyeuses des voix et des rires des enfants.

La beauté évanescente des asters dans le clair de lune, le scintillement de la petite source, le roucoulement mélodieux du ruisseau, l'ondulation gracieuse des fougères arborescentes, tout cela concourait à tisser une magie blanche autour de John Meredith. Il oublia les soucis de la paroisse et les problèmes spirituels; les années glissèrent loin de lui; il était de nouveau un jeune étudiant et les roses rouges de juin embaumaient sur la tête sombre et majestueuse de sa Cecilia. Il était assis là, rêvant comme n'importe quel jeune homme. Et ce fut à cet instant propice, dans ce lieu dangereux, ensorcelé, que Rosemary West surgit à ses côtés. John se leva et la vit — la vit *vraiment* — pour la première fois.

Il l'avait, à une ou deux reprises, rencontrée à l'église et lui avait serré la main aussi distraitement qu'il le faisait avec quiconque s'adonnait à se trouver sur son chemin quand il descendait l'allée. Il ne l'avait jamais croisée ailleurs car, épiscopaliennes, les demoiselles West fréquentaient la paroisse de Lowbridge, et il n'avait jamais eu l'occasion de leur rendre visite. Avant ce soir-là, si quelqu'un avait demandé à John Meredith à quoi ressemblait Rosemary West, il n'en aurait pas eu la moindre idée. Il ne devait pourtant jamais oublier comment elle lui était apparue près de la source, dans la chatoyante lumière lunaire.

Certes, elle ne ressemblait aucunement à Cecilia qui avait toujours constitué son idéal de beauté féminine. Cecilia avait été menue, brune et vive, alors que Rosemary était grande, blonde et placide. John Meredith se dit cependant qu'il n'avait jamais vu de femme plus belle.

Elle était tête nue et sa chevelure dorée — d'un or chaud, de couleur «tire à la mélasse» ainsi que la qualifiait Di Blythe — était relevée en un chignon lisse et serré; elle avait de grands yeux bleus sereins qui paraissaient toujours débordants de sympathie, un front haut et blanc et des traits finement ciselés.

On disait toujours de Rosemary West qu'elle était une

femme «mignonne». Elle était en effet si gentille que même son air majestueux, sa classe, ne lui avaient pas donné la réputation d'être «snob», ce qui aurait inévitablement été le cas pour n'importe qui d'autre à Glen St. Mary. La vie lui avait enseigné à se montrer courageuse et patiente, à aimer et à pardonner. Elle avait regardé le navire sur lequel s'était embarqué son amoureux s'éloigner du port de Four Winds dans le soleil couchant. Mais elle avait eu beau fixer inlassablement l'horizon, jamais elle ne l'avait vu revenir. Si cette attente avait fait disparaître de ses yeux une certaine candeur, elle conservait pourtant une merveilleuse jeunesse. C'était peut-être parce qu'elle avait toujours semblé garder devant la vie cette attitude d'émerveillement que la plupart d'entre nous laissent en même temps que l'enfance, attitude qui, non seulement la faisait elle-même paraître jeune, mais donnait une agréable illusion de jeunesse à quiconque lui parlait.

John Meredith fut ébloui par son charme et Rosemary, stupéfaite par sa présence. Elle n'aurait jamais cru trouver quelqu'un près de cette source éloignée, et surtout pas le reclus du presbytère de Glen St. Mary. Elle faillit laisser tomber les livres qu'elle rapportait de la bibliothèque du Glen et, pour camoufler sa confusion, elle proféra l'un de ces légers mensonges que mêmes les femmes les plus franches disent à l'occasion.

«Je... je suis venue boire», dit-elle, bafouillant un peu, en réponse au grave «Bonsoir, Mlle West» de M. Meredith. Elle eut l'impression d'être une oie impardonnable et eut hâte de se retrouver seule pour se morigéner. Mais M. Meredith n'était pas un homme vaniteux et il savait qu'elle aurait probablement été aussi étonnée de tomber sur le marguillier Clow de cette manière inattendue. La confusion qu'elle éprouvait le mit à l'aise et il oublia d'être timide. D'ailleurs, même le plus timide des hommes est parfois capable de se montrer audacieux au clair de lune.

«Permettez-moi de vous offrir une tasse», fit-il en souriant.

Il ignorait qu'il y en avait une tout près, une tasse bleue ébréchée et sans anse cachée sous l'érable par les enfants de la vallée Arc-en-ciel; mais comme il l'ignorait, il se dirigea vers un des bouleaux et déchira une bande d'écorce blanche. Il en fabriqua adroitement un gobelet à trois angles, le remplit de l'eau de la source et le tendit à Rosemary.

Rosemary le prit et but jusqu'à la dernière goutte pour se punir de son mensonge, car elle n'avait absolument pas soif et boire une grande tasse d'eau quand on n'a pas soif est toute une épreuve. Le souvenir de cet instant lui serait pourtant agréable. Des années plus tard, il lui semblerait que le geste avait eu quelque chose de sacré. C'est peut-être à cause de ce que fit le pasteur quand elle lui rendit le gobelet. Il se pencha, le remplit de nouveau et le but. Ce ne fut qu'acci-dentellement qu'il posa les lèvres à l'endroit exact où Rose-mary avait mis les siennes, et cette dernière le comprit. Cela revêtit pour elle néanmoins une signification curieuse. Ils avaient tous deux bu au même verre. Elle se rappela négli-gemment qu'une de ses vieilles tantes avait coutume de dire que lorsque deux personnes le faisaient, leurs vies seraient par la suite liées d'une façon ou d'une autre, pour le meilleur ou pour le pire.

John Meredith tint le gobelet d'un air indécis. Il ne sa-vait pas quoi en faire. Logiquement, il aurait dû le jeter, mais il n'en avait pourtant pas envie. Rosemary tendit la main.

«Me l'offrez-vous? demanda-t-elle. Vous l'avez fabriqué si habilement. Je n'ai jamais vu personne le faire de cette façon depuis mon petit frère, il y a longtemps, avant sa mort.»

«J'ai appris à faire ça quand j'étais moi-même enfant, un été, alors que je campais. C'est un vieux chasseur qui me l'a enseigné, dit M. Meredith. Laissez-moi porter vos livres.»

Rosemary, déconcertée, mentit encore en disant «Oh! Ils ne sont pas pesants». Mais le pasteur les lui prit des mains avec autorité et ils partirent ensemble. C'était la première fois que Rosemary se tenait près de la source sans penser à Martin Crawford. Le rendez-vous mystique avait été man-qué.

Le petit sentier contournait le marécage pour aboutir dans la forêt de la colline au sommet de laquelle vivait Rosemary. Plus loin, à travers les arbres, ils pouvaient apercevoir la lune qui luisait sur les prés. Mais le petit sentier était sombre et étroit. Les arbres s'y bousculaient, et les arbres ne sont jamais aussi sympathiques envers les humains après la tombée de la nuit qu'ils le sont durant la journée. Ils se serrent les uns contre les autres loin de nous. Ils chuchotent et complotent furtivement. S'ils arrivent à nous toucher, leur contact est hostile, hésitant. Les gens qui marchent de nuit au milieu des arbres se rapprochent toujours les uns des autres, instinctivement et involontairement, formant une alliance, physique et spirituelle, contre les pouvoirs étrangers qui les entourent. La robe de Rosemary frôlait John Meredith pendant qu'ils marchaient. Même un pasteur lunatique, qui était pourtant encore un jeune homme même s'il croyait en avoir fini avec les histoires romantiques, ne pouvait rester insensible au charme de la nuit, du sentier et de sa compagne.

Il n'est jamais tout à fait sûr de penser qu'on en a terminé avec la vie. Lorsqu'on croit avoir fini notre histoire, le destin a sa façon à lui de tourner la page et de nous dévoiler un nouveau chapitre. Ces personnes croyaient toutes deux que leur cœur appartenait au passé; pourtant, elles trouvèrent toutes deux très agréable leur promenade dans la montagne. Rosemary se dit que le pasteur du Glen n'était absolument pas aussi timide et taciturne qu'on le lui avait affirmé. Il ne paraissait éprouver aucune difficulté à bavarder sans contrainte. Les ménagères du Glen auraient été stupéfaites de l'entendre. Mais il faut dire qu'elles ne parlaient que de potins et du prix des œufs, et que le pasteur ne s'intéressait ni à l'un ni à l'autre de ces sujets. Avec Rosemary, il discuta de livres, de musique, de ce qui se passait dans le monde, raconta des bribes de sa propre histoire, et il s'aperçut qu'elle pouvait le comprendre et lui répondre. Rosemary, semble-t-il, possédait un volume qu'il n'avait pas encore lu et qu'il souhaitait lire. Elle offrit de le lui prêter et lorsqu'ils atteignirent la vieille résidence sur la colline, il entra pour le prendre.

La maison elle-même était une vieille demeure grise où grimpaient les vignes à travers lesquelles la lumière allumée dans le boudoir clignotait amicalement. Elle surplombait le Glen, et semblait regarder le port argenté sous la lune, les dunes de sable et l'océan qui mugissait. Ils y entrèrent après avoir traversé un jardin où subsistait l'odeur des roses, même si les rosiers n'étaient plus en fleurs. Des lis fraternisaient à la grille, un ruban d'asters bordait les deux côtés de l'allée et les sapins faisaient un fond de dentelle sur la colline derrière la maison.

«Vous avez le monde entier à votre seuil, s'écria John Meredith en prenant une longue inspiration. Quelle vue! Quel panorama! Il m'arrive d'avoir l'impression d'étouffer au Glen. On peut respirer, ici.»

«C'est calme, ce soir, fit Rosemary en riant. S'il y avait du vent, vous en perdriez le souffle. On sait vraiment d'où vient le vent, ici. Cet endroit devrait s'appeler Quatre Vents, plutôt que port.»

«J'aime le vent. Une journée sans vent me paraît toujours morte. Le vent me stimule. Les jours calmes, je sombre dans la rêverie, poursuivit-il en riant d'un air entendu. Je suis sûr que vous connaissez ma réputation, Mlle West. Si je vous ignore la prochaine fois que nous nous rencontrerons, ne croyez pas que c'est parce que je suis mal élevé. Veuillez comprendre que c'est seulement de la distraction, qu'il faut me pardonner et me parler.»

Ellen West se trouvait dans le boudoir lorsqu'ils entrèrent. Elle posa ses lunettes sur le livre qu'elle était en train de lire et les considéra avec un mélange de stupéfaction et d'un autre sentiment indéfinissable. Mais elle échangea une cordiale poignée de mains avec M. Meredith qui s'assit et bavarda avec elle pendant que Rosemary partait à la recherche de son volume.

Ellen West avait dix ans de plus que Rosemary et elles étaient si différentes l'une de l'autre qu'il était difficile de croire qu'elles étaient deux sœurs. Ellen était brune et massive, avait les cheveux noirs, d'épais sourcils noirs et ses yeux avaient la teinte bleu clair du golfe quand souffle le nordet. Sous un aspect plutôt sévère et rébarbatif, elle était en réalité très joviale, riait de bon cœur et avait une agréable voix profonde et douce, quoiqu'un tantinet virile. Elle avait une fois fait remarquer à Rosemary qu'elle aimerait vraiment s'entretenir avec le pasteur presbytérien du Glen, pour voir s'il était capable de s'adresser à une femme quand il était acculé au pied du mur. Elle en avait à présent l'occasion et se mit à lui parler de politique mondiale. Grande lectrice, Mlle Ellen venait de dévorer un bouquin sur le Kaiser d'Allemagne et elle demanda à M. Meredith ce qu'il pensait de lui.

«C'est un homme dangereux», répondit-il.

«Tout à fait d'accord avec vous! approuva Mlle Ellen en hochant la tête. Retenez bien mes paroles, M. Meredith, cet homme est sur le point d'engager le combat. Il en brûle d'envie. Il va mettre le monde à feu et à sang.»

«Si vous entendez par là qu'il va provoquer gratuitement un grand conflit mondial, j'ai peine à le croire. L'époque de ce genre de choses est révolue.»

«C'est là que vous vous trompez, grogna Ellen. L'époque où les hommes et les nations vont se rendre ridicules et prendre les armes n'est jamais révolue. La fin du millénaire n'est pas si près, M. Meredith, et vous le savez aussi bien que moi. Quant à ce Kaiser, retenez mes paroles, il va semer toute une pagaille» (ce disant, Mlle Ellen, dans un geste théâtral, frappait le livre de son doigt effilé). «Oui, s'il n'est pas écrasé dans l'œuf, il va créer des tonnes d'ennuis. Nous vivrons pour en être témoins, M. Meredith, oui, vous et moi. Et qui l'écrasera? L'Angleterre le pourrait, mais elle n'en fera rien. Qui l'écrasera? Pouvez-vous me le dire, M. Meredith?»

M. Meredith ne le pouvait pas, mais ils se plongèrent dans une discussion sur le militarisme allemand qui dura longtemps après que Rosemary eut trouvé le livre. Elle ne dit rien, mais s'assit dans une petite berçante derrière Ellen et flatta songeusement un imposant chat noir. John Meredith chassait le gros gibier en Europe en compagnie d'Ellen, mais il regardait plus souvent Rosemary que sa sœur, et celle-ci s'en aperçut. Après que Rosemary l'eut raccompagné à la porte et fut revenue, Ellen se dressa devant elle d'un air accusateur.

«Rosemary West, cet homme a l'intention de te faire la cour.»

Rosemary frémit. Les paroles d'Ellen lui donnèrent un coup. Elles ternirent tout l'éclat de cette soirée agréable. Mais elle ne voulut pas montrer à Ellen combien elle l'avait blessée.

«C'est insensé, fit-elle, puis elle éclata de rire, d'une façon un tout petit peu trop insouciante. Tu me vois des prétendants partout, Ellen. Seigneur, il n'a cessé de me parler de sa femme, ce soir, de m'expliquer tout ce qu'elle signifiait pour lui et combien sa mort avait laissé le monde vide.»

«Ma foi, c'est peut-être sa façon à lui de faire la cour, rétorqua Ellen. Les hommes ont toutes sortes de façons, d'après ce que je comprends. Mais n'oublie pas ta promesse, Rosemary.»

«Je n'ai ni à l'oublier ni à m'en souvenir, fit Rosemary, un peu tristement. C'est *toi* qui oublies que je suis une vieille fille, Ellen. C'est seulement à tes yeux de sœur que je suis toujours jeune, resplendissante et dangereuse. M. Meredith souhaite seulement que nous soyons amis, et je me demande même s'il le souhaite autant que cela. Il nous aura oubliées toutes deux avant d'être de retour au presbytère.»

«Je n'ai aucune objection à ce que vous soyez des amis, concéda Ellen, mais souviens-toi que cela ne doit pas aller plus loin que l'amitié. Je ne fais jamais confiance aux veufs. Ils n'ont pas coutume de voir l'amitié de façon romantique. Leur intérêt est plus prosaïque. Quant à ce presbytérien, pourquoi est-ce qu'on dit qu'il est timide? Il ne l'est pas du tout, même s'il est peut-être dans la lune, tellement dans la lune qu'il a oublié de *me* dire au revoir quand *tu* l'as raccompagné à la porte. Et il est loin d'être bête. Il y a tellement peu d'hommes par ici qui peuvent parler intelligemment. J'ai bien apprécié ma soirée. Je ne refuserais pas de le connaître davantage. Mais ne te laisse pas conter fleurette,

Rosemary, fais bien attention, ne te laisse pas conter fleurette.»

Rosemary était habituée à ce qu'Ellen la mette en garde
contre le flirt dès qu'elle parlait cinq minutes avec n'importe
quel homme mariable de moins de quatre-vingts ans ou de
plus de dix-huit. Ces recommandations l'avaient toujours
sincèrement amusée. Cette fois-ci, cela ne la fit pourtant pas
sourire, même que cela l'irrita un peu. Flirter? Loin d'elle
cette idée.

«Ne sois pas si stupide, Ellen», dit-elle d'un ton inhabituellement coupant en prenant la lampe. Et elle monta dans
sa chambre sans lui souhaiter bonne nuit.

Ellen secoua la tête d'un air perplexe et regarda le chat
noir.

«Qu'est-ce qui la met en colère, Saint-Georges? demanda-t-elle. La vérité choque, à ce qu'on dit toujours, Georges.
Mais elle a promis, Saint, elle a promis, et nous, les West,
nous tenons toujours parole. Alors peu importe qu'il veuille
la courtiser, Georges. Elle a promis, alors je n'ai pas à m'inquiéter.»

Dans sa chambre à l'étage, Rosemary resta assise un long
moment à regarder par la fenêtre, au-delà du jardin sous la
lune, le port qui scintillait dans le lointain. Elle se sentait
vaguement bouleversée et déstabilisée. Elle en avait tout à
coup assez des vieux rêves. Et dans le jardin, un coup de vent
soudain éparpilla les pétales de la dernière rose rouge. L'été
était fini; c'était déjà l'automne.

14

Une visite de Mme Alec Davis

John Meredith rentra lentement chez lui. Pour commencer, il pensa un peu à Rosemary, mais lorsqu'il atteignit la vallée Arc-en-ciel, il avait tout oublié à son sujet et méditait sur un point qu'Ellen avait soulevé concernant la théologie germanique. Il traversa la vallée sans s'en apercevoir: contre la théologie teutonne, le charme de l'endroit ne faisait pas le poids. En arrivant au presbytère, il se rendit dans son bureau et consulta un gros bouquin pour voir qui avait eu raison, Ellen ou lui. Il demeura plongé dans ses dédales jusqu'à l'aube, puis tomba sur un nouveau sujet de réflexion et le poursuivit comme un chien de chasse pendant toute la semaine qui suivit, totalement perdu pour le reste du monde, sa paroisse et sa famille. Il lut jour et nuit; il oublia de prendre ses repas quand Una n'était pas là pour les lui apporter; et il ne pensa plus du tout ni à Rosemary ni à Ellen. Gravement malade, la vieille Mme Marshall le fit demander, mais le message resta ignoré sur son pupitre à ramasser la poussière. Mme Marshall se rétablit mais jamais elle ne lui pardonna. Un jeune couple se présenta au presbytère pour être marié et M. Meredith, la chevelure ébouriffée, en pantoufles et robe de chambre délavée, procéda à la cérémonie. Il commença par leur lire tout naturellement le service funèbre et se rendit jusqu'à «Souviens-toi que tu es poussière et retourneras en poussière» avant d'avoir la vague intuition que quelque chose clochait.

«Seigneur, fit-il d'un air distrait, voilà qui est étrange, très étrange.»

La mariée, qui était très nerveuse, fondit en larmes. Pas nerveux le moins du monde, le marié gloussa.

«S'il vous plaît, monsieur, j'ai l'impression que vous êtes en train de nous enterrer au lieu de nous marier», fit-il remarquer.

«Je m'excuse», dit M. Meredith, comme si cela n'avait pas beaucoup d'importance. Il poursuivit par le service du mariage et se rendit au bout mais, pour le reste de ses jours, la mariée ne se sentit jamais véritablement mariée.

Il oublia une nouvelle fois l'assemblée de prières — mais cela n'eut aucune conséquence, car c'était une soirée humide et personne ne s'y présenta. Il aurait peut-être même oublié son office du dimanche si ce n'avait été de Mme Alec Davis. Tanta Martha entra dans son bureau le samedi après-midi pour lui annoncer que Mme Alec Davis était dans le salon et désirait lui parler. M. Meredith soupira. Mme Davis était la seule femme de la paroisse de Glen St. Mary qu'il détestait vraiment. Elle était malheureusement aussi la plus riche et le conseil d'administration avait recommandé à M. Meredith de veiller à ne pas l'offenser. Si ce dernier pensait rarement à un sujet aussi terre à terre que ses appointements, ses administrateurs avaient davantage de sens pratique. Ils étaient également astucieux. Sans faire allusion à l'aspect monétaire, ils arrivèrent à instiller dans l'esprit de M. Meredith la conviction qu'il ne fallait pas offenser Mme Davis. Sans cela, aussitôt après le départ de tante Martha, il aurait probablement oublié qu'elle l'attendait dans le salon. Il déposa donc son Ewald[3] d'un air ennuyé et traversa le couloir jusqu'au salon.

Mme Davis était assise sur le canapé, jetant autour d'elle des regards méprisants et désapprobateurs.

---

3. Ewald, Georg Henrich August von, (1803-1875), orientaliste et philologiste allemand, une autorité dans le domaine de la Bible. (N.D.L.T.)

Quelle pièce scandaleuse! Il n'y avait pas de rideaux à cette fenêtre. Mme Davis ignorait que la veille, Faith et Una les avaient enlevés pour les utiliser comme traînes dans une de leurs pièces et qu'elles avaient oublié de les remettre, mais l'eut-elle su qu'elle n'aurait pu accuser plus férocement ces fenêtres. Les stores étaient craquelés et déchirés. Les tableaux sur le mur étaient de travers; les carpettes sur le plancher aussi; les vases débordaient de fleurs fanées; des montagnes de poussière s'accumulaient, oui, vraiment, des montagnes.

«À quoi en sommes-nous réduits?» se demanda Mme. Davis avant de plisser ses lèvres sans beauté.

Quand elle était arrivée, Jerry et Carl se laissaient glisser le long des rampes d'escalier en hurlant. Ne l'ayant pas vue, ils avaient continué à hurler et à glisser et Mme Davis était convaincue qu'ils l'avaient fait exprès. Le coq de Faith déambula dans le corridor, vint se poster dans l'encadrement de la porte du salon et contempla la visiteuse. Comme elle ne lui plut pas, il ne s'aventura pas à l'intérieur. Mme Davis renifla avec dédain. Un joli presbytère, en effet, où la volaille paradait dans les couloirs et dévisageait impudemment les visiteurs.

«Ouste», commanda Mme Davis, pointant vers le coq son ombrelle de soie à volants.

Adam obtempéra. C'était un coq plein de sagesse et Mme Davis avait, de ses mains blanches, tordu le cou de tant de volatiles au cours de ses cinquante années de vie que quelque chose du bourreau flottait encore autour de sa personne. Adam trottinait dans le corridor quand le pasteur entra.

Si M. Meredith portait encore ses pantoufles et sa robe de chambre, et si ses cheveux sombres tombaient encore en boucles ébouriffées sur son haut front, il avait pourtant l'air du gentleman qu'il était. Et Mme Davis avait beau porter une toilette de soie et un chapeau à plumes, des gants de chevreau et une chaîne en or, elle avait l'air de la femme vulgaire et grossière qu'elle était. Ils sentirent tous deux ce qui opposait leur personnalité. M. Meredith se renfrogna, mais Mme Davis se prépara pour le combat. Elle était venue au presbytère pour faire une certaine proposition et n'avait pas l'intention de tourner autour du pot. Elle allait lui accorder une faveur, une immense faveur, et plus tôt il en serait informé, mieux cela vaudrait. Elle y avait réfléchi tout l'été et avait fini par se décider. C'était la seule chose qui comptait, selon elle. Quand elle avait décidé quelque chose, c'était comme si c'était fait. Personne d'autre n'avait son mot à dire. Voilà quelle avait toujours été son attitude. Quand elle avait résolu d'épouser Alec Davis, elle l'avait fait, un point, c'est tout. Et quelle importance si Alec n'avait jamais compris ce qui s'était passé? Dans ce cas-ci, Mme Davis avait tout organisé à sa propre satisfaction. Il ne restait plus qu'à mettre M. Meredith au courant.

«Auriez-vous l'obligeance de fermer cette porte? demanda-t-elle en déplissant légèrement les lèvres mais parlant d'une voix âpre. J'ai quelque chose d'important à vous dire, et cela m'est impossible avec tout ce boucan dans le corridor.»

M. Meredith obéit. Puis il prit place devant Mme Davis. Il n'avait pas encore tout à fait conscience qu'elle était là. Son esprit était encore en train d'argumenter avec Ewald. Mme Davis sentit sa désinvolture et en fut ennuyée.

«M. Meredith, commença-t-elle agressivement, je suis venue vous annoncer ma décision d'adopter Una.»

«Adopter Una!» M. Meredith la regarda fixement, sans comprendre.

«Oui. Ça fait quelque temps que j'y songe. Depuis la mort de mon mari, j'ai souvent pensé à adopter un enfant. Mais ça paraissait si difficile d'en trouver un qui convienne. Il y a très peu d'enfants que je voudrais dans ma propre maison. Je ne voudrais pas d'un enfant abandonné, de quelque paria venant sans aucun doute des quartiers pauvres. Un des pêcheurs du port est mort l'automne dernier, laissant six petits. On a essayé de me convaincre d'en prendre un, mais j'ai vite fait de faire comprendre que je n'avais aucunement l'intention d'adopter un vaurien pareil. Le grand-père des petits avait déjà volé un cheval. De plus, il n'y avait que des garçons et je voulais une fille, une fillette calme et obéissante que je pourrais élever pour en faire une dame. Una me conviendrait parfaitement. Elle serait tout à fait mignonne si on s'en occupait convenablement. Elle est si différente de Faith. L'idée ne me viendrait jamais d'adopter Faith. Mais je prendrai Una, M. Meredith, je lui donnerai un bon foyer et une bonne éducation, et si elle se conduit bien, je lui léguerai tout mon argent à ma mort. De toute façon, je suis déterminée à ce que personne de ma parenté ne reçoive un sou de moi. C'est avant tout la perspective de les exaspérer qui m'a convaincue d'adopter un enfant. Una sera bien vêtue, bien élevée et recevra une bonne éducation, M. Meredith, je lui ferai prendre des cours de musique et de peinture et je la traiterai comme ma propre fille.»

M. Meredith était alors tout à fait réveillé. Une légère rougeur animait ses joues pâles, et une lueur dangereuse, ses beaux yeux sombres. Est-ce que cette femme dont la vulgarité et la suffisance sortaient par chaque pore était vraiment en train de demander de lui donner Una, sa chère petite Una triste qui avait les yeux bleu nuit de Cecilia, l'enfant que sa mère mourante avait serrée sur son cœur après que les autres, en larmes, eurent été amenés dans une autre pièce? Cecilia s'était agrippée à son bébé jusqu'à ce que les portes de la mort se referment sur elle. Elle avait regardé son mari par-dessus la petite tête brune.

«Veille sur elle, John, avait-elle recommandé. Elle est si petite et si sensible. Les autres seront capables de se battre pour faire leur chemin dans la vie, mais elle, le monde la blessera. Oh! John, je me demande ce que vous allez devenir, elle et toi. Vous avez tous deux tant besoin de moi. Mais garde-la près de toi, garde-la près de toi.»

Ces paroles furent pratiquement les dernières qu'elle prononça, sauf quelques autres réservées à lui seul, inoubliables. Et c'était cette enfant que Mme Davis voulait lui enlever, comme elle le lui annonçait froidement. Il se redressa sur son siège et fixa son interlocutrice. Malgré sa robe de chambre usée et ses pantoufles éculées, quelque chose en lui inspirait le respect; Mme Davis éprouva cette vieille déférence envers le clergé qu'elle avait connue dans son enfance. Après tout, un pasteur, même pauvre et lunatique, représente quelque chose de divin.

«Je vous remercie de vos bonnes intentions, Mme Davis, prononça M. Meredith avec une courtoisie gentille, catégorique, tout à fait terrible, mais je ne peux vous donner mon enfant.»

Mme Davis eut l'air interloquée. Elle n'aurait jamais imaginé un refus de sa part.

«Mon Dieu, M. Meredith, s'écria-t-elle, stupéfaite, vous devez être cin... vous n'êtes pas sérieux. Il faut que vous réfléchissiez, que vous réfléchissiez à tous les avantages que je suis en mesure de lui offrir.»

«Il est inutile d'y réfléchir, Mme Davis. C'est absolument hors de question. Tous les avantages matériels que vous avez le pouvoir de lui accorder ne pourraient compenser la perte de l'amour et de l'attention d'un père. Je vous remercie encore une fois, mais c'est une chose inconcevable.»

La déception ulcéra tellement Mme Davis qu'elle perdit son sang-froid habituel. Son large visage rubicond vira au pourpre et sa voix trembla.

«Je croyais que vous seriez trop content de me la laisser», aboya-t-elle.

«Et qu'est-ce qui vous faisait penser une telle chose?» demanda calmement M. Meredith.

«Parce que personne n'a jamais cru que vos enfants avaient quelque importance pour vous, rétorqua Mme Davis avec mépris. Vous les négligez de manière scandaleuse. Tout le monde en parle. Ils ne sont ni bien nourris, ni bien habillés, et pas élevés du tout. Ils n'ont pas plus de manières qu'une bande d'Indiens sauvages. Il ne vous vient jamais à l'esprit de faire votre devoir de père. Une pauvresse s'est immiscée parmi eux pendant deux semaines et vous ne vous en êtes même pas rendu compte, une fillette qui sacrait comme un charretier, d'après ce qu'on m'a dit. Ça vous aurait été égal qu'elle leur transmette la petite vérole. Et Faith qui s'est donnée en spectacle en faisant ce discours en pleine église! Et elle s'est pavanée dans la rue à cheval sur un cochon, sous vos propres yeux, d'après ce que j'ai compris. Leur conduite dépasse l'entendement et vous n'avez jamais levé le petit doigt pour les arrêter ou essayer de leur enseigner quelque chose. Et maintenant que j'offre un bon foyer et d'intéressantes perspectives d'avenir à une de vos enfants, vous refusez et m'insultez. Quel père vous êtes! Et vous osez parler d'aimer et de prendre soin de vos enfants!»

«Cela suffit, madame!» coupa M. Meredith. Il se leva et la regarda avec des yeux qui la firent frémir. «Cela suffit, répéta-t-il. Je ne veux pas entendre un mot de plus, Mme Davis. Vous en avez déjà trop dit. Il est peut-être vrai que j'ai parfois manqué à mon devoir de père, mais ce n'est pas à vous de me le rappeler dans les termes que vous avez employés. Disons-nous au revoir, à présent.»

Sans rien dire d'à moitié aussi aimable qu'au revoir, Mme Davis prit congé sur-le-champ. Au moment où elle passait en froufroutant devant le pasteur, un gros crapaud dodu que Carl avait camouflé sous le canapé apparut en sautillant pratiquement sous son pied. Mme Davis poussa un hurlement et, essayant d'éviter de marcher sur l'horrible chose, elle perdit son équilibre et son parasol. Elle ne tomba pas exactement, mais trébucha et chancela dans la pièce d'une manière totalement dénuée de dignité et se cogna contre la porte avec un coup qui l'ébranla de la tête aux pieds. N'ayant pas vu le batracien, M. Meredith se demanda si elle venait d'avoir une attaque d'apoplexie ou de paralysie et, alarmé, il se précipita pour lui porter secours. Mais Mme Davis, retrouvant son équilibre, le repoussa brusquement.

«N'ayez pas l'audace de me toucher, cria-t-elle. C'est un autre coup de vos enfants, je présume. Cet endroit n'est pas convenable pour une dame. Donnez-moi mon parasol et laissez-moi m'en aller. Vous ne me reverrez plus jamais ni dans votre presbytère ni dans votre église.»

M. Meredith ramassa docilement la somptueuse ombrelle et la lui tendit. Mme Davis la saisit et sortit de la pièce. Carl et Jerry avaient cessé de glisser sur les rampes d'escalier et étaient assis sur la balustrade de la véranda avec Faith. Malheureusement, tous trois chantaient de toute la force de leurs jeunes poumons *Il a gagné ses épaulettes, maluron malurette*. Mme Davis crut que c'était à son intention et à son intention seulement qu'ils chantaient cette chanson. Elle s'arrêta et agita son parasol dans leur direction.

«Votre père est dément, déclara-t-elle, et vous êtes trois jeunes chenapans, vous mériteriez d'être fouettés.»

«Il ne l'est pas», s'écria Faith.

«On ne l'est pas», s'écrièrent les garçons.

Mais Mme Davis était déjà loin.

«Juste ciel, elle doit être folle! commenta Jerry. D'ailleurs, c'est quoi, un "chenapan"?»

John Meredith marcha de long en large dans le salon quelques instants, puis il retourna s'asseoir dans son bureau. Il ne se replongea pourtant pas dans la théologie allemande. Il était trop bouleversé pour cela. Mme Davis l'avait éveillé à une réalité. Était-il un père aussi négligent qu'elle l'en accusait? Avait-il aussi scandaleusement négligé le bien-être physique et spirituel des quatre petits orphelins de mère qui dépendaient de lui? Ses paroissiens en parlaient-ils aussi crûment que Mme Davis l'affirmait? Cela devait être le cas, puisque Mme Davis était venue lui demander Una, absolument certaine qu'il serait trop heureux de la lui céder, comme s'il s'agissait d'un chaton égaré dont on ne veut pas. Et, si c'était vrai, que faire?

John Meredith grogna et recommença à arpenter la pièce poussiéreuse et en désordre. Que pouvait-il faire? Il aimait ses enfants aussi profondément qu'un père pouvait les aimer et il savait, malgré le pouvoir de Mme Davis ou de ceux de sa race d'ébranler sa certitude, qu'ils l'aimaient avec la même dévotion. Mais était-il apte à s'occuper d'eux? Il connaissait mieux que personne ses faiblesses et ses limites. Ce qu'il fallait, c'était la présence bénéfique, l'influence et le sens pratique d'une femme. Mais comment cela pouvait-il se faire? Même s'il arrivait à dénicher une perle pareille, cela vexerait tante

Martha. Elle était convaincue d'être encore capable de faire le nécessaire. Il ne pouvait blesser et insulter ainsi la pauvre vieille qui leur avait témoigné tant de bonté, à lui et aux siens. Comme elle avait été dévouée à Cecilia! Et c'était Cecilia qui l'avait prié de traiter tante Martha avec bienveillance. Bien entendu, il se rappela tout à coup que tante Martha lui avait un jour insinué qu'il devrait se remarier. Il eut l'impression qu'elle accepterait plus facilement une épouse qu'une gouvernante. Mais c'était hors de question. Il ne souhaitait aucunement se remarier, personne ne l'attirait, ni ne pouvait l'attirer. Alors, que pouvait-il faire? L'idée lui traversa soudain l'esprit d'aller à Ingleside confier ses difficultés à Mme Blythe. Celle-ci était l'une des rares femmes avec lesquelles il ne se sentait ni timide ni incapable de parler. Elle était toujours si sympathique et rafraîchissante. Elle serait peut-être en mesure de lui suggérer une solution à ses problèmes. Et même si elle ne le pouvait pas, M. Meredith sentit qu'après avoir subi les insultes de Mme Davis, il avait besoin d'un peu de camaraderie humaine, de quelque chose qui pourrait effacer de son âme ce goût amer.

Il s'habilla en hâte et avala son souper un peu moins distraitement que d'habitude. Il se rendit compte que le repas n'était pas très bon. Il regarda ses enfants; ils avaient le teint rose et semblaient suffisamment en santé, à l'exception d'Una, mais elle n'avait jamais été très forte, même du vivant de sa mère. Ils riaient et bavardaient tous, et paraissaient certainement heureux, Carl en particulier, parce que deux ravissantes araignées se baladaient autour de son assiette. Leurs voix étaient agréables, leurs manières avaient l'air convenables et ils se montraient respectueux et gentils les uns envers les autres. Et pourtant, Mme Davis avait affirmé que leur conduite faisait l'objet de ragots au sein de la congrégation.

Au moment où M. Meredith traversait la barrière, le D^r et Mme Blythe passèrent en boghei sur la route qui conduisait à Lowbridge. Le visage du pasteur s'allongea. Mme Blythe s'en allait: inutile dans ce cas de se rendre à Ingleside. Et plus que jamais, il avait besoin d'un peu de sympathie. Tandis qu'il jetait un regard plutôt désespéré sur le panorama qui s'offrait à lui, la lumière du soleil couchant frappa une fenêtre de la vieille maison des West sur la colline. Elle lui apparut, rosée, comme un phare. Il se souvint tout à coup d'Ellen et de Rosemary West. Il songea que la conversation piquante d'Ellen lui ferait du bien. Il songea aussi que ce serait agréable de revoir le discret et doux sourire de Rosemary, ses yeux bleus sereins. Qu'est-ce que disait le vieux poème de Sir Philip Sidney, déjà? «Le constant réconfort d'un visage», oui, cette expression lui convenait à merveille. Et il avait besoin de réconfort. Pourquoi ne pas aller faire un tour? Il se souvint qu'Ellen l'avait invité à leur rendre visite et il y avait le livre de Rosemary à rapporter; il devait le faire maintenant sinon il oublierait. Mal à l'aise, il se douta qu'un grand nombre de volumes de sa bibliothèque avaient été empruntés à différents moments et lieux, et jamais n'avaient été rendus. Dans le cas présent, il était sûrement de son devoir de se garder d'un tel oubli. Il retourna à son bureau, prit le livre et se dirigea vers la vallée Arc-en-ciel.

15

Encore des ragots

Le lendemain soir de l'enterrement de Mme Myra Murray qui habitait de l'autre côté du port, Mlle Cornelia et Mary Vance se présentèrent à Ingleside. Mlle Cornelia avait de nombreuses préoccupations dont elle souhaitait soulager son âme. Les funérailles furent bien entendu discutées en détail. Susan et Mlle Cornelia vidèrent ensemble la question; quant à Anne, elle ne prenait jamais part, ni plaisir, à ces conversations morbides. Elle s'assit un peu à l'écart et contempla la splendeur automnale des dahlias qui flamboyaient dans le jardin et le havre rêveur et somptueux du crépuscule de septembre. Mary Vance prit place à son côté, et tricota avec modestie. Si le cœur de Mary était dans la vallée Arc-en-ciel d'où lui parvenaient les sons mélodieux, assourdis par la distance, des rires des enfants, ses doigts étaient sous la surveillance de Mlle Cornelia. Elle devait tricoter un nombre précis de rangs de sa chaussette avant d'être autorisée à les rejoindre dans la vallée. Mary tricotait et si sa langue chômait, ses oreilles, elles, étaient loin d'être oisives.

«Jamais je n'ai vu un aussi beau cadavre, fit remarquer Mlle Cornelia d'un ton compétent. Myra Murray avait toujours été une jolie femme; c'était une Corey de Lowbridge et tous les Corey sont réputés pour leur belle apparence.»

«En passant devant le corps, je lui ai dit: "Pauvre femme,

j'espère que tu es aussi heureuse que tu en as l'air", soupira Susan. Elle avait pas beaucoup changé. Elle portait la robe de satin noir qu'elle s'était fait faire pour les noces de sa fille, il y a quatorze ans. Sa tante lui avait alors recommandé de la garder pour son enterrement, mais Myra lui avait répondu en riant qu'elle la porterait peut-être à ses funérailles, mais qu'elle comptait bien en profiter en attendant. Ce qu'elle a pas manqué de faire, si je puis me permettre. Myra Murray était pas du genre de femme à assister à son enterrement avant d'avoir trépassé. Combien de fois, en la voyant en train de s'amuser avec des amis, j'ai pensé: "T'es une belle femme, Myra Murray, et cette robe te va à ravir, mais elle te servira finalement de linceul." Et ma prédiction s'est réalisée, comme vous avez pu le constater, Mme Marshall Elliott.»

Susan soupira de nouveau profondément. Elle était au septième ciel. Un enterrement était vraiment un sujet de conversation en or.

«J'aimais toujours rencontrer Myra, reprit Mlle Cornelia. Elle était si gaie, si joviale. Vous vous sentiez mieux juste en lui serrant la main. Myra arrivait toujours à tirer le meilleur de tout.»

«C'est bien vrai, ça, acquiesça Susan. Sa belle-sœur m'a raconté que quand le docteur lui avait finalement avoué qu'il ne pouvait rien pour elle et que jamais elle se relèverait de ce lit, Myra lui avait répondu avec bonne humeur: "Bon, si c'est vrai, je suis contente que les conserves soient terminées et puis je n'aurai pas de grand ménage à faire, cet automne. J'ai toujours aimé le faire au printemps, mais je déteste le ménage d'automne. Grâce au ciel, je vais éviter cette corvée, cette année." Certaines personnes pourraient appeler ça de la frivolité, Mme Marshall Elliott, et je pense que sa belle-sœur avait un peu honte. Elle a dit que c'était peut-être la maladie qui rendait Myra un peu tête de linotte. Mais, "Non, Mme Murray, vous en faites pas avec ça, que j'ai répondu. Myra était comme ça, elle voyait toujours le beau côté des choses".»

«Sa sœur Luella était exactement le contraire, poursuivit Mlle Cornelia. Il n'existait pas de beau côté pour Luella, il n'y avait que le côté noir et certaines nuances de gris. Pendant des années, elle avait l'habitude de prétendre qu'elle allait mourir d'une semaine à l'autre. "Je ne serai pas un fardeau très longtemps pour vous", répétait-elle à sa famille en geignant. Et si l'un d'eux s'aventurait à mentionner un petit projet d'avenir, elle se remettait à geindre et disait: "Ah! Je ne serai pas là pour voir ça." Je l'approuvais toujours quand j'allais la voir, et cela la mettait tellement hors d'elle qu'elle se portait beaucoup mieux pendant quelques jours. Elle a une meilleure santé à présent, mais elle n'est pas plus joviale. Myra était si différente. Toujours en train de faire ou de dire quelque chose pour faire du bien à quelqu'un. Peut-être que les hommes qu'elles ont épousés ont quelque chose à voir dans leur comportement. Celui de Luella était un barbare, vous pouvez me croire, alors que Jim Murray était aussi respectable qu'un homme peut l'être. Il avait l'air d'avoir le cœur brisé, aujourd'hui. C'est rare que je compatisse avec un homme aux funérailles de sa femme, mais j'ai vraiment eu de la peine pour Jim Murray.»

«Pas étonnant qu'il ait eu l'air triste. Il est pas à la veille de retrouver une perle comme Myra, dit Susan. Peut-être qu'il cherchera même pas, vu que tous ses enfants sont grands et que Mirabel est capable de s'occuper de la maison. Mais personne peut prédire ce qu'un veuf peut ou peut pas faire, et c'est pas moi qui vais essayer.»

«Myra nous manquera terriblement à l'église, reprit Mlle Cornelia. Quelle travailleuse c'était! Rien ne l'a jamais prise de court. Si elle ne pouvait attaquer un problème de front, elle l'attaquait de côté, et si elle ne pouvait le prendre de côté, elle prétendait qu'il n'existait pas, ce qui était généralement le cas. Elle m'a confié un jour qu'elle garderait son flegme jusqu'à la fin du voyage. Eh bien, voilà son voyage terminé.»

«Vous croyez? demanda tout à coup Anne, semblant émerger d'un rêve. Je n'arrive pas à me figurer son voyage terminé. Pouvez-vous l'imaginer assise, les mains jointes, elle qui avait l'esprit si avide, si curieux, l'air si aventureux? Non, moi je pense qu'au moment de la mort, elle a seulement ouvert une barrière et s'en est allée vers... vers de nouvelles aventures éblouissantes.»

«Peut-être, peut-être, acquiesça Mlle Cornelia. Vous savez, ma chère Anne, je n'ai moi-même jamais été très portée sur cette doctrine de repos éternel, quoique j'espère ne pas être hérétique en le disant. J'ai envie de bouger au paradis tout comme ici-bas. Et j'espère qu'il y aura des choses à faire, des substituts célestes aux tartes et aux beignets. C'est vrai qu'on est parfois terriblement fatigué, et plus on vieillit, plus on l'est. Mais même la personne la plus fatiguée n'a pas besoin de l'éternité pour trouver le repos, sauf, peut-être, un homme paresseux.»

«Quand je reverrai Myra Murray, je voudrais qu'elle vienne vers moi, vive et riante comme elle l'était ici.»

«Oh! Chère Mme Docteur, s'écria Susan d'un ton choqué, vous pensez sûrement pas que Myra va rire dans le monde à venir?»

«Pourquoi pas, Susan? Croyez-vous que nous allons passer notre temps à pleurer là-bas?»

«Non, non, chère Mme Docteur, vous me comprenez mal. Je crois qu'on va ni rire ni pleurer.»

«Qu'est-ce que nous allons faire, alors?»

«Ma foi, finit par expliquer Susan, j'suis d'avis, chère Mme Docteur, qu'on s'contentera d'avoir l'air solennel et saint.»

«Et vous pensez vraiment, Susan, dit Anne en prenant un air on ne peut plus solennel, que Myra Murray ou moi-même serons capables d'avoir l'air solennel et saint tout le temps, *tout le temps*, Susan?»

«Eh bien, concéda Susan à contrecœur, j'pourrais aller jusqu'à dire que vous sourirez de temps en temps, mais j'admettrai jamais qu'on puisse rire au ciel. Cette idée me paraît manquer vraiment de respect, chère Mme Docteur.»

«Bon, pour revenir ici-bas, qui pourrait-on prendre pour remplacer Myra Murray à l'école du dimanche? demanda Mlle Cornelia. Julie Clow s'en occupe depuis la maladie de Myra, mais comme elle va passer l'hiver en ville, il faudra trouver quelqu'un d'autre.»

«J'ai entendu dire que Mme Laurie Jamieson voulait cette classe, dit Anne. Les Jamieson fréquentent régulièrement l'église depuis qu'ils ont déménagé de Lowbridge au Glen.»

«De nouveaux venus! s'exclama Mlle Cornelia d'un air perplexe. Attendons qu'ils l'aient fréquentée régulièrement pendant un an.»

«Impossible de se fier à Mme Jamieson, trancha Susan. N'oubliez pas qu'elle a trépassé, une fois, et pendant qu'on prenait ses mesures pour son cercueil, après l'avoir bien allongée, voilà-t-il pas qu'elle est revenue à la vie! À présent, vous savez qu'on peut pas faire confiance à une femme comme elle, chère Mme Docteur.»

«Elle pourrait devenir méthodiste n'importe quand, renchérit Mlle Cornelia. On m'a raconté qu'à Lowbridge, ils allaient autant à l'église méthodiste qu'à la presbytérienne. Je ne les ai pas encore surpris à le faire ici, mais je ne serais pas d'accord à ce qu'on prenne Mme Jamieson pour enseigner à l'école du dimanche. Il ne faudrait pourtant pas les insulter. Nous perdons trop de membres, soit qu'ils meurent, soit qu'ils se fâchent. Mme Alec Davis a abandonné l'église sans que personne ne sache pourquoi. Elle a déclaré aux administrateurs que jamais elle ne verserait un autre sou pour le salaire de M. Meredith. Bien entendu, la plupart des gens pensent que les enfants ont dû l'offenser, mais quant à moi, j'en doute. J'ai bien tenté de faire parler Faith, mais tout ce que j'ai réussi à en tirer, c'est que Mme Davis était venue, apparemment de bonne humeur, voir son père, et qu'elle en était repartie dans une rage terrible, en traitant tous les enfants de "chenapans"!»

«Chenapans, vraiment! s'exclama Susan, furieuse. Mme Alec Davis oublie-t-elle que son oncle du côté de sa mère a été soupçonné d'avoir empoisonné sa femme? Ça n'a jamais été prouvé, chère Mme Docteur, et il n'est jamais bon de croire tout ce qu'on raconte. Mais si j'avais un oncle dont la femme était morte sans motif satisfaisant, j'oserais pas traiter de chenapans d'innocents enfants.»

«L'important, reprit Mlle Cornelia, est que Mme Davis versait une grosse somme, et la façon dont cette perte va être compensée constitue un problème. Et si elle monte les autres Douglas contre M. Meredith, comme elle va certainement tenter de faire, il n'aura plus qu'à partir.»

«J'ai pas l'impression que Mme Alec Davis est très appréciée du reste du clan, dit Susan. Elle sera probablement pas capable de les influencer.»

«Pourtant, ces Douglas se serrent tellement les coudes. Quand on en touche un, c'est comme si on les touchait tous. Et ce qui est sûr, c'est qu'on ne peut se passer d'eux. Ils paient la moitié du salaire. Et quoi qu'on puisse dire à leur sujet, ils ne sont pas mesquins. Avant son départ, Norman Douglas avait coutume de donner cent dollars par année.»

«Pourquoi est-il parti?» demanda Anne.

«Il a déclaré avoir été roulé par un de nos membres lors de la vente d'une vache. Il y a vingt ans qu'il n'a pas mis les pieds à l'église. De son vivant, sa femme, la pauvre, fréquentait régulièrement l'église, mais il ne la laissait jamais payer quoi que ce soit, sauf un sou noir le dimanche. Cela l'humiliait terriblement. Je ne crois pas qu'il ait été un très bon mari pour elle, même si on ne l'a jamais entendue se plaindre. Mais elle avait toujours l'air apeurée. Norman Douglas n'a pas eu la femme qu'il voulait il y a trente ans et les Douglas n'ont jamais aimé se contenter du deuxième choix.»

«Quelle femme convoitait-il?»

«Ellen West. Je ne crois pas qu'ils étaient exactement fiancés, mais ils sont sortis ensemble pendant deux ans. Puis, ils ont rompu, sans que personne ne sache pourquoi. Une querelle idiote, je suppose. Norman s'est hâté d'épouser Hester Reese avant d'être revenu de sa colère, et je suis convaincue que c'était simplement pour narguer Ellen. Typiquement masculin! Hester était tout à fait charmante, mais elle n'avait jamais eu beaucoup de caractère et il a cassé le peu qu'elle avait. Elle était trop docile pour Norman. Il avait besoin d'une femme capable de lui tenir tête. Ellen l'aurait fait marcher droit et il l'aurait aimée encore davantage pour ça. La vérité, c'est qu'il méprisait Hester, tout simplement parce qu'elle cédait toujours devant lui. Combien de fois l'ai-je entendu répéter quand il était encore un jeune homme "Qu'on me donne une femme qui a du cran". Et, en vrai homme, il est allé épouser une fille qui ne pouvait même pas faire fuir une oie. Ces Reese n'étaient que des légumes. Ils se laissaient porter par la vie, mais ils ne vivaient pas.»

«Russell Reese a mis l'anneau de sa première femme au doigt de la deuxième, se rappela Susan. Voilà qui est trop économique à mon goût, chère Mme Docteur. Et son frère John a fait placer sa propre pierre tombale dans le cimetière de l'autre côté du port; tout y est gravé sauf la date de sa mort, et il va la contempler tous les dimanches. La plupart des gens trouveraient pas ça très réjouissant, mais lui, oui. Les gens ont des conceptions tellement différentes du plaisir. Quant à Norman Douglas, c'est un véritable païen. Quand le dernier pasteur lui a demandé pourquoi il ne venait jamais à l'église, il a répondu "Trop de femmes laides, là-bas, pasteur, trop de femmes laides!" Chère Mme Docteur, j'vous assure que ça me plairait d'aller dire à un tel homme que l'enfer existe!»

«Oh! Norman n'y croit pas, dit Mlle Cornelia. J'espère qu'il s'apercevra de son erreur au moment du trépas. Bien, Mary, tu as tricoté la longueur requise et tu peux aller jouer une demi-heure avec les enfants.»

Mary n'eut pas à se le faire dire deux fois. Elle courut à la vallée Arc-en-ciel le cœur aussi léger que ses talons et, bavardant avec Faith Meredith, elle lui raconta tout ce qu'elle avait entendu sur Mme Alec Davis.

«Et Mme Elliott dit qu'elle montera tous les Douglas contre ton père et qu'il devra alors quitter le Glen parce que son salaire sera pas payé, conclut-elle. J'sais vraiment pas c'qu'il faut faire. Si seulement le vieux Norman Douglas revenait à l'église et payait son écot, ça serait pas si mal. Mais il le fera pas, et les Douglas vont partir, et vous aussi.»

Faith alla se coucher le cœur gros, ce soir-là. La pensée de quitter le Glen était insupportable. Ils ne trouveraient nulle part au monde des amis comme les Blythe. Son petit cœur avait été brisé quand ils étaient partis de Maywater; elle avait versé tant de larmes en se séparant de ses amis et du presbytère où sa mère avait vécu et était morte. Il lui était impossible d'envisager sereinement un autre départ encore plus pénible. Elle ne *pouvait* laisser Glen St. Mary, sa chère vallée Arc-en-ciel et cet adorable cimetière.

«C'est affreux de faire partie de la famille d'un pasteur, gémit-elle dans ses oreillers. Aussitôt qu'on commence à se plaire à un endroit, on en est déraciné. Jamais, jamais je n'épouserai un pasteur, même s'il est très gentil.»

Faith s'assit dans son lit et regarda par la petite fenêtre où grimpait le lierre. Tout était très calme. Il n'y avait que la respiration égale d'Una qui brisait le silence de la nuit. Faith se sentit terriblement seule au monde. Elle pouvait voir Glen St. Mary reposant sous les prés bleus et étoilés de la nuit automnale. De l'autre côté de la vallée, à Ingleside, une lumière luisait dans la chambre des filles et une autre dans celle de Walter. Faith se demanda si le pauvre Walter avait encore mal aux dents. Puis, songeant à Di et à Nan, elle poussa un furtif soupir d'envie. Elles avaient une mère et un foyer, elles n'étaient pas à la merci de gens qui se fâchaient sans raison et vous traitaient de chenapans. Loin au-delà du Glen, au milieu des champs endormis, une autre lumière brillait. Faith savait qu'elle brillait dans la maison où vivait Norman Douglas. Il avait la réputation de passer une partie de ses nuits à lire. Mary avait dit que si seulement on pouvait le persuader de retourner à l'église, tout irait bien. Et pourquoi pas? Faith eut une inspiration en regardant une grosse étoile basse suspendue au-dessus de la grande épinette effilée à la barrière de l'église méthodiste. Elle sut ce qui devait être fait et décida que ce serait elle, Faith Meredith, qui le ferait. Elle arrangerait les choses. Avec un soupir de satisfaction, elle tourna le dos au monde obscur et solitaire et se pelotonna contre Una.

16

Un prêté pour un rendu

Dans le cas de Faith, décider, c'était agir. Elle ne perdit pas de temps pour mettre son projet à exécution. Aussitôt revenue de l'école le lendemain, elle quitta le presbytère et se rendit au Glen. Walter Blythe la rejoignit au moment où elle passait devant le bureau de poste.

«Je vais faire une course pour maman chez Mme Elliott, dit-il. Et toi?»

«J'ai une mission pour l'église à accomplir quelque part», répondit-elle hautainement. Elle ne voulut livrer aucune autre information et Walter se sentit traité de haut. Ils continuèrent à cheminer en silence quelques instants. C'était une soirée chaude et une suave odeur de résine embaumait l'air. Au-delà des dunes s'étalait, gris, le bel océan. Sur le ruisseau du Glen, une flottille de feuilles dorées et vermeilles voguait, évoquant des barques de lutins. Dans le champ de sarrasin de M. Reese aux riches nuances ocrées, des corbeaux tenaient un conciliabule, discutant solennellement du bien-être du peuple corbeau. Grimpant sur la clôture, Faith dispersa cruellement l'auguste assemblée en faisant tournoyer dans sa direction une planche brisée. L'air se remplit instantanément de battements d'ailes noires et de croassements indignés.

«Pourquoi as-tu fait ça? lui reprocha Walter. Ils avaient tant de plaisir.»

«Oh! Je déteste les corbeaux, répondit légèrement Faith. Ils sont si noirs, si lisses, et je suis certaine que ce sont des hypocrites. Tu sais qu'ils volent les œufs dans les nids des petits oiseaux. J'en ai surpris un à le faire sur notre pelouse au printemps dernier. Pourquoi es-tu si pâle, aujourd'hui, Walter? As-tu encore eu mal aux dents hier soir?»

Walter frémit.

«Oui, une vraie rage. Comme je ne pouvais fermer l'œil, j'ai marché de long en large en imaginant que j'étais un des premiers martyrs chrétiens torturé sur l'ordre de Néron. Ça m'a beaucoup aidé pendant quelque temps. Ensuite, j'ai eu tellement mal que je n'ai plus été capable de rien imaginer.»

«As-tu pleuré?» demanda anxieusement Faith.

«Non, mais je me suis allongé sur le sol et j'ai gémi, admit Walter. Puis, les filles sont venues et Nan a mis du poivre de Cayenne sur ma dent, et ça m'a fait encore plus mal, puis Di m'a dit de garder une gorgée d'eau froide dans ma bouche, et je n'ai pas pu, alors elles ont appelé Susan. Susan m'a dit que c'était tout ce que je méritais pour être resté assis la veille dans le grenier froid à écrire des poèmes bons à rien. Mais elle a allumé le feu dans la cuisine et m'a apporté une bouillotte qui m'a enlevé mon mal. Dès que je me suis senti mieux, j'ai dit à Susan que mes poèmes n'étaient pas nuls et qu'elle n'était pas apte à en juger. Et elle a répondu qu'en effet, elle ne l'était pas, Dieu merci, et qu'elle ne connaissait rien en poésie à part le fait que c'était la plupart du temps un tissu de mensonges. Toi, tu sais que c'est faux, Faith. C'est une des raisons pour lesquelles j'aime écrire des poèmes: on peut y exprimer tant de choses qui sont vraies en poésie et ne le seraient pas en prose. C'est ce que j'ai dit à Susan, mais elle m'a répondu de cesser de jacasser et de me coucher avant que l'eau refroidisse, sinon elle me laisserait me rendre compte si écrire des rimes pouvait soulager du mal de dent, et qu'elle espérait que cela me serve de leçon.»

«Pourquoi ne vas-tu pas te faire arracher ta dent chez le dentiste de Lowbridge?»

Walter frissonna de nouveau.

«C'est ce qu'ils veulent que je fasse, mais je ne peux pas. C'est trop douloureux.»

«Tu as peur d'une petite douleur?» demanda Faith avec mépris.

Walter rougit.

«Ce serait une grande douleur. Je déteste souffrir. Papa dit qu'il n'insistera pas pour que j'y aille. Il préfère attendre que je prenne moi-même la décision.»

«Cela te ferait souffrir moins longtemps que ton mal de dent, fit valoir Faith. Tu as déjà eu cinq rages de dent. Si tu allais la faire extraire, tu ne passerais plus jamais de nuits blanches. On m'en a arraché une, une fois. J'ai hurlé un moment, mais après, c'était fini. Il ne restait que le saignement.»

«Le saignement est pire que tout, c'est si laid, s'écria Walter. Ça m'a rendu malade quand Jem s'est coupé le pied, l'été dernier. Susan disait que j'avais l'air plus au bord de l'évanouissement que Jem lui-même. Mais je ne pouvais supporter de voir Jem blessé, non plus. Il y a toujours quelqu'un qui se fait mal, Faith, et c'est affreux. Je ne peux tout simplement pas supporter de voir les choses souffrir. J'ai envie de m'enfuir, très loin, jusqu'à ce que je ne puisse plus les voir ni les entendre.»

«Je ne comprends pas qu'on fasse tant d'histoires pour quelqu'un qui se fait mal, dit Faith, secouant ses boucles. Évidemment, quand c'est toi qui te blesses, il faut bien que tu cries, et c'est vrai que le sang fait des dégâts, et moi non plus, je n'aime pas voir les autres souffrir. Mais ça ne me donne pas envie de fuir, au contraire, j'ai envie de me mettre au travail et de leur porter secours. Ton père doit souvent faire mal aux gens quand il les soigne. Que feraient-ils s'il se sauvait?»

«Je n'ai pas dit que je m'enfuirais, mais que j'aurais envie de le faire. C'est très différent. Moi aussi, je veux aider les gens. Mais oh! comme je voudrais qu'il n'y ait pas tant de choses laides et effrayantes dans le monde. J'aimerais que tout soit heureux et beau.»

«Eh bien, ne pensons pas à ce qui n'existe pas, dit Faith. Après tout, il y a quand même de l'agrément à être en vie. C'est sûr que tu n'aurais pas mal aux dents si tu étais mort, mais quand même, tu préfères être vivant que mort, non? Moi, cent fois oui. Oh! Voici Dan Reese. Il est allé pêcher au port.»

«Je déteste Dan Reese», maugréa Walter.

«Moi aussi. Toutes les filles le détestent. Je vais le dépasser en marchant sans lui accorder un regard. Regarde-moi!»

Faith marcha donc près de Dan, le menton haut et arborant une expression de mépris qui mordit le cœur du gamin. Il se tourna et lui lança cette insulte en crescendo:

«Peau de vache! Peau de vache!! Peau de vache!!!»

Faith poursuivit son chemin, l'air indifférente. Mais l'outrage fit trembler légèrement sa lèvre. Elle savait qu'elle ne pouvait rivaliser avec Dan Reese en matière d'échange d'épithètes. Si seulement Jem Blythe avait été avec elle, plutôt que Walter. Si Dan Reese avait osé la traiter de peau de vache en présence de Jem, celui-ci lui aurait fait mordre la poussière. Mais Faith ne se serait jamais attendue à ce que Walter fasse de même, et jamais elle ne l'aurait blâmé pour ça. Walter, elle le savait, ne se battait jamais. Tout comme Charlie Clow de la route du nord. Étrangement, tout en méprisant Charlie qu'elle considérait comme un lâche, jamais elle ne ressentit de mépris à l'égard de Walter. C'était tout simplement parce qu'il lui apparaissait comme habitant son propre monde où prévalaient des valeurs différentes. Faith aurait voulu qu'un ange aux yeux brillants rouât de coups ce Dan Reese sale et couvert de taches de rousseur. Elle n'aurait pas blâmé l'ange et elle ne blâmait pas Walter Blythe. Mais elle aurait aimé qu'un robuste Jem ou Jerry fût là et l'insulte de Dan lui resta sur le cœur.

Walter n'était plus pâle. Il était devenu écarlate et ses beaux yeux étaient assombris de honte et de rage. Il savait qu'il aurait dû venger Faith. Jem, lui, aurait foncé et aurait fait ravaler ses paroles à Dan, assaisonnées d'une sauce amère. Ritchie Warren aurait lancé à Dan des insultes pires encore que celle que ce dernier avait lancée à Faith. Mais Walter ne pouvait tout simplement pas crier des injures. Il savait qu'il n'aurait pas eu le meilleur. Il était incapable de concevoir ou de prononcer les insultes grossières dont Dan Reese avait une réserve illimitée. Quant au combat à poings nus, Walter en était également incapable. La simple idée lui faisait horreur. C'était brutal et douloureux et, pire encore, c'était laid. Il n'avait jamais pu comprendre l'exultation qu'éprouvait Jem lors d'un conflit occasionnel. Il aurait pourtant souhaité *pouvoir* se battre contre Dan Reese. Il avait terriblement honte, parce que Faith Meredith avait été insultée en sa présence et qu'il n'avait rien tenté pour punir l'offenseur. Il était sûr qu'elle le méprisait. Elle ne lui avait pas adressé la parole depuis que Dan l'avait traitée de peau de vache. Il fut soulagé quand vint le moment de se séparer.

Faith l'était également, bien que pour une raison différente. Elle désirait être seule, le but de sa promenade la rendant soudain nerveuse. Son impulsion avait refroidi, particulièrement depuis que Dan avait froissé son amour-propre. Elle devait aller jusqu'au bout, mais n'était plus soutenue par l'enthousiasme. Elle se rendait chez Norman Douglas afin de lui demander de revenir à l'église, et elle commençait à avoir peur de lui. Ce qui, au Glen, lui avait semblé si simple et si facile, paraissait très différent ici. Elle avait beaucoup entendu parler de Norman Douglas, et savait que même les plus grands garçons de l'école le craignaient. Et s'il l'insultait? Elle avait entendu dire qu'il avait tendance à invectiver les gens. Faith ne pouvait supporter les injures; elles l'assommaient bien davantage qu'un coup physique. Elle devait pourtant réaliser son projet, Faith Meredith allait toujours jusqu'au bout. Si elle ne le faisait pas, son père serait peut-être obligé de quitter le Glen.

Au bout d'une longue allée, Faith déboucha sur la maison, une grande résidence à l'ancienne flanquée d'un bataillon de peupliers de Lombardie. En arrière, sur la véranda, Norman Douglas en personne était assis, lisant un journal.

Son gros chien était près de lui. Derrière lui, dans la cuisine où sa femme de ménage, Mme Wilson, préparait le souper, on entendait des cliquetis de vaisselle entrechoquée avec colère, car Norman Douglas venait de se quereller avec elle et tous deux étaient de fort mauvais poil. C'est pourquoi, lorsque Faith arriva sur la véranda et que Norman Douglas abaissa son journal, elle fut accueillie par son regard furibond.

Norman Douglas était, à sa façon, un homme d'assez belle apparence. Une longue barbe rousse balayait sa large poitrine et une crinière de la même couleur, grisonnée par les années, coiffait sa tête massive. Son haut front blanc était lisse et dans ses yeux bleus brûlait encore le feu de sa jeunesse tumultueuse. Il pouvait se montrer très aimable quand il le voulait, et terrible aussi. Et voilà que la pauvre Faith, qui avait si anxieusement voulu arranger les affaires de l'église, le surprenait dans une de ses humeurs furieuses.

Il ignorait qui elle était et la dévisagea d'un air désapprobateur. Norman Douglas aimait les filles qui avaient de l'esprit, du caractère et le sens de l'humour. Or, en ce moment, Faith était livide. Pour être à son avantage, elle avait besoin de couleurs. Sans ses joues vermeilles, elle paraissait humble, voire insignifiante. Elle avait l'air de s'excuser et d'avoir peur, et la brute qui se trouvait dans le cœur de Norman Douglas remua.

«Veux-tu bien me dire qui tu es et ce que tu fais ici?» interrogea-t-il d'une voix de stentor, fronçant férocément les sourcils.

Pour la première fois de sa vie, Faith fut incapable de répondre. Elle n'avait jamais supposé que Norman Douglas fût ainsi. Elle se sentait paralysée de terreur devant lui. Il s'en rendit compte et cela attisa sa colère.

«Qu'est-ce qui te prend? hurla-t-il. Tu as l'air d'avoir quelque chose à dire et d'avoir la frousse. Qu'est-ce qui te trouble? Allez, sors-le, parle, si tu en es capable!»

Or Faith n'en était pas capable. Pas un son ne sortit de sa bouche, pourtant ses lèvres se mirent à trembler.

«Pour l'amour du ciel, ne pleure pas, s'écria Norman. Je

ne peux supporter les pleurnicheries. Si tu as quelque chose à dire, dis-le. Grand Dieu, cette fille est-elle possédée d'un esprit muet? Ne me regarde pas comme ça! Je suis un humain, je n'ai pas de queue! Qui es-tu? Je t'ai demandé qui tu étais!»

On aurait pu entendre Norman Douglas jusqu'au port. Les opérations étaient suspendues dans la cuisine. Mme Wilson était tout yeux, tout oreilles. Norman posa ses énormes mains brunes sur ses genoux et se pencha en avant, fixant le petit visage exsangue. Il apparut à Faith comme l'ogre d'un conte de fée. Elle eut l'impression qu'il était sur le point de la dévorer.

«Je... suis... Faith... Meredith», parvint-elle à murmurer.

«Meredith, hein? Une des enfants du pasteur, hein? J'ai entendu parler de toi, ça oui! À cheval sur les cochons et violant le dimanche! Un joli moineau! Et qu'est-ce que tu fais ici, hein? Je ne demande aucune faveur aux pasteurs, et je ne leur en accorde pas. Qu'est-ce que tu veux, dis!»

Faith aurait voulu se voir à des milliers de kilomètres. Elle bredouilla sa pensée en toute simplicité.

«Je suis venue... vous demander... de revenir à l'église... et de payer... le salaire.»

Norman la dévisagea. Puis il éclata de nouveau.

«Mon espèce de petite effrontée! Qui t'a demandé de faire ça, coquine? Qui t'a demandé de faire ça, hein?»

«Personne», bafouilla la pauvre Faith.

«Tu mens! Ne me raconte pas d'histoires! Qui t'a envoyée ici? Ce n'est pas ton père... il est moins courageux qu'une puce, mais il ne t'enverrait pas faire ce qu'il n'ose pas faire lui-même. Je présume que c'est une de ces satanées vieilles filles du Glen, c'est ça, hein?»

«Non... je suis venue de mon propre chef.»

«Tu me prends pour un imbécile?» hurla Norman.

«Non, je vous prenais pour un gentleman», répondit Faith à voix basse, sans aucune intention de se montrer sarcastique.

Norman bondit.

«Occupe-toi de tes affaires. Je ne veux plus entendre un autre mot de toi. Si tu n'étais pas une enfant, je te montrerais ce qu'il en coûte de te mêler de ce qui ne te regarde pas. Quand j'aurai besoin d'un pasteur ou d'un pharmacien, je les enverrai chercher. Jusque-là, je ne veux pas entendre parler d'eux. Tu as compris? À présent, va-t-en, face de carême.»

Faith obéit. Comme une aveugle, elle descendit l'escalier, tituba hors de la cours et ouvrit la grille. Elle n'avait pas fait la moitié du chemin dans l'allée que sa peur disparut pour faire place à une réaction cuisante de colère. Arrivée au bout de l'allée, elle était furieuse comme jamais elle ne l'avait été. Les injures proférées à son égard par Norman Douglas lui brûlaient le cœur comme une flamme. Elle serra les dents et les poings. S'en aller! Oh! non, pas elle! Elle retournerait sur ses pas pour aller dire à ce croque-mitaine ce qu'elle pensait de lui. Il verrait, oh! pour ça, oui! Face de carême, vraiment!

Sans hésiter, elle fit volte-face et rebroussa chemin. La véranda était déserte et la porte de la cuisine, fermée. Faith l'ouvrit sans frapper et entra. Norman Douglas venait de s'asseoir à la table, mais il tenait toujours son journal. Faith traversa la pièce d'un pas décidé, lui arracha le journal, le jeta sur le plancher et le piétina. Puis elle lui fit face, les yeux étincelants et les joues écarlates. Elle s'était transformée en une jeune furie si ravissante que Norman Douglas eut peine à la reconnaître.

«Qu'est-ce qui te ramène ici?» grogna-t-il avec davantage d'étonnement que de colère.

Sans frémir, elle plongea son regard dans les yeux coléreux que si peu de gens osaient affronter.

«Je suis revenue vous dire exactement ce que je pense de vous, rétorqua Faith d'une voix claire et sonore. Vous ne me faites pas peur. Vous n'êtes qu'un vieil homme brutal, injuste, tyrannique et désagréable. Susan prétend que vous irez sûrement en enfer, et cela me faisait de la peine pour vous, mais plus maintenant. Votre femme n'a pas eu de chapeau neuf pendant dix ans et ce n'est pas étonnant qu'elle soit morte. À partir d'aujourd'hui, je vous ferai des grimaces chaque fois que je vous verrai. Chaque fois que je serai derrière vous, vous saurez ce que je suis en train de faire. Papa a un portrait du démon dans un livre dans son bureau, et j'ai l'intention d'aller écrire votre nom en dessous. Vous êtes un vieux vampire et je vous souhaite d'attraper l'eczéma.»

Faith ignorait la signification du mot vampire, tout comme celle d'eczéma. Elle avait entendu Susan employer ces expressions et, d'après son ton, elle en avait conclu qu'il s'agissait de choses affreuses. Mais Norman Douglas savait du moins ce que le dernier mot voulait dire. Il avait écouté la tirade de Faith dans un silence absolu. Lorsqu'elle s'arrêta, tapant du pied, pour reprendre son souffle, Norman éclata d'un rire tonitruant. Donnant une grande claque sur son genou, il s'exclama:

«Je constate que, tout compte fait, tu as du cran, et ça me plaît. Viens, assieds-toi, assieds-toi.»

«Pas question!» Les yeux de Faith étincelèrent avec encore plus d'ardeur. Elle avait l'impression qu'il se moquait d'elle, la traitait avec mépris. Elle aurait préféré une autre explosion de rage, mais ceci était blessant. «Pas question que je m'assoie dans votre maison. Je m'en vais chez moi. Mais je suis contente d'être revenue vous dire ma façon de penser.»

«Et moi, donc! gloussa Norman. Tu me plais, tu es gentille, et brillante. Quelles roses! Quelle énergie! Est-ce que je l'ai appelée face de carême? Elle n'a rien à voir avec le carême. Assieds-toi. Si seulement tu avais eu cette expression la première fois, petite! Comme ça, tu vas écrire mon nom sous le portrait du Malin? Mais il est noir, petite, il est noir, et moi, j'suis rouquin. Ça ne marcherait pas, pas du tout. Et tu me souhaites de l'eczéma, hein? Dieu te bénisse, petite, j'en ai souffert dans mon enfance! Ne me souhaite plus d'en avoir! Assieds-toi, assieds-toi. Nous allons parler devant une tasse de bon thé.»

«Non, merci», répondit hautainement Faith.

«Oh, oui, tu vas t'asseoir. Allez, allez, je m'excuse, petite, je m'excuse. Je me suis conduit comme un fou et je le regrette. On ne peut s'exprimer de façon plus juste. Oublie et pardonne. Serrons-nous la main, petite, serrons-nous la main. Elle ne veut pas, non, elle refuse. Mais il le faut. Écoute, petite, si tu acceptes de me serrer la main et de prendre une bouchée avec moi, je verserai la somme que j'avais coutume de donner pour le salaire et j'irai à l'église le premier dimanche de chaque mois et je clouerai le bec à Kitty Alec. Je suis le seul du clan qui en soit capable. C'est pas une bonne affaire, ça, petite?»

Cela le paraissait. Faith se retrouva en train d'échanger une poignée de main avec l'ogre puis de s'asseoir à sa table. Sa colère était passée — les colères de Faith ne duraient jamais longtemps — mais l'excitation faisait encore briller ses yeux et animait ses joues. Norman Douglas lui jeta un regard admiratif.

«Allez chercher vos meilleures conserves, Wilson, ordonna-t-il, et cessez de bouder, femme, cessez de bouder. Qu'arriverait-il si nous ne nous querellions jamais, femme? Un bon orage nettoie l'atmosphère et ranime les choses. Mais après, pas de bruine ni de crachin, pas de bruine ni de crachin, femme. Je ne tolère pas ça. Une femme de caractère, d'accord, mais pas de larmes. Tiens, petite, voici une assiettée de viande et de pommes de terre. Commence avec ça. Wilson a un nom sophistiqué pour ce plat, mais moi, j'appelle ça de la gibelote. Tout ce que je n'arrive pas à analyser dans le domaine de la nourriture, je l'appelle gibelote, et toute boisson qui me laisse perplexe, je l'appelle jus de chaussettes. Le thé de Wilson est du jus de chaussettes. Elle le fait avec des bardanes, je le jure. Ne bois pas ce liquide noirâtre, il y a du lait pour toi. Comment m'as-tu dit que tu t'appelles?»

«Faith.»

«C'est pas un nom, c'est pas un nom, ça! J'peux pas digérer un nom pareil. T'en as pas un autre?»

«Non, monsieur.»

«J'aime pas ce nom, non, je ne l'aime pas. C'est fade. De plus, ça me rappelle ma tante Jinny. Elle avait appelé ses trois filles Faith, Hope et Charity[4]. Faith ne croyait en rien, Hope était une pessimiste née et Charity était une avare. On aurait dû te baptiser Rose Rouge, c'est à ça que tu ressembles quand tu es fâchée. Moi, je t'appellerai Rose Rouge. Et tu as réussi à me faire promettre d'aller à l'église? Mais seulement une fois par mois, rappelle-toi, seulement une fois par mois. Allez, petite, vas-tu me libérer de ma promesse? J'avais l'habitude de donner cent dollars par année et de fréquenter l'église. Si je promets de payer deux cents, vas-tu me libérer de ma promesse? Allez!»

«Pas question, monsieur, répondit Faith, un petit sourire espiègle creusant deux fossettes dans ses joues. Je veux que vous alliez aussi à l'église.»

«Ma foi, un marché est un marché. J'imagine que j'arriverai à supporter ça douze fois par année. Quelle sensation cela fera, le premier dimanche! Et la vieille Susan Baker prétend que j'vais aller en enfer, hein? Le crois-tu, hein, dis-moi, le crois-tu?»

«J'espère que non, monsieur», bafouilla Faith, un peu confuse.

«Pourquoi tu espères que non? Allez, pourquoi? Donne-moi une raison, petite, donne-moi une bonne raison.»

«Ce... ce doit être un endroit inconfortable, monsieur.»

«Inconfortable? Tout dépend de ton goût en matière de compagnie, petite. Je me fatiguerais vite des anges. Essaie de te figurer la vieille Susan avec une auréole.»

Faith se la figura et l'image lui parut si cocasse qu'elle ne put s'empêcher de rire. Norman l'approuva du regard.

«Tu vois le côté comique de la chose, pas vrai? Oh! Tu me plais, toi, tu es quelqu'un de bien. Pour en revenir à cette histoire d'église, est-ce que ton père sait prêcher?»

«Il est un prédicateur fantastique», assura la loyale Faith.

«Vraiment? Je verrai. Je vais essayer de le prendre en défaut. Il fera mieux de veiller à ce qu'il dit devant moi. Je vais l'attraper, je vais le faire trébucher, je vais avoir l'œil sur

4. Foi, Espérance et Charité (N.D.L.T.)

ses arguments. Cette histoire d'église va sans doute m'amuser. Est-ce que ça lui arrive de prêcher sur l'enfer?»

«Non... je ne crois pas.»

«Dommage. J'aime bien les sermons sur ce sujet. Tu lui diras que s'il veut me garder de bonne humeur, il faut qu'il prêche un bon gros sermon sur l'enfer deux fois par année, et plus ça sent le soufre, mieux c'est. Et songe à tout le plaisir qu'il va donner aux vieilles filles, aussi. Elles vont toutes regarder le vieux Norman Douglas en se disant: "Voilà pour toi, vieux dépravé. Voilà ce que l'avenir te réserve!" Je verserai dix dollars supplémentaires chaque fois que tu convaincras ton père de prêcher sur l'enfer. Voilà Wilson et la confiture. T'aimes ça, hein? C'est pas de la gibelote, ça! Goûte!»

Faith avala docilement la grosse cuillerée que lui tendait Norman. Heureusement, c'était bon.

«La meilleure confiture de prunes au monde, affirma Norman, remplissant une grande soucoupe et la posant devant elle. Content que ça te plaise. Je t'en donnerai une couple de pots à rapporter chez toi. Je ne suis pas un avare, je l'ai jamais été. En tout cas, c'est pas par là que le diable pourra m'attraper. C'est pas de ma faute si Hester n'a pas eu de chapeau neuf pendant dix ans. Elle économisait sur les chapeaux pour donner aux Chinois. Je n'ai jamais donné un sou aux missions de ma vie, et jamais j'en donnerai. N'essaie pas de m'embobiner à ce sujet-là! Cent dollars par année pour le salaire et l'église une fois par mois, mais pas question de gâcher de bons païens pour en faire de mauvais chrétiens! Seigneur, petite, ils ne conviendraient ni au ciel ni à l'enfer, ils seraient gâchés pour les deux endroits, tout simplement gâchés! Hé, Wilson, vous n'avez pas encore retrouvé le sourire? C'est incroyable comment vous, les femmes, pouvez bouder! Je n'ai jamais boudé de ma vie. Avec moi, ça explose d'un coup et après, pouf! l'orage est passé et le soleil brille de nouveau et on peut me faire faire ses quatre volontés.»

Norman insista pour raccompagner Faith chez elle après le souper et remplit le boghei de pommes, de choux, de pommes de terre, de citrouilles et de pots de confiture.

«J'ai un beau petit chat dans la grange. Je te le donnerai aussi, si tu le veux. T'as qu'à me le demander.»

«Non, merci, répondit résolument Faith. Je n'aime pas les chats, et puis, j'ai déjà un coq.»

«Écoutez-la. Tu ne peux flatter un coq comme un chaton. Qui a déjà entendu parler de caresser un coq? Tu ferais mieux de prendre Minet. Je veux lui trouver un bon foyer.»

«Non. Tante Martha a un chat et il massacrerait un étranger.»

Norman céda, sur ce point, un peu à contrecœur. Il reconduisit Faith chez elle et la randonnée fut excitante derrière le fringant cheval de deux ans; après l'avoir laissée à la porte de la cuisine du presbytère, il déchargea ses marchandises sur la véranda et repartit en criant:

«C'est seulement une fois par mois, seulement une fois par mois, rappelle-toi.»

Faith monta se coucher, un peu étourdie et essoufflée, comme si elle venait d'échapper à une tornade vivifiante. Elle se sentait heureuse et soulagée. Il n'y avait plus de danger qu'ils quittent le Glen, le cimetière et la vallée Arc-en-ciel. Elle s'endormit pourtant troublée par la déplaisante arrière-pensée que Dan Reese l'avait traitée de peau de vache et qu'après avoir trouvé une si sympathique épithète, il continuerait à l'appeler ainsi chaque fois qu'il en aurait l'occasion.

17

Une double victoire

Norman Douglas se rendit à l'église le premier dimanche de novembre et y fit sensation comme il l'espérait. M. Meredith lui serra distraitement la main sur le parvis et souhaita d'un ton rêveur: «J'espère que Mme Douglas se porte bien.»

«Elle n'était pas très en forme juste avant que je l'enterre il y a dix ans, mais j'imagine que sa santé est meilleure, à présent», vociféra Norman, horrifiant ou amusant ainsi tout un chacun sauf M. Meredith qui, absorbé à se demander si la dernière partie de son sermon avait été suffisamment claire, n'avait pas la moindre idée de ce que Norman lui avait dit ni de ce qu'il avait dit à Norman.

Ce dernier intercepta Faith à la barrière.

«J'ai tenu parole, tu vois, j'ai tenu parole, Rose Rouge. À présent, je suis libre jusqu'au premier dimanche de décembre. C'était un bon sermon, petite, un bon sermon. Ton père en a plus dans le crâne qu'on croirait à le voir. Mais il s'est contredit, une fois, tu lui diras qu'il s'est contredit. Et rappelle-lui que je veux mon sermon sur l'enfer en décembre. Une façon fantastique de boucler la vieille année, avec un goût de soufre, tu vois. Et qu'est-ce que tu penserais d'un bon discours bien senti sur le ciel, pour le Nouvel An? Quoique ça ne serait pas la moitié aussi intéressant que l'enfer, petite, pas la moitié. C'est seulement parce que j'aimerais savoir ce que ton père pense du paradis. Il est capable de penser, lui, et c'est la chose la plus rare au monde, un pasteur capable de penser. Ha! Ha! Et voilà une question que tu pourrais lui poser à l'occasion, quand il sort des nues, petite: "Est-ce que Dieu peut fabriquer un rocher si gros qu'Il est Lui-même incapable de le soulever?" Tu t'en souviendras, hein? Je veux connaître son opinion sur ce point. J'ai bouché plus d'un pasteur avec ça, petite.»

Faith fut contente de lui échapper et se hâta de rentrer chez elle. Debout à la barrière au milieu d'une bande de garçons, Dan Reese la regardait et ses lèvres formaient les mots "peau de vache", mais il n'osait pas les prononcer à voix haute. Ce fut différent, le lendemain, à l'école. À la récréation du midi, Faith croisa Dan dans la petite futaie d'épinettes derrière l'école et l'apercevant, Dan cria:

«Peau de vache! Peau de vache! Peau de coq!»

Walter Blythe se leva soudain du coussin de mousse derrière un bosquet de sapins où il était en train de lire. Il était très pâle, mais ses yeux luisaient.

«Ferme-la, Dan Reese!»

«Oh! Bonjour, Mlle Walter, répliqua Dan, pas troublé le moins du monde. Il grimpa avec désinvolture sur le sommet de la clôture et psalmodia d'un air injurieux:

«Peureux! Peureux! T'as peur de ton ombre!»

«Tu n'es qu'une conjecture!» lança Walter avec mépris, devenant encore plus blême. Il avait une vague idée de ce que signifiait ce mot, mais Dan n'en avait aucune et crut qu'il s'agissait de quelque chose de particulièrement outrageant.

«Ah! Peureux! hurla Dan de nouveau. Ta mère écrit des menteries, des menteries, des menteries! Et Faith Meredith est une peau de vache, une peau de vache, une peau de vache! Une peau de coq, une peau de coq, une peau de coq! Peureux, peureux, peureux!»

Dan s'arrêta là. Walter s'était précipité et avait donné un coup bien dirigé qui avait fait dégringoler Dan de la clôture. La chute sans gloire du gamin fut accueillie par les rires et les applaudissements de Faith. Dan bondit sur ses pieds, violet de rage, et recommença à escalader la clôture. Mais la cloche sonna à cet instant et Dan savait ce qui, sous le régime de M. Hazard, arrivait aux garçons qui étaient en retard.

«On va régler ça avec les poings, ulula-t-il. Peureux!»

«Quand tu voudras», répondit Walter.

«Oh! non, non, Walter, protesta Faith. Ne te bats pas avec lui. Ça m'est égal, ce qu'il dit. Je ne m'abaisserais jamais à m'occuper de gens de son espèce.»

«Il t'a insultée et il a insulté ma mère, dit Walter avec le même calme rigide. Ce soir, après l'école, Dan.»

«Il faut que j'aille directement chez moi sarcler les patates, répondit boudeusement Dan. Mais demain soir fera l'affaire.»

«D'accord, demain soir, ici même», acquiesça Walter.

«Et j'vais t'écrabouiller ta petite face de fille», promit Dan.

Walter frémit, moins parce que la menace lui faisait peur que par une réaction de dégoût devant sa laideur et sa vulgarité. Mais il garda la tête haute et se dirigea vers l'école. Faith le suivit, mêlée dans ses émotions. Elle détestait l'idée que Walter se batte contre ce petit faux-jeton, mais oh! comme il avait été magnifique! Et il allait se battre pour elle, elle, Faith Meredith, se battre pour châtier celui qui l'avait insultée! Il ne faisait aucun doute qu'il allait gagner, des yeux pareils appelaient la victoire.

Le soir venu, Faith avait cependant moins confiance en son champion. Walter avait paru si calme, si morne, le reste de la journée à l'école.

«Si seulement c'était Jem, soupira-t-elle à Una, alors qu'elles étaient toutes deux dans le cimetière, assises sur la pierre tombale d'Hezekiah Pollock. C'est un tel bagarreur, il viendrait à bout de Dan en criant lapin. Mais Walter ne sait pas beaucoup se battre.»

«J'ai peur qu'il se fasse faire mal, soupira Una qui détestait la bataille et n'arrivait pas à comprendre l'exultation subtile et secrète qu'elle devinait chez Faith.

«Il ne devrait pas, répondit Faith, mal à l'aise. Il est de la même grandeur que Dan.»

«Mais Dan est beaucoup plus vieux, dit Una. Il a presque un an de plus.»

«Quand on fait le bilan, Dan se s'est jamais beaucoup battu, remarqua Faith. Je crois qu'en réalité, c'est un lâche. Il ne pensait pas que Walter se battrait, sinon il n'aurait pas crié des injures devant lui. Oh! Si tu avais vu le visage de Walter quand il l'a regardé, Una! J'en ai eu la chair de poule, et c'était excitant. Il ressemblait exactement à Sir Galahad dans le poème que papa nous a lu samedi.»

«La pensée qu'ils vont se battre me fait horreur et je voudrais qu'on puisse empêcher ça», dit Una.

«Oh! Il faut qu'ils aillent jusqu'au bout, à présent, s'écria Faith. C'est une question d'honneur. Surtout, ne le répète à personne, Una. Si tu le dis, je ne te confierai plus jamais mes secrets.»

«Je n'en parlerai pas, acquiesça Una. Mais je ne resterai pas pour voir la bagarre, demain. Je rentrerai directement à la maison.»

«Oh! Très bien. Moi, il faut que je sois là. Ce serait mesquin de ma part de ne pas y assister, puisque Walter se bat pour moi. Je vais attacher mes couleurs à son bras. C'est ce qu'on doit faire quand on a un chevalier. Quelle chance que Mᵐᵉ Blythe m'ait donné ce joli ruban bleu pour mon anniversaire! Je ne l'ai porté que deux fois, alors il est presque neuf. Mais j'aimerais être sûre que Walter va gagner. Ce serait si... si *humiliant* s'il perdait.»

Faith aurait douté encore davantage si elle avait pu voir son champion à cet instant précis. Quand Walter était rentré de l'école, sa légitime colère avait descendu au niveau le plus bas et un sentiment très désagréable avait pris sa place. Il devait se battre contre Dan Reese le lendemain, et il n'en avait pas envie, l'idée même le glaçait d'horreur. Et il ne pouvait cesser d'y penser. Cette pensée ne le quittait pas une minute. Cela lui ferait-il très mal? La douleur lui inspirait une peur terrible. Et serait-il vaincu et humilié?

Au souper, il eut peine à avaler une bouchée. Susan avait fait une grosse platée de «faces de singe», ses biscuits préférés, mais il ne put en manger qu'un seul. Jem, lui, en dévora quatre. Walter se demanda comment il avait pu. Comment quiconque pouvait-il manger? Et comment pouvaient-ils bavarder joyeusement comme ils le faisaient? Il y avait sa mère, les yeux brillants et les joues roses. Elle ignorait que son fils devait se battre le lendemain. Walter se demanda sombrement si elle serait aussi gaie si elle était au courant. Jem ayant pris une photo de Susan avec son nouvel appareil, le résultat circula autour de la table et Susan en fut terriblement indignée.

«J'suis pas une beauté, chère Mme Docteur, j'le sais et j'l'ai toujours su, commenta-t-elle d'un air blessé, mais jamais j'croirai que j'suis aussi laide que sur ce portrait.»

Jem éclata de rire, et Anne rit avec lui. Walter ne put supporter cela. Il se leva et courut à sa chambre.

«Cet enfant a quelque chose sur la conscience, chère Mme Docteur, affirma Susan. Il a pratiquement rien mangé. Pensez-vous qu'il soit en train de mijoter d'autres rimes?»

L'esprit du pauvre Walter était, à cet instant, à des lieues des royaumes étoilés de la poésie. Il posa son coude sur le rebord de la fenêtre ouverte et pencha mélancoliquement la tête sur ses mains.

«Viens à la grève, Walter, cria Jem en entrant. Les gars vont brûler l'herbe des dunes, ce soir. Papa dit qu'on peut y aller. Viens-t'en.»

À n'importe quel moment, Walter aurait été ravi. Il raffolait des feux d'herbe sèche. Mais il refusa tout simplement d'y aller, et aucun argument ni supplication ne purent le faire changer d'idée. Déçu, Jem, qui n'avait pas envie de marcher seul dans le noir jusqu'à la pointe de Four Winds, se retira dans son musée du grenier et se plongea dans un livre. Il oublia bientôt sa déception, faisant la fête avec les héros de légendes anciennes, et s'arrêtant à l'occasion pour s'imaginer en général célèbre, menant ses troupes à la victoire sur quelque grandiose champ de bataille.

Walter resta assis à la fenêtre jusqu'au moment de se coucher. Di vint le retrouver, espérant apprendre ce qui n'allait pas, mais Walter ne pouvait en parler, même à Di. Le fait d'en parler semblait conférer à la chose une réalité qui le faisait reculer. Y penser était une torture bien suffisante. Blanches et crissantes, les feuilles s'agitaient dans les érables. La lueur rose et pourpre s'était estompée dans la voûte argentée du ciel, et une pleine lune se levait majestueusement dans la vallée Arc-en-ciel. Au loin, un feu de bois rougeoyant peignait un tableau splendide sur l'horizon derrière les collines. C'était une soirée nette et claire dans laquelle on entendait distinctement des sons lointains. Un renard glapissait de l'autre côté de l'étang; une locomotive freinait à la gare du Glen; un geai bleu criait follement dans l'érablière; des rires fusaient sur la pelouse du presbytère. Comment les gens pouvaient-ils rire? Comment les renards, les locomotives et les geais bleus pouvaient-ils se comporter comme si rien ne devait se produire le lendemain?

«Oh! Si seulement c'était fini», gémit Walter.

Il dormit très peu cette nuit-là et avala avec peine son gruau le lendemain matin. Susan servait des portions plutôt généreuses. M. Hazard ne fut pas satisfait de lui, ce jour-là. Faith Meredith semblait, elle aussi, dans les nuages. Dan Reese dessina subrepticement sur son ardoise des portraits de filles aux têtes de vaches ou de coqs et les montra à toute la classe. La nouvelle de la bagarre s'était répandue et la plupart des garçons et plusieurs filles se trouvaient dans le bois d'épinettes quand Walter et Dan arrivèrent après l'école. Una était rentrée chez elle, mais Faith était là, ayant noué son ruban bleu autour du bras de Walter. Walter fut soulagé de voir que ni Jem, ni Di, ni Nan ne faisaient partie des spectateurs. Bizarrement, ils n'avaient pas entendu parler de ce qui était dans l'air et étaient rentrés. À présent, Walter n'avait plus peur d'affronter Dan. Au dernier moment, toute sa crainte s'était évanouie, mais il sentait encore du dégoût à l'idée de se battre. On remarqua que Dan était beaucoup plus pâle que Walter sous ses taches de rousseur. Un des garçons plus âgés donna le signal et Dan frappa Walter au visage.

Ce dernier vacilla un peu. La douleur provoquée par le coup se répercuta un instant dans son être sensible. Puis, il cessa d'avoir mal. Un sentiment qu'il n'avait jamais éprouvé auparavant parut le submerger comme une lame de fond. Son visage devint écarlate, ses yeux luirent comme des flammes. Les écoliers de l'école de Glen St. Mary n'auraient jamais imaginé que «Mlle Walter» puisse ressembler à ça. Il se rua sur Dan et s'agrippa à lui comme un jeune chat sauvage.

Les combats des garçons de l'école du Glen ne suivaient aucune règle particulière. C'était le corps-à-corps pur et simple et les coups étaient lancés n'importe comment. Walter se battit avec une furie et une joie sauvages et avec lesquelles Dan ne put rivaliser. Tout se termina très rapidement. Walter n'eut pas clairement conscience de ce qu'il faisait jusqu'au moment où le brouillard rouge qu'il avait devant les yeux se dissipa et qu'il se retrouva agenouillé sur le corps prostré de Dan dont le nez — horreur! — était ensanglanté.

«En as-tu eu assez?» demanda Walter, les dents serrées.

Dan admit de mauvaise grâce que oui.

«Ma mère n'écrit pas de mensonges?»

«Non.»

«Faith Meredith n'est pas une peau de vache?»

«Non.»

«Ni une peau de coq?»

«Non.»

«Et je ne suis pas un lâche?»

«Non.»

Walter avait eu l'intention de demander: «Et tu es un menteur?» mais il eut pitié et n'humilia pas Dan davantage. De plus, ce sang était vraiment horrible. D'un air méprisant, il l'autorisa donc à partir.

Les garçons assis sur la clôture applaudirent bruyamment mais certaines des fillettes pleuraient. Elles étaient effrayées. Elles avaient déjà vu des bagarres entre les garçons de l'école, mais rien qui ressemblait à Walter quand il avait agrippé Dan. Il avait été terrifiant. Elles avaient cru qu'il allait tuer Dan. À présent que tout était terminé, elles sanglotaient hystériquement, à l'exception de Faith, immobile, tendue et le teint animé.

Walter ne resta pas pour recevoir l'hommage au vainqueur. Il bondit par-dessus la clôture et dévala la colline jusqu'à la vallée Arc-en-ciel. Il ne ressentait pas l'exultation de la victoire, mais plutôt une calme satisfaction d'avoir accompli son devoir et vengé son honneur, teintée d'une sensation de nausée à la pensée du sang qui giclait du nez de Dan. Cela avait été si laid, et Walter détestait la laideur.

De plus, il commença à s'apercevoir que lui-même était plutôt mal en point. Sa lèvre était fendue et enflée et un de ses yeux lui donnait une sensation étrange. Dans la vallée, il croisa M. Meredith qui revenait d'une visite chez les demoiselles West. Le révérend homme le regarda gravement.

«On dirait que tu t'es battu, Walter?»

«Oui, monsieur», répondit Walter, s'attendant à une réprimande.

«À quel sujet?»

«Dan Reese a dit que ma mère écrivait des mensonges et que Faith était une peau de vache», rétorqua Walter de but en blanc.

«Oh! Alors tu étais certainement justifié, Walter.»

«Croyez-vous que ce soit bien de se battre, monsieur?» demanda Walter, curieux.

«Pas toujours, et pas souvent... mais parfois, oui, parfois, répondit John Meredith. Lorsqu'on insulte les femmes, par exemple, comme dans le cas qui nous occupe. J'ai pour devise, Walter, de ne pas me battre avant d'être sûr d'y être obligé, mais de le faire alors avec toute mon âme. Je conclus que malgré quelques égratignures c'est toi qui as gagné.»

«Oui. Je lui ai fait ravaler ses paroles.»

«Très bien, vraiment très bien. Je ne pensais pas que tu étais un tel bagarreur, Walter.»

«C'était la première fois que je me battais, et jusqu'à la dernière minute, je ne voulais pas, et puis, ajouta Walter, déterminé à soulager complètement sa conscience, j'ai aimé ça pendant que je le vivais.»

Le yeux du révérend John scintillèrent.

«Tu n'étais pas un peu effrayé, au début?»

«J'étais terrifié, répondit honnêtement Walter. Mais jamais plus je n'aurai peur, monsieur. La peur qu'on a des choses est pire que les choses elles-mêmes. Je vais demander à papa de m'amener à Lowbridge demain pour faire extraire ma dent.»

«Parfait. "La peur fait plus mal que le mal dont on a peur." Sais-tu qui a écrit cela? C'est Shakespeare. Existe-t-il un sentiment, une émotion ou une expérience du cœur humain qu'ignorait cet homme formidable? Quand tu seras chez toi, dis à ta mère que je suis fier de toi.»

Walter ne le lui dit pas; mais il lui raconta tout le reste. Elle sympathisa avec lui, l'assurant qu'elle était contente qu'il ait pris sa défense et celle de Faith, mit du beaume sur ses blessures et frictionna d'eau de Cologne son front douloureux.

«Est-ce que toutes les mères sont aussi gentilles que toi? demanda Walter, se serrant contre elle. Tu vaux la peine qu'on prenne ta défense.»

M\ Cornelia et Susan se trouvaient dans le salon quand Anne descendit et éprouvèrent un grand plaisir à l'écouter relater l'histoire. Susan en particulier fut hautement gratifiée.

«J'suis très contente qu'il ait finalement eu une bonne bataille, chère Mme Docteur. Peut-être que ça va lui sortir cette absurde poésie du coco. Et j'ai jamais, non jamais, pu supporter cette petite vipère de Dan Reese. Pourquoi vous vous approchez pas du feu, Mme Marshall Elliott? En novembre, les soirées sont très fraîches.»

«Merci, Susan. Je n'ai pas froid. J'ai fait une visite au presbytère avant de venir ici et j'ai eu assez chaud, bien que j'aie dû rester dans la cuisine, car il n'y avait de feu nulle part ailleurs. Croyez-moi, on aurait dit que la cuisine avait essuyé un ouragan. M. Meredith était absent. Je n'ai pas réussi à apprendre où il se trouvait, mais j'ai idée qu'il s'était rendu chez les West. On dit qu'il y est allé très souvent cet automne, vous savez, très chère Anne, et les gens commencent à penser qu'il y va pour voir Rosemary.»

«Il aurait une femme très charmante s'il épousait Rosemary, remarqua Anne en empilant des bûches dans la cheminée. C'est une des femmes les plus exquises que je connaisse, elle fait vraiment partie de la race de Joseph.»

«Ou... i, seulement c'est une épiscopalienne, dit Mlle Cornelia d'un air dubitatif. Évidemment, c'est mieux que si elle était méthodiste, mais je suis d'avis que M. Meredith pourrait trouver une épouse suffisamment convenable dans sa propre secte. Mais il n'y a très probablement rien là-dessous. Je lui ai dit, il y a seulement un mois: "Vous devriez vous remarier, M. Meredith." Il a eu l'air aussi choqué que si j'avais prononcé quelque chose d'inconvenant. "Ma femme est dans sa tombe, Mme Elliott", m'a-t-il répondu à sa façon douce et sainte. "Je suppose que oui, lui ai-je dit, sinon je ne vous conseillerais pas de vous remarier." Il a alors eu l'air encore plus choqué. C'est pourquoi je doute que cette histoire de Rosemary ait beaucoup de fondement. Si un pasteur célibataire se rend deux fois à une maison où habite une femme célibataire, toutes les commères racontent qu'il lui fait la cour.»

«Il me semble, si je peux me permettre de le dire, que M. Meredith est trop timide pour aller courtiser une deuxième femme», objecta solennellement Susan.

«Il n'est pas timide, vous pouvez me croire sur parole, rétorqua Mlle Cornelia. Distrait, oui, mais timide, non. Et tout distrait et rêveur qu'il soit, il a, comme tous les hommes, une très haute opinion de lui-même, et quand il est vraiment éveillé, il ne trouverait pas difficile de demander n'importe quelle femme en mariage. Non, le problème est qu'il s'illusionne lui-même à croire que son cœur est enseveli, alors qu'il continue à battre en lui comme en n'importe qui. C'est possible que Rosemary lui plaise, et c'est possible que non. Si oui, il faut en tirer le meilleur parti possible. C'est une femme gentille et une bonne maîtresse de maison, et elle fera une excellente mère pour ces pauvres enfants négligés. Et puis, conclut Mlle Cornelia avec résignation, ma propre grand-mère était épiscopalienne.»

18

Mary, oiseau de malheur

Mary Vance, que Mme Elliott avait envoyée faire une course au presbytère, traversa la vallée Arc-en-ciel en se rendant à Ingleside où elle devait passer l'après-midi avec Di et Nan, faveur spéciale du samedi après-midi. Nan et Di étaient allées chercher de la résine d'épinette avec Faith et Una et toutes les quatre étaient à présent assises sur un pin tombé près du ruisseau, en train, il faut bien l'admettre, de mâcher vigoureusement. Les jumelles d'Ingleside n'étaient pas autorisées à mâcher de la gomme ailleurs que dans la réclusion de la vallée, mais Faith et Una, qui n'étaient aucunement contraintes par de telles règles d'étiquette, mastiquaient avec conviction n'importe où, à la maison comme à l'extérieur, à la grande horreur des habitants du Glen. Une fois, Faith avait même été vue en train de mâcher à l'église; devant l'énormité de la chose, Jerry avait pris son rôle de grand frère à cœur et l'avait réprimandée de telle sorte qu'elle n'avait jamais récidivé.

«J'avais si faim que j'ai senti qu'il fallait absolument que je mastique quelque chose, avait-elle protesté. Tu sais aussi bien que moi à quoi ressemblait notre déjeuner, Jerry Meredith. Je n'avais pas pu avaler le gruau collé et je me sentais l'estomac vide. La gomme m'a fait beaucoup de bien, et je ne mâchais pas très fort. Je n'ai fait aucun bruit et je n'ai pas claqué la gomme une seule fois.»

«En tout cas, tu ne dois pas mâcher de la gomme à l'église, avait insisté Jerry. Que je ne t'y reprenne plus.»

«Tu en as toi-même mâché à l'assemblée de prières la semaine dernière», s'écria Faith.

«C'est différent, répliqua Jerry avec désinvolture. L'assemblée de prières, ce n'est pas le dimanche. De plus, j'étais assis en arrière dans un coin sombre et personne ne m'a vu. Toi, tu étais assise en avant où tout le monde pouvait te voir. J'ai retiré la gomme de ma bouche au moment de l'hymne final et je l'ai collée sur le dossier du banc devant moi. Puis je suis parti et je l'ai oubliée. Je suis retourné la chercher le lendemain matin et elle avait disparu. Je suppose que Rod Warren me l'a piquée. C'était une mâchée épatante.»

Mary Vance descendit vers la vallée la tête haute. Elle portait un nouveau chapeau de velours bleu orné d'une rosette écarlate, un manteau de drap bleu marine et un petit manchon en écureuil. Très fière de ses vêtements neufs, elle était satisfaite de son apparence. Ses cheveux étaient frisés, son visage, grassouillet, ses joues, rosées, et ses yeux blancs brillaient. Elle n'avait plus rien à voir avec l'enfant abandonnée et couverte de haillons découverte par les Meredith dans la vieille grange des Taylor. Una essaya de ne pas ressentir de jalousie. Voilà Mary avec un nouveau chapeau de velours alors que Faith et elle-même devraient continuer à porter leurs vieux bérets gris défraîchis. Personne ne songeait à leur en procurer de nouveaux et elles n'en demandaient pas à leur père de peur de lui faire de la peine parce qu'il était à court d'argent. Mary leur avait dit une fois que les pasteurs manquaient toujours d'argent et trouvaient «rudement difficile» de joindre les deux bouts. Depuis, Faith et Una se seraient promenées en loques plutôt que de demander quelque chose à leur père si elles pouvaient l'éviter. Si l'aspect délabré de leur accoutrement ne les préoccupait pas tellement, elles trouvaient plutôt mortifiant de voir surgir Mary Vance ainsi vêtue et paraissant pleine de suffisance. Le manchon d'écureuil était vraiment la cerise sur le gâteau. Ni Faith ni Una n'avaient jamais possédé de manchon et se comptaient déjà chanceuses quand elles arrivaient à porter des mitaines non trouées. Tante Martha n'y voyait pas suffisamment pour repriser, et bien qu'Una eût déjà essayé, le résultat avait été pitoyable. De toute façon, elles ne réussirent pas à rendre leur accueil très cordial. Mais Mary ne le remarqua ni ne s'inquiéta; elle n'était pas spécialement sensible. Elle grimpa agilement s'asseoir dans un pin, posant le manchon offensant sur une branche. Una remarqua qu'il était doublé de satin rouge chatoyant et qu'il était orné de pompons de la même couleur. Elle regarda de nouveau sur ses propres petites mains violacées et gercées et se demanda si elle les enfouirait un jour dans un manchon comme celui-là.

«Donnez-moi une mâchée», demanda Mary d'un ton amical. Nan, Di et Faith fouillèrent dans leurs poches et tendirent à Mary une ou deux boules ambrées. Una resta immobile. Elle avait quatre belles grosses boules dans la poche de sa veste étriquée, mais il n'était pas question qu'elle en offre une à Mary Vance, pas une seule. Que Mary ramasse sa propre résine. Les gens qui portaient des manchons d'écureuil ne devaient pas s'attendre à tout recevoir.

«Belle journée, pas vrai?» poursuivit Mary, balançant ses jambes, peut-être pour mieux faire voir ses nouvelles bottines garnies d'une jolie bande de tissu. Una cacha ses pieds sous elle. Une de ses bottines avait un trou à l'orteil et les deux lacets étaient pleins de nœuds. Mais c'étaient les meilleures qu'elle possédait. Oh! Cette Mary Vance! Pourquoi ne l'avaient-ils pas laissée dans la vieille grange?

Una n'éprouvait jamais de rancœur parce que les jumelles d'Ingleside étaient mieux habillées qu'elle et Faith. Elles portaient leurs jolis vêtements avec une grâce insouciante sans jamais paraître en avoir conscience. D'une certaine façon, les autres ne se sentaient jamais mal vêtues en leur présence. Mais quand Mary Vance était endimanchée, les vêtements semblaient envahir l'atmosphère, et on aurait dit que personne ne pouvait s'empêcher de penser vêtements. Assise dans le soleil couleur de miel de ce gracieux après-midi de décembre, Una avait une conscience aigüe et misérable de ce qu'elle avait sur le dos: le béret décoloré qui, lui aussi, était son meilleur, la veste étriquée qu'elle portait depuis trois hivers, les trous dans sa jupe et ses bottines, l'insuffisance frileuse de ses pauvres petits sous-vêtements. Évidemment, Mary s'en allait en visite, et elle, non. Mais même si cela avait été le cas, elle n'avait rien d'autre à se mettre et c'était là que le bât blessait.

«C'est d'la résine fantastique, dites donc! Écoutez-moi la claquer. Y a pas beaucoup d'épinettes résineuses à Four Winds, reprit Mary. Des fois, j'ai follement envie d'une mâchée. Mme Elliott me permettrait pas de mâcher si elle me voyait. Elle dit que c'est pas convenable pour une dame. J'comprends rien à ces histoires de dame. J'arrive pas à faire tout c'qu'il faut pour en être une. Dis, Una, qu'est-ce qui se passe? Tu as avalé ta langue?»

«Non», répondit Una qui ne pouvait détacher ses yeux fascinés du manchon d'écureuil. Mary se pencha vers elle, saisit le manchon et le mit dans les mains d'Una.

«Mets tes pattes là-dedans, ordonna-t-elle. Elles ont l'air gelées. C'est un gentil manchon, pas vrai? Mme Elliott me l'a donné la semaine dernière pour mon anniversaire. J'suis censée recevoir le col à Noël. Je l'ai entendue en parler avec M. Elliott.»

«Mme Elliott est très gentille avec toi», remarqua Faith.

«Tu parles! Et moi aussi, j'suis gentille avec elle, rétorqua Mary. J'travaille comme un chien à lui faciliter la vie et à tout faire à son goût. On était faites l'une pour l'autre. C'est pas tout l'monde qui pourrait s'entendre avec elle comme moi j'le fais. Comme on est toutes les deux à cheval sur la propreté, on est d'accord.»

«Je t'avais dit qu'elle ne te battrait jamais.»

«C'est vrai. Elle a jamais essayé de lever le petit doigt sur moi et j'lui ai jamais raconté de menterie, pas une seule, aussi vrai que vous êtes là. Elle m'engueule, des fois, mais ça coule sur moi comme l'eau sur le dos d'un canard. Dis, Una, pourquoi t'as pas gardé le manchon?»

Una l'avait reposé sur la branche.

«Je n'ai pas froid aux mains, merci», répondit-elle sèchement.

«Eh ben, si t'es satisfaite, j'le suis aussi. Dites, la vieille Kitty Alec est revenue à l'église douce comme un agneau et personne sait pourquoi. Mais tout le monde pense que c'est Faith qui a ramené Norman Douglas. Sa femme de ménage raconte que t'es allée chez lui et que tu lui as dit ta façon de penser. C'est vrai?»

«Je suis allée lui demander de revenir à l'église», répondit Faith, gênée.

«Quel cran! s'écria Mary avec admiration. J'aurais jamais osé faire ça, et j'ai pourtant pas la langue dans ma poche. Mme Wilson dit que vous avez eu toute une prise de bec, mais que c'est toi qui as finalement eu le dernier mot et qu'après, il a changé son fusil d'épaule. Dites, est-ce que c'est votre père qui va prêcher ici, demain?»

«Non. Il va faire un échange avec M. Perry de Charlottetown. Papa est parti en ville ce matin et M. Perry arrive ce soir.»

«Il me semblait, aussi, qu'il se tramait quelque chose, même si tante Martha a pas voulu me renseigner. Mais j'étais sûre qu'elle aurait pas tué ce coq pour rien.»

«Quel coq? Qu'est-ce que tu veux dire?» cria Faith en pâlissant.

«J'sais pas quel coq. J'l'ai pas vu. Quand elle a pris le beurre que Mme Elliott lui envoyait, elle a dit qu'elle arrivait de la grange où elle venait de tuer un coq pour le souper de demain.»

Faith dégringola du pin.

«C'est Adam — nous n'avons pas d'autres coqs — elle a tué Adam!»

«Prends pas le mors aux dents! Martha a dit que le boucher du Glen avait pas de viande cette semaine et qu'il fallait bien qu'elle serve quelque chose et que toutes les poules couvaient et étaient trop maigres.»

«Si elle a tué Adam...» Faith commença à gravir la colline au pas de course.

Mary haussa les épaules.

«Elle va devenir folle, à présent. Elle aimait tant cet Adam. Y a longtemps qu'il aurait dû être dans la marmite, il va être aussi coriace qu'une semelle de botte. Mais j'aimerais pas être dans les souliers de Martha. Faith est blanche de rage. Tu ferais mieux de la suivre et d'essayer de l'apaiser, Una.»

Mary avait fait quelques pas avec les filles Blythe quand Una fit soudain volte-face et courut la rejoindre.

«Tiens, prends de la résine, Mary, dit-elle d'un ton repentant, mettant ses quatre mâchées dans les mains de Mary. Et je suis contente que tu aies un si joli manchon.»

«Ben, merci», répondit Mary, plutôt surprise. Après le départ d'Una, elle dit à ses compagnes: «Elle est un peu bizarre, pas vrai? Mais j'ai toujours dit qu'elle avait bon cœur.»

19

Pauvre Adam!

Quand Una arriva à la maison, Faith était vautrée sur son lit, refusant toute consolation. Tante Martha avait tué Adam. À cet instant précis, il reposait sur un plat dans le garde-manger, troussé et dressé, entouré de son foie, de son cœur et de son gésier. Tante Martha ne prêta aucune attention à la colère de Faith et se moqua de sa douleur.

«Il fallait bien qu'on ait quelque chose pour le dîner du pasteur étranger, se justifia-t-elle. T'es une trop grande fille pour faire tous ces chichis à propos d'un vieux coq. Tu savais qu'on devrait finir par le tuer.»

«Quand papa reviendra, je lui dirai ce que tu as fait», sanglota Faith.

«Commence pas à ennuyer ton père. Il a bien assez de problèmes comme ça. C'est moi, la maîtresse de maison.»

«Adam m'appartenait, c'est à moi que Mme Johnson l'avait donné. Tu n'avais pas le droit de le toucher», cria Faith.

«Sois pas insolente, maintenant. Le coq est mort, un point, c'est tout. J'allais pas servir un plat de mouton froid à un pasteur étranger. J'ai reçu une meilleure éducation que ça.»

Faith refusa de descendre souper ce soir-là et d'aller à l'église le lendemain matin. Mais elle se présenta à la table au moment du dîner, les yeux boursouflés d'avoir tant pleuré, le visage renfrogné.

Le révérend James Perry était un homme onctueux et rubicond, à la moustache blanche hérissée, aux sourcils blancs en broussailles, et au crâne chauve et luisant. Certes loin d'être beau, il était ennuyeux et pompeux. Mais eut-il ressemblé à Saint-Michel Archange et parlé la langue des anges et des humains, Faith l'aurait quand même détesté. Il dépeça Adam avec dextérité, faisant voir ses blanches mains potelées et une magnifique bague à diamant. Il émit des remarques badines pendant toute l'opération. Jerry et Carl gloussèrent, et même Una ébaucha un sourire, croyant que la politesse l'y obligeait. Mais Faith se contenta de froncer les sourcils. Le révérend James considéra que les manières de Faith laissaient beaucoup à désirer. Alors qu'il faisait un commentaire à Jerry d'une voix mielleuse, Faith l'interrompit brusquement pour le contredire. Le révérend James leva ses sourcils broussailleux et regarda dans sa direction.

«Les petites filles ne devraient pas interrompre ni contredire les gens qui en savent beaucoup plus qu'elles.»

Cela aviva la colère de Faith. Se faire traiter de «petite fille» comme si elle n'était pas plus grande que la rondouillette Rilla Blythe d'Ingleside! C'était intolérable! Et comme cet abominable M. Perry s'empiffrait! Il suça même les os de l'infortuné Adam. Ni Faith ni Una n'en avalèrent une bouchée, et elles regardaient leurs frères comme s'ils ne valaient guère mieux que des cannibales. Faith sentit que si ces horribles agapes ne s'achevaient pas bientôt, elle y mettrait fin en jetant quelque chose à la tête luisante de M. Perry. Heureusement, le révérend jugea la tarte aux pommes de tante Martha trop dure pour son pouvoir de mastication et le repas prit fin après d'interminables grâces où M. Perry remercia dévotement la Providence des aliments qu'Elle avait généreusement offerts pour nourrir et procurer un plaisir tempéré.

«Dieu n'a absolument rien à voir dans le fait de t'avoir donné Adam», marmonna Faith, révoltée.

Les garçons furent contents de sortir dehors tandis qu'Una alla aider tante Martha à laver la vaisselle, même si cette vieille dame plutôt ronchonneuse n'accueillait jamais de bon cœur la timide assistance d'Una. Faith, quant à elle, se réfugia dans le bureau où un bon feu était allumé dans la cheminée. Elle pensait échapper ainsi au détestable M. Perry qui avait annoncé son intention de faire la sieste dans sa chambre. Mais à peine Faith s'était-elle installée dans un coin avec un livre qu'il fit irruption et, debout devant le feu, se mit à examiner le bureau en désordre d'un air désapprobateur.

«Les livres de ton père semblent dans un état de confusion déplorable, ma petite fille», commenta-t-il sévèrement.

Faith recula dans l'ombre et resta muette. Jamais elle ne parlerait avec cette... cette créature.

«Tu devrais essayer de les remettre en ordre, poursuivit M. Perry, jouant avec sa belle chaîne de montre et adressant à Faith un sourire condescendant. Tu es bien assez vieille pour t'acquitter de ces tâches. Ma propre fillette n'a que dix ans et elle est déjà une excellente petite maîtresse de maison, une grande aide et un réconfort pour sa mère. C'est une très gentille enfant. J'aimerais que tu aies le privilège de faire sa connaissance. Elle pourrait t'aider de plusieurs façons. Bien entendu, tu n'as pas eu l'inestimable privilège d'avoir une bonne mère pour prendre soin de toi et t'élever. Une lacune bien triste, bien triste en effet. J'ai abordé le sujet à quelques reprises avec ton père et je lui ai loyalement indiqué quel était son devoir, mais cela n'a jusqu'à présent donné aucun résultat. J'espère qu'il prendra conscience de sa responsabilité avant qu'il ne soit trop tard. En attendant, tu as le devoir et le privilège de t'efforcer de remplacer ta sainte mère. Tu pourrais exercer une grande influence sur tes frères et ta petite sœur, tu pourrais être une vraie mère pour eux. Je crains que tu ne réfléchisses pas à ces choses comme tu le devrais. Permets-moi, ma chère enfant, de t'ouvrir les yeux.»

La voix huileuse et empreinte de suffisance de M. Perry coulait lentement. Il était dans son élément. Rien ne lui convenait davantage que d'exposer les règles, de regarder les autres du haut de sa hauteur et de les exhorter. Il ne songeait nullement à s'arrêter et ne s'arrêta pas. Il se tenait devant le feu, les pieds fermement plantés sur le tapis, continuant à déverser un flot de pompeuses platitudes. Faith n'en entendit pas un seul mot. Elle ne l'écoutait absolument pas. Mais elle contemplait, avec un ravissement impie brillant dans ses yeux marron, les basques de la longue redingote noire du révérend. M. Perry se tenait très près du feu. Les queues de sa redingote commençaient à brûler, à fumer. Il continuait pourtant à pontifier, enveloppé dans sa propre éloquence. Les basques de sa redingote fumèrent de plus en plus. Une petite étincelle s'envola des bûches et se posa au milieu d'une des deux basques. Elle y adhéra, couva et s'enflamma. Faith ne put se retenir plus longtemps et fit entendre un gloussement étouffé.

Irrité par cette impertinence, M. Perry se tut brusquement. Il prit soudain conscience qu'un relent de tissu brûlé envahissait la pièce. Il se tourna de tous les côtés et ne vit rien. Puis il saisit les basques de son habit et les ramena devant lui. Il y avait déjà un gros trou dans l'une d'elles et c'était son costume neuf. Faith ne put s'empêcher de pouffer de rire devant la mine déconfite du révérend.

«Est-ce que tu voyais mon habit brûler?» demanda-t-il, en colère.

«Oui, monsieur», répondit-elle d'un air ingénu.

«Pourquoi ne m'as-tu rien dit?» insista-t-il, la foudroyant du regard.

«Vous m'avez dit que c'était mal élevé d'interrompre les adultes, monsieur», répliqua-t-elle encore plus candidement.

«Si... si j'étais ton père, tu recevrais une fessée dont tu te souviendrais toute ta vie, mademoiselle», conclut le révérend en colère, sortant de la pièce. La veste du second meilleur costume de M. Meredith n'allait pas à M. Perry et ce dernier dut aller à l'office du soir affublé d'une redingote roussie. Il ne monta cependant pas l'allée avec son habituelle conscience de l'honneur qu'il faisait à l'édifice. Jamais plus il n'accepterait de changer de chaire avec M. Meredith, et c'est à peine s'il se montra courtois avec lui quand ils se croisèrent à la gare le lendemain matin. Mais Faith éprouva une satisfaction mélancolique. Adam avait été en partie vengé.

20

Faith se fait une amie

Le lendemain fut une journée difficile pour Faith à l'école. Mary avait raconté l'histoire d'Adam, et tous les écoliers, à l'exception des Blythe, la trouvèrent hilarante. Les filles, en gloussant, dirent à Faith que c'était bien dommage et les garçons lui adressèrent des notes de condoléances sardoniques. L'infortunée Faith rentra chez elle avec la sensation que son âme même était à vif et brûlait à l'intérieur d'elle.

«Je vais aller à Ingleside me confier à Mme Blythe, sanglota Faith. Elle ne se moquera pas de moi comme tous les autres. Il faut absolument que je parle à quelqu'un qui peut comprendre à quel point je souffre.»

Elle traversa en courant la vallée Arc-en-ciel. L'enchantement de la nature s'était de nouveau amorcé la veille au soir. Une neige légère était tombée et les sapins saupoudrés rêvaient d'un printemps à venir et d'une joie à vivre. Au loin, des bouleaux dénudés teintaient de pourpre la longue colline. Le paysage baignait tendrement dans la lumière rosée du soleil couchant. De tous les lieux enchantés, pleins de grâce étrange et féerique, la vallée Arc-en-ciel était, en ce soir d'hiver, le plus ravissant. Mais la pauvre petite Faith au cœur brisé ne pouvait jouir de son charme idyllique.

Passant près du ruisseau, elle tomba soudain sur Rosemary West, assise sur le vieux pin. Cette dernière rentrait chez elle après être allée donner un cours de musique aux fillettes d'Ingleside. Elle avait flâné dans la vallée quelque temps, contemplant la splendeur immaculée et errant dans des sentiers de rêve. À en juger par l'expression de son visage, ses pensées étaient agréables. Peut-être le léger tintement que produisaient à l'occasion les clochettes des Arbres amoureux faisait-il naître sur ses lèvres ce sourire fugitif... ou c'était peut-être la pensée que John Meredith manquait rarement de venir passer le lundi soir à la maison grise sur la colline blanche que le vent harcelait.

Pleine d'amertume et de révolte, Faith Meredith fit irruption dans les rêves de Rosemary. Apercevant cette dernière, elle s'arrêta brusquement. Elle ne la connaissait pas très bien, juste assez pour lui adresser la parole quand elles se rencontraient. Et là, elle n'avait envie de voir personne d'autre que Mme Blythe. Elle savait que ses yeux et son nez étaient rouges et enflés et détestait l'idée qu'une étrangère sache qu'elle avait pleuré.

«Bonsoir, Mlle West», articula-t-elle, gênée.

«Que se passe-t-il, Faith?» s'enquit gentiment Rosemary.

«Rien», répondit Faith, d'un ton plutôt bref.

«Oh!» Rosemary sourit. «Tu veux dire rien que tu puisses confier à des étrangers, n'est-ce pas?»

Faith regarda Mlle West avec un intérêt nouveau. Voilà une personne qui comprenait les choses. Et comme elle était jolie! Comme ses cheveux étaient dorés sous son bibi à plumes! Comme son teint était rose au-dessus de son manteau de velours! Comme ses yeux étaient bleus et sympathiques! Faith eut l'impression que Mlle West pourrait être une amie charmante, si seulement elle était une amie plutôt qu'une étrangère.

«Je... je m'en vais parler avec Mme Blythe. Elle comprend toujours, jamais elle ne se moque de nous. Je lui raconte toujours tout. Cela m'aide.»

«Chère petite fille, je suis désolée d'avoir à te dire que Mme Blythe n'est pas chez elle, annonça Rosemary avec sympathie. Elle est partie pour Avonlea aujourd'hui et ne reviendra pas avant la fin de la semaine.»

Les lèvres de Faith tremblèrent.

«Je ferais aussi bien de rentrer, alors», fit-elle d'un air malheureux.

«Je suppose que oui... à moins que tu ne penses pouvoir te confier à moi, proposa gentiment Rosemary. Cela fait tellement de bien de parler. Je le sais. Je ne pense pas comprendre aussi bien les choses que Mme Blythe, mais je te promets de ne pas rire.»

«Vous ne rirez pas extérieurement, hésita Faith, mais vous pourriez le faire... à l'intérieur.»

«Non, je ne rirai pas à l'intérieur non plus. Pourquoi le ferais-je? Quelque chose t'a fait de la peine, et cela ne m'amuse jamais de voir quelqu'un souffrir, peu importe ce qui a pu le blesser. Si tu veux me raconter ce qui t'a fait du mal, je serai contente de t'écouter. Mais si tu penses que tu préférerais garder ton secret, c'est bien aussi, ma chérie.»

Faith plongea longuement et avidement son regard dans les yeux de Mlle West. Ils étaient très graves, ne camouflant aucun rire, même tout au fond. Poussant un léger soupir, elle s'assit sur le vieux pin à côté de sa nouvelle amie et lui narra toute l'histoire d'Adam et de son cruel destin.

Rosemary ne rit pas; elle n'en avait aucune envie. Elle comprit et sympathisa. Elle était vraiment presque aussi gentille que Mme Blythe, oui, presque aussi gentille.

«M. Perry est pasteur, mais il aurait dû être *boucher*, conclut amèrement Faith. Il aime tellement dépecer. Ça lui plaisait de découper le pauvre Adam en morceaux. Il l'a tranché comme s'il s'était agi de n'importe quel coq.»

«Entre toi et moi, Faith, moi-même je n'aime pas beaucoup M. Perry, dit Rosemary en riant un peu — de M. Perry, non pas d'Adam, et Faith le comprit clairement — il ne m'a jamais plu. Je suis allée à l'école avec lui — c'était un garçon du Glen, tu sais — et c'était déjà un petit snob détestable. Oh! Comme nous, les filles, détestions tenir ses mains grasses et moites pendant les rondes! Mais tu dois te rappeler, ma chérie, qu'il ignorait qu'Adam était ton animal familier. Il croyait que ce n'était qu'un coq comme les autres. Il faut être juste, même quand on a terriblement mal.»

«J'imagine que oui, admit Faith. Mais pourquoi tout le monde semble-t-il trouver si amusant que j'aie tant aimé Adam, Mlle West? S'il s'était agi d'un horrible vieux chat, personne n'aurait trouvé la chose bizarre. Quand la moissonneuse a tranché les pattes du chaton de Lottie Warren, tout le monde a eu de la peine pour elle. Elle a pleuré pendant deux jours à l'école, et personne ne s'est moqué d'elle, pas même Dan Reese. Et tous ses amis sont allés aux funérailles du chaton et l'ont aidée à l'enterrer. On a cependant pas pu enterrer ses pauvres petites pattes avec lui, parce qu'on ne les a pas trouvées. C'était vraiment une chose affreuse, mais je pense pas que ça ait été aussi épouvantable que de voir son animal se faire manger. Pourtant, tout le monde a ri de moi.»

«À mon avis, c'est parce que le mot "coq" est plutôt amusant, suggéra gravement Rosemary. Il a une connotation cocasse. "Poussin" est différent. Cela ne semble pas aussi comique d'aimer un poussin.»

«Adam était le plus adorable petit poulet, Mlle West, une véritable petite boule dorée. Il accourait vers moi et picorait dans ma main. En grandissant, il est devenu très beau, aussi, blanc comme la neige, avec une si belle queue recourbée, même si Mary la trouvait trop courte. Il connaissait son nom et venait toujours quand je l'appelais. C'était un coq très intelligent. Et tante Martha n'avait pas le droit de le tuer. Il m'appartenait. Ce n'était pas juste, n'est-ce pas, Mlle West?»

«Non, ce ne l'était pas, répondit Rosemary avec conviction. Absolument pas. Je me souviens d'avoir eu une poule comme animal familier dans mon enfance. C'était une petite chose ravissante, brun doré et toute tachetée. On ne l'a jamais tuée. Elle est morte de vieillesse. Maman n'aurait jamais accepté qu'on la tue parce que je l'aimais.»

«Si ma mère avait été en vie, elle n'aurait pas permis qu'on tue Adam, dit Faith. Papa non plus, s'il avait été à la maison et l'avait su. Je suis certaine qu'il n'aurait pas permis ça, Mlle West.»

«Moi aussi», affirma Rosemary. Une légère rougeur colora ses joues. Elle sembla en prendre conscience mais Faith ne remarqua rien.

«Est-ce que c'était très méchant de ma part de ne pas avoir averti M. Perry que sa redingote était en train de brû-ler?» demanda-t-elle anxieusement.

«Oh! Terriblement méchant, répondit Rosemary, une lueur dans les yeux. Mais j'aurais été tout aussi vilaine, Faith, je ne lui aurais pas dit qu'elle brûlait. Et je ne crois pas que j'aurais jamais eu de remords.»

«Una pense que j'aurais dû l'avertir parce que c'est un pasteur.»

«Quand un pasteur ne se conduit pas en gentleman, on n'est pas porté à respecter ses basques, mon trésor. Je sais que j'aurais adoré voir flamber celles de Jimmy Perry. Cela a dû être très drôle.»

Elles rirent toutes deux; mais Faith poussa un autre soupir amer.

«En bien, en tout cas, Adam est mort et jamais plus je n'aimerai quoi que ce soit.»

«Ne dis pas ça, ma chouette. Nous nous privons de tant de choses quand nous n'aimons pas. Plus nous aimons, plus la vie est riche, même quand l'objet de notre affection n'est qu'une petite bête à poil ou à plumes. Aimerais-tu avoir un canari, Faith? Un minuscule canari jaune? Je t'en donnerai un, si tu veux. J'en ai deux à la maison.»

«Oh! J'adorerais cela, Mlle West, s'écria Faith. Je raffole des oiseaux. Seulement... si le chat de tante Martha le mangeait? C'est si tragique de voir vos bêtes se faire dévorer. Je ne pense pas que je pourrais supporter une telle peine une autre fois.»

«Si tu suspends la cage suffisamment loin du mur, je ne crois pas que le chat puisse lui faire de mal. Je t'expliquerai comment t'occuper de lui et je l'apporterai à Ingleside quand j'irai la prochaine fois.»

Rosemary se dit en son for intérieur que cela alimenterait les potins du Glen, mais que cela lui était égal. Elle voulait consoler cette petite âme blessée.

Faith était réconfortée. La sympathie et la compréhension faisaient tellement de bien. Elle et Rosemary restèrent assises sur le vieux pin jusqu'à ce que le crépuscule commence à envahir doucement la vallée blanche et que l'étoile du berger brille sur l'érablière grise. Faith confia à Rosemary toute l'histoire de sa vie, ses espoirs, ce qu'elle aimait et ce qu'elle détestait, les événements du presbytère, les hauts et les bas de la vie à l'école. Elles finirent par se séparer en excellents termes.

M. Meredith était, comme d'habitude, perdu dans ses rêves quand le souper commença ce soir-là, puis il entendit un nom qui le ramena à la réalité. Faith racontait à Una sa rencontre avec Rosemary.

«Elle est tout simplement charmante, selon moi, disait-elle. Aussi gentille que Mme Blythe, mais différente. J'avais envie de la serrer dans mes bras. Elle l'a fait, elle, et c'était si bon, si velouté. Et elle m'appelait son "trésor". Ça m'a bouleversée. Je pourrais tout lui raconter.»

«Alors, tu as aimé Mlle West, Faith?» demanda M. Meredith. Sa voix avait une intonation étrange.

«Je l'adore!» s'écria Faith.

«Ah! fit M. Meredith. Ah!»

21

Le mot impossible à prononcer

John Meredith marchait, songeur, dans la fraîcheur limpide d'un soir d'hiver dans la vallée Arc-en-ciel. Au-delà, la lune sur la neige faisait scintiller les collines d'un lustre superbe et glacé. Chacun des petits sapins de la longue vallée chantait sa propre chanson sauvage sur la harpe du vent et du givre. Les enfants Meredith et Blythe étaient en train de glisser sur la butte à l'est et de filer à toute allure sur l'étang gelé. Ils s'amusaient comme des fous et l'écho joyeux de leurs voix et de leurs rires résonnait dans toute la vallée, avant de mourir au loin, parmi les arbres, en cadences magiques. Sur la droite, les lumières d'Ingleside luisaient à travers l'érablière, attrayantes et invitantes comme c'est toujours le cas quand il s'agit d'une maison où nous savons que tous les proches, qu'ils soient de chair ou d'esprit, seront accueillis avec affection et chaleur. M. Meredith aimait beaucoup, à l'occasion, y passer la soirée à discuter avec le docteur auprès d'un feu de bois de grève, là où les célèbres chiens de porcelaine montaient la garde, comme s'ils étaient devenus les divinités du foyer; ce soir-là, ce n'était pas pourtant dans cette direction qu'il regardait. Loin sur la colline à l'ouest brillait une lueur plus pâle mais plus attirante. M. Meredith s'en allait voir Rosemary West, et il avait l'intention de lui confier un secret qui avait germé lentement dans son cœur depuis le jour de leur première rencontre et s'était ouvert comme une fleur le soir où Faith avait si chaudement exprimé son admiration à l'égard de Rosemary.

Il avait fini par prendre conscience de son attachement pour Rosemary. Un attachement bien sûr différent de celui qu'il avait éprouvé pour Cecilia. Cet amour avait été totalement différent. Jamais, pensait-il, il ne pourrait revivre un amour aussi romantique, enchanteur et lumineux. Mais Rosemary était belle, douce et chère, très chère à son cœur. Elle était la meilleure des amies. Il se sentait plus heureux en sa compagnie qu'il n'avait jamais espéré l'être. Elle ferait une maîtresse de maison idéale, et une bonne mère pour ses enfants.

Au cours des années de son veuvage, M. Meredith s'était à maintes reprises fait insinuer, par certains de ses confrères presbytériens et des paroissiens ne pouvant être soupçonnés de nourrir des arrière-pensées, qu'il devrait se remarier. Mais ces insinuations n'avaient jamais produit aucune impression sur lui. On pensait en général qu'il ne les entendait même pas. C'était pourtant tout le contraire. Et quand il lui arrivait d'avoir un éclair de bon sens, il savait que la seule chose raisonnable à faire était en effet de se remarier. Mais le bon sens n'était pas le point fort de M. Meredith, et le fait de choisir, délibérément et de sang-froid, une épouse «convenable», comme on choisirait une femme de ménage ou un associé en affaires, était une chose dont il était tout à fait incapable. Comme il haïssait le mot «convenable», qui lui faisait tellement penser à James Perry! «Une femme *convenable* d'un âge *convenable*» lui avait insinué d'une façon loin d'être subtile cet onctueux confrère. À cet instant, John Meredith avait eu le désir absolument invraisemblable de courir demander la main de la femme la plus jeune et la moins convenable qu'il pourrait trouver.

Mme Marshall Elliott était une de ses bonnes amies et il l'aimait bien. Mais quand elle lui avait dit carrément qu'il devait se remarier, il avait eu l'impression qu'elle avait déchiré le voile suspendu devant le sanctuaire de sa vie la plus intime et, depuis, il avait toujours eu plus ou moins peur d'elle. Il savait qu'au sein de sa congrégation, il y avait des femmes d'âge «convenable» qui accepteraient sans hésiter de l'épouser. Il avait beau être dans la lune, il en avait eu très vite conscience au cours de son ministère à Glen St. Mary. Il s'agissait de bonnes personnes, mais tout à fait inintéressantes; si une ou deux d'entre elles étaient plutôt banales, les autres l'étaient carrément; et John Meredith n'avait pas plus envie d'en épouser une que d'aller se pendre. Il avait certains idéaux auxquels nulle soi-disant nécessité ne lui ferait renoncer. Il ne pouvait demander à aucune femme de remplacer Cecilia dans sa maison à moins de pouvoir lui offrir au moins un peu de l'affection et du respect qu'il avait donnés à sa jeune épouse. Et où, parmi les rares femmes de sa connaissance, cette perle rare se trouvait-elle?

Rosemary West était entrée dans sa vie un certain soir d'automne; autour d'elle flottait une atmosphère où son esprit reconnut un air familier. Étrangers qu'un gouffre séparait, leurs mains se tendirent pourtant dans un geste d'amitié. Pendant ces dix minutes passées près de la source cachée, il la connut mieux qu'en un an il n'avait connu Emmeline Drew, Elizabeth Kirk ou Amy Annetta Douglas, ou ne pourrait les connaître en un siècle. C'est auprès d'elle qu'il avait cherché du réconfort quand Mᵐᵉ Alec Davis avait outragé son esprit et son cœur, et il l'avait trouvé. Depuis, il s'était souvent rendu à la maison sur la colline, se glissant si astucieusement dans la vallée Arc-en-ciel à travers les sentiers sombres de la nuit que les commères du Glen n'étaient jamais absolument certaines qu'il allait vraiment voir Rosemary West. Une ou deux fois, il avait été surpris dans le salon des West par d'autres visiteurs; les Dames patronnesses devaient se contenter de ça. Mais ayant eu vent de cette rumeur, Elizabeth Kirk renonça, sans que son visage placide ne change d'expression, à un espoir qu'elle s'était permis de chérir, et Emmeline Drew résolut que la prochaine fois qu'elle verrait un certain vieux garçon de Lowbridge, elle ne le snoberait pas comme elle l'avait fait lors d'une rencontre précédente. Bien entendu, si Rosemary West avait décidé de prendre le pasteur au piège, elle y arriverait; elle paraissait plus jeune que son âge et les *hommes* la trouvaient jolie; de plus, les demoiselles West avaient de l'argent!

«Il est à espérer qu'il ne sera pas dans la lune au point de demander la main d'Ellen», fut le seul commentaire malicieux qu'elle se permit de dire à une de ses sœurs. Emmeline ne garda pas rancune à Rosemary. Tout compte fait, un célibataire libre était un bien meilleur parti qu'un veuf père de quatre enfants. Ce n'était que l'attrait du presbytère qui avait temporairement aveuglé Emmeline.

Un traîneau dans lequel trois occupants lançaient des cris perçants dépassa M. Meredith et fonça vers l'étang. Les longues boucles de Faith flottaient dans le vent et elle riait plus fort que les autres. John Meredith les regarda longuement avec tendresse. Il était heureux que ses enfants eussent des camarades comme les Blythe, et une amie si sage, gaie et tendre que Mme Blythe. Mais ils avaient besoin de quelque chose de plus, quelque chose qu'apporterait Rosemary West quand elle entrerait au presbytère comme épouse. Cette chose était en elle une qualité essentiellement maternelle.

C'était le samedi soir et il allait rarement en visite le samedi soir, qui était censé être consacré à une révision approfondie de son sermon du dimanche. Il avait pourtant choisi ce soir-là ayant appris qu'Ellen West serait absente et qu'il pourrait par conséquent voir Rosemary seul à seule. Bien qu'il eût passé de plaisantes soirées dans la maison sur la colline, il n'avait jamais vu Rosemary seule depuis leur première rencontre près de la source. Ellen avait toujours été là.

Ce n'était pas qu'il s'opposait à sa présence. Ellen West lui plaisait énormément et ils étaient les meilleurs amis du monde. Elle comprenait les choses d'une façon presque masculine et possédait un sens de l'humour que sa propre appréciation du plaisir, timide et camouflée, trouvait très agréable. Il aimait l'intérêt qu'elle manifestait à l'égard de la politique et des événements mondiaux. Personne au Glen, pas même le Dr Blythe, n'en avait une perception plus juste.

«Je pense que tant qu'on vit, on est aussi bien de s'inté-resser aux choses, disait-elle. Sinon, je n'ai pas l'impression qu'il y aurait une grande différence entre la vie et la mort.»

Il aimait son agréable voix de contralto ainsi que le rire sincère par lequel elle ponctuait toujours quelque histoire cocasse et bien racontée. Elle ne lui donnait jamais de coups de griffe à propos de ses enfants comme les autres femmes du Glen; toujours superbement sincère, elle était sans malice ni mesquinerie. Ayant adopté la façon de Mlle Cornelia de classer les gens, M. Meredith considérait Ellen comme appar-tenant à la race de Joseph. Dans l'ensemble, elle ferait une belle-sœur admirable. Un homme n'avait pourtant pas envie de voir même la femme la plus admirable du monde dans les parages quand il faisait sa demande en mariage à une autre. Et Ellen était toujours dans les parages. Elle n'insistait pas pour l'accaparer tout le temps, et laissait suffisamment de place à Rosemary. En vérité, Ellen s'était à maintes occasions presque totalement effacée, s'asseyant en retrait dans un coin, Saint-Georges sur les genoux, et laissant M. Meredith et Rosemary bavarder, chanter et lire des livres ensemble. Il leur arrivait d'oublier tout à fait sa présence. Mais si leur conversation ou le choix de leurs duos trahissait un tant soit peu une tendance à ce qu'Ellen considérait comme du flirt, elle s'interposait aussitôt et reléguait Rosemary à l'arrière-plan pour le reste de la soirée. Mais même le plus mélanco-lique des aimables dragons ne pouvait empêcher les yeux, le sourire et un éloquent silence de transmettre leurs subtils messages. C'est ainsi que la cour du pasteur progressait à sa façon.

Pourtant, si un sommet devait être atteint, cela ne pour-rait se faire que pendant l'absence d'Ellen. Et elle ne sortait que très rarement, surtout l'hiver. Elle considérait que son propre coin du feu était l'endroit le plus douillet au monde, assurait-elle. Courir la galipote n'exerçait aucun attrait sur elle. Elle aimait avoir de la compagnie, mais chez elle. M. Meredith en était presque arrivé à la conclusion qu'il lui faudrait écrire à Rosemary ce qu'il voulait lui dire lorsqu'un soir, Ellen avait négligemment annoncé qu'elle irait à une noce d'argent le samedi suivant. Elle avait été demoiselle d'honneur lors du mariage. Comme seuls les anciens invités étaient conviés, Rosemary ne l'était pas. M. Meredith tendit l'oreille et un éclat anima ses yeux sombres et rêveurs. Ellen et Rosemary le virent toutes deux et comprirent, avec un choc, que M. Meredith viendrait certainement sur la colline le samedi soir suivant.

«Aussi bien en finir tout de suite avec lui, Saint-Georges», fit sévèrement remarquer Ellen au chat noir après que M. Meredith fut rentré chez lui et Rosemary, silencieusement montée à sa chambre. «Il veut lui demander sa main, Saint-Georges, j'en suis parfaitement sûre. Alors, c'est aussi bien qu'il ait l'occasion de le faire et de découvrir qu'il ne peut l'obtenir, Georges. Elle aimerait bien accepter, Saint, je le sais aussi, mais elle a promis et elle doit tenir parole. Il n'y a aucun homme que je prendrais plus volontiers pour beau-frère, si je devais en avoir un. Je n'ai absolument rien à lui reprocher, Saint, sauf le fait qu'il ne voit pas et ne peut voir que le Kaiser constitue une menace pour l'Europe. C'est son seul point noir. Mais il est de compagnie agréable et je l'aime bien. Une femme peut dire tout ce qu'elle veut à un homme qui a une bouche comme John Meredith sans crainte d'être mal comprise. Des hommes pareils sont plus précieux que des rubis, Saint, et beaucoup plus rares, Georges. Mais il ne peut épouser Rosemary, et je présume que quand il le saura, il nous laissera tomber toutes les deux. Et il nous manquera, Saint, il nous manquera vraiment beaucoup, Georges. Mais elle a donné sa parole, et je verrai à ce qu'elle la tienne.»

Ellen devint presque laide lorsqu'elle prononça à voix basse cette résolution. À l'étage, Rosemary pleurait dans ses oreillers.

C'est ainsi que M. Meredith trouva sa dame seule et très belle. Rosemary n'avait pas mis de toilette particulière pour l'occasion; elle en avait eu l'intention, puis s'était dit qu'il était absurde de s'endimancher pour un homme dont on allait rejeter la demande en mariage. Elle portait donc sa sobre robe noire d'après-midi dans laquelle elle avait le port d'une reine. L'excitation qu'elle refoulait illuminait son visage et ses grands yeux bleus brillaient d'un éclat moins placide que d'habitude.

Elle aurait voulu que l'entretien fût terminé, l'ayant appréhendé avec terreur toute la journée. Elle avait la certitude qu'à sa façon, John Meredith l'aimait beaucoup, mais pas autant que sa première femme, toutefois. Elle sentait que son refus le décevrait considérablement, mais ne croyait pas qu'il en serait vraiment bouleversé. Si, pourtant, elle détestait l'idée de lui opposer ce refus, c'était tout autant pour lui que — Rosemary était honnête avec elle-même — pour elle. Elle savait qu'elle aurait pu aimer John Meredith si cela lui avait été permis. Elle savait que sa vie deviendrait vide si, rejeté comme amoureux, il refusait de continuer à être un ami. Elle savait qu'elle pourrait être très heureuse avec lui et qu'elle pourrait le rendre heureux. Mais entre elle et le bonheur, il y avait une porte de prison: cette promesse qu'elle avait faite à Ellen des années auparavant. Rosemary n'avait aucun souvenir de son père; il était décédé quand elle n'avait que trois ans. Ellen, par contre, qui était âgée de treize ans au moment de sa mort, se rappelait très bien de lui, mais sans tendresse particulière. Il avait été un homme sévère et réservé, beaucoup plus vieux que sa jolie femme blonde. Cinq années plus tard, leur frère de douze ans était mort à son tour; à partir de ce moment, les deux filles avaient vécu seules avec leur mère. Elles n'avaient jamais participé de très bon cœur à la vie sociale du Glen et de Lowbridge, même si, partout où elles allaient, la vivacité d'esprit d'Ellen et le charme de Rosemary faisaient d'elles des invitées recherchées. Toutes deux avaient eu, dans leur jeunesse, ce qu'il est convenu d'appeler une «déception». La mer n'avait pas rendu à Rosemary son amoureux; et Norman Douglas, qui était alors un jeune géant roux de belle apparence réputé pour ses randonnées sauvages et ses escapades bruyantes mais inoffensives, s'était querellé avec Ellen et l'avait laissée tomber dans un accès de dépit.

Les candidats n'avaient pas manqué pour remplacer Martin et Norman, mais aucun n'avait paru trouver grâce aux yeux des demoiselles West qui quittaient lentement la jeunesse et la beauté sans avoir l'air d'éprouver aucun regret. Elles s'étaient consacrées à leur mère, une invalide chronique. Toutes trois avaient un petit cercle d'intérêts domestiques constitué de livres, d'animaux familiers et de fleurs, qui leur assurait la satisfaction et le bonheur.

La mort de Mme West, survenue le jour du vingt-cinquième anniversaire de Rosemary, leur causa une douleur terrible. Tout d'abord, leur mère leur manqua intolérablement. Ellen, en particulier, continua à broyer du noir, ses longues songeries mélancoliques rompues uniquement par de frénétiques crises de larmes. Le vieux médecin de Lowbridge confia à Rosemary qu'il craignait une neurasthénie permanente ou pire encore.

Une fois, alors qu'Ellen était restée prostrée toute la journée, refusant de parler et de manger, Rosemary s'était jetée à genoux à côté d'elle.

«Oh! Ellen, je suis encore là, moi, avait-elle dit d'un ton implorant. Est-ce que je ne signifie rien pour toi? Nous nous sommes toujours tellement aimées.»

«Je ne t'aurai pas toujours à mes côtés, avait rétorqué Ellen, brisant son silence avec une rauque intensité. Tu te marieras et me laisseras. Je me retrouverai toute seule. Je ne peux supporter cette idée. Je ne peux tout simplement pas. J'aimerais mieux mourir.»

«Je ne me marierai jamais, avait déclaré Rosemary, jamais, Ellen.»

Ellen s'était penchée en avant et avait plongé ses yeux dans ceux de Rosemary.

«Vas-tu me le promettre solennellement? avait-elle demandé. Me le promettre sur la Bible de notre mère?»

Rosemary avait accepté sur-le-champ bien volontiers de se plier au désir d'Ellen. Quelle importance? Elle savait bien qu'elle ne voudrait jamais épouser personne. Son amour avait été englouti avec Martin Crawford dans les profondeurs de l'océan. Elle avait donc promis, quoique Ellen en eut fait une cérémonie plutôt morbide. Elles avaient joint leurs mains au-dessus de la Bible, dans la chambre vide de leur mère, et s'étaient toutes deux juré de ne jamais se marier et de passer toute leur vie ensemble.

L'état d'Ellen s'était amélioré à partir de cet instant. Elle avait bientôt retrouvé sa bonne humeur et son aplomb habituels. Pendant dix ans, elle et Rosemary avaient vécu heureuses dans la vieille maison, jamais troublées par aucune velléité de se marier ou de donner l'autre en mariage. Leur promesse ne leur pesait pas. Ellen n'avait jamais raté une occasion de la rappeler à sa sœur chaque fois qu'un mâle potable croisait leur chemin; elle n'avait pourtant jamais été vraiment alarmée avant le soir où John Meredith avait raccompagné Rosemary à la maison. Quant à Rosemary, jusqu'à récemment, elle avait toujours été amusée par cette obsession d'Ellen à propos de leur promesse. C'était à présent devenu une chaîne impitoyable, qui s'imposait d'elle-même mais jamais ne pourrait être secouée. À cause d'elle, Rosemary devrait ce soir tourner le dos au bonheur.

C'était vrai que jamais elle ne pourrait offrir à un autre le timide et charmant amour romantique, tout en boutons de roses, qu'elle avait donné à son jeune amoureux. Elle savait pourtant qu'à présent, elle pourrait offrir à John Meredith un amour plus riche, plus mûr. Elle savait qu'il avait touché, chez elle, des profondeurs où jamais Martin n'avait eu accès, qu'il n'était peut-être pas possible d'atteindre chez une jeune fille de dix-sept ans. Et elle devait le renvoyer ce soir, le renvoyer à son cœur solitaire, à son existence vide et à ses tristes problèmes, et cela parce que dix ans auparavant, elle avait, sur la Bible de sa mère, juré à Ellen de ne jamais se marier.

John Meredith ne sauta pas immédiatement sur l'occasion. Au contraire, il l'entretint pendant deux bonnes heures de sujets qui n'avaient rien à voir avec l'amour. Il aborda même des questions politiques, bien que cela eût toujours ennuyé Rosemary. Cette dernière commença à penser qu'elle s'était entièrement trompée, et ses craintes et attentes lui parurent tout à coup grotesques. Elle se sentit terne et idiote. Son visage et son regard perdirent leur éclat. John Meredith n'avait pas la moindre intention de la demander en mariage.

C'est alors qu'il se leva brusquement, traversa la pièce et, debout à côté de son fauteuil, il le lui demanda. Le silence tomba sur la pièce. Même Saint-Georges avait cessé de ronronner. Rosemary entendit battre son propre cœur et fut certaine que John Meredith l'entendait lui aussi.

Le moment était venu de dire non, gentiment mais fermement. Elle avait préparé depuis plusieurs jours sa petite formule de regret guindée. Et voilà que les paroles avaient complètement disparu de son esprit. Elle devait dire non et s'aperçut tout à coup que cela lui était impossible. C'était le mot impossible à prononcer. Elle le savait à présent: il n'était pas question de ne pas pouvoir aimer John Meredith, elle l'*aimait* réellement. La pensée de le chasser de sa vie était atroce.

Elle devait dire quelque chose; elle releva sa tête dorée et lui demanda en bafouillant de lui accorder quelques jours de... de réflexion.

John Meredith fut un peu surpris; il n'était pas plus vaniteux que tout autre homme avait le droit de l'être, mais il s'était attendu à ce que Rosemary dise oui tout de suite. Il avait été suffisamment certain de lui plaire. Alors, pourquoi ce doute, cette hésitation? Elle n'était plus une écolière qui ne savait pas ce qu'elle pensait. Il éprouva un choc hideux de déception et de consternation. Il accéda pourtant à la demande de Rosemary avec son habituelle courtoisie et prit aussitôt congé.

«Je vous donnerai ma réponse dans quelques jours», fit Rosemary, les yeux baissés et les joues en feu.

Après avoir refermé la porte sur lui, elle retourna dans la pièce et se tordit les mains.

22

Saint-Georges a tout compris

À minuit, Ellen West revenait des noces d'argent des Pollock. Elle s'était attardée après le départ des autres invités pour aider la mariée aux cheveux gris à laver la vaisselle. Les deux maisons n'étaient pas très éloignées l'une de l'autre et comme le chemin était bon, Ellen appréciait sa promenade au clair de lune.

La soirée avait été agréable. N'étant pas allée à une réception depuis des années, Ellen avait beaucoup goûté celle-ci. Tous les invités avaient déjà fait partie de leur vieille bande et aucun jeune n'avait fait intrusion pour gâter la saveur de la fête, car le fils unique des jubilaires, qui poursuivait au loin des études universitaires, n'avait pu être présent. Norman Douglas était là et même s'ils s'étaient croisés une ou deux fois à l'église cet hiver-là, c'était la première fois depuis des années qu'ils se rencontraient socialement. Leur rencontre n'avait pas éveillé le moindre sentiment dans le cœur d'Ellen. Elle avait l'habitude, quand elle repensait à toute l'histoire, de se demander comment elle avait déjà pu idéaliser cet homme ou éprouver tant de peine lorsqu'il s'était brusquement marié. Mais elle avait été plutôt contente de le revoir. Elle avait oublié combien il pouvait être tonifiant et stimulant. Aucune réunion n'était morne quand Norman Douglas était présent. Sa venue avait étonné tout le monde.

Il était de notoriété publique que Norman n'allait jamais nulle part. Les Pollock l'avaient convié parce qu'il avait été l'un des invités originaux, mais ils n'auraient jamais pensé qu'il viendrait. Il avait amené au souper sa cousine au deuxième degré, Amy Annetta Douglas, et paraissait lui témoigner beaucoup d'égards. Mais Ellen s'était assise en face de lui à la table et ils avaient eu une discussion hautement intellectuelle au cours de laquelle ni les vociférations ni l'ironie de Norman n'avaient pu lui faire perdre ses esprits; elle avait finalement eu le dernier mot, triomphant de Norman si calmement et si radicalement qu'il en était resté coi quelques instants. On l'avait ensuite entendu marmonner dans sa barbe rousse «elle a toujours autant de cran, toujours autant de cran»; puis il s'était mis à faire le matamore devant Amy Annetta qui gloussait sottement alors qu'Ellen aurait rétorqué avec mordant à ses saillies.

Ellen repensait à ces choses en marchant vers chez elle et, avec le recul, elle en éprouvait un sentiment de jubilation. Le givre scintillait dans l'air, au clair de lune. La neige crissait sous ses pas. Au-dessous d'elle s'étalait le Glen et, au-delà, le port immaculé. Une lumière était allumée dans le bureau du presbytère. John Meredith était donc rentré chez lui. Avait-il demandé à Rosemary de l'épouser? Et de quelle façon lui avait-elle exprimé son refus? Ellen eut l'intuition que, malgré sa grande curiosité, jamais elle ne le saurait. Elle était sûre que Rosemary ne lui parlerait jamais de cela et qu'elle n'oserait pas poser de questions. Elle devrait se contenter du refus. Après tout, c'était la seule chose qui comptait vraiment.

«J'espère qu'il aura le bon sens de revenir nous voir de temps en temps en ami», se dit-elle à voix haute. Elle détestait tant être seule qu'en pensant à voix haute, elle abolissait la solitude non désirée. «C'est affreux de ne jamais avoir d'homme quelque peu intelligent pour parler à l'occasion. Et j'ai l'intuition qu'il ne s'approchera jamais plus de la maison. Il y a aussi Norman Douglas; il me plaît, et j'aimerais bien avoir une bonne grosse discussion avec lui de temps à autre. Mais il n'osera jamais venir de peur que les gens pensent qu'il me refait la cour, de peur que *moi* je le pense, sans doute, même s'il m'est davantage un étranger que John Meredith. La pensée que nous avons déjà été amoureux paraît un rêve. Pourtant voilà, il n'y a que deux hommes à qui je veux parler dans tout le Glen et avec tous ces lamentables potins sur l'éventualité d'une histoire d'amour, je ne les reverrai probablement jamais plus ni l'un ni l'autre. J'aurais pu, continua Ellen en s'adressant aux étoiles avec une emphase méprisante, j'aurais pu créer un monde meilleur.»

Elle s'arrêta à la grille, se sentant tout à coup vaguement inquiète. La lumière brillait encore dans le salon et, à travers les vitres, on voyait l'ombre d'une femme qui marchait inlassablement de long en large. Que faisait Rosemary à cette heure de la nuit? Et pourquoi arpentait-elle la pièce ainsi, comme une lunatique?

Ellen entra doucement. Au moment où elle ouvrait la porte du couloir, Rosemary sortit de la pièce. Elle avait le teint animé et était hors d'haleine. Une atmosphère de tension et de passion flottait autour d'elle comme un vêtement.

«Pourquoi n'es-tu pas couchée, Rosemary?» s'étonna Ellen.

«Viens ici, dit Rosemary avec intensité. Il faut que je te parle.»

Ellen enleva posément son manteau et ses couvre-chaussures et suivit sa sœur dans la pièce qu'un feu éclairait et réchauffait. Elle resta immobile, une main sur la table, et attendit. Elle-même était très belle, dans son genre: sévère aux sourcils noirs. La nouvelle robe de velours noir, avec sa traîne et son encolure en pointe, qu'elle avait fait faire expressément pour la réception, mettait en valeur sa silhouette massive et majestueuse. Elle portait autour du cou le riche et lourd collier de grains d'ambre qui était un bijou de famille. Sa promenade dans l'air givré avait donné à ses joues une teinte vermeille. Mais ses yeux bleu d'acier étaient aussi froids et impitoyables que le ciel d'un soir d'hiver. Elle était debout, attendant dans un silence que Rosemary ne put briser que par un effort convulsif.

«Ellen, M. Meredith est venu, ce soir.»

«Oui?»

«Et... et... il m'a demandée en mariage.»

«Je m'y attendais. Tu as refusé, évidemment?»

«Non.»

«Rosemary!» Ellen joignit les mains et fit involontairement un pas en arrière. «Es-tu en train de me dire que tu as accepté?»

«Non... non.»

Ellen retrouva son sang-froid.

«Qu'est-ce que tu voulais dire, alors?»

«Je... je lui ai demandé de m'accorder quelques jours de réflexion.»

«J'ai peine à voir en quoi c'était nécessaire, laissa tomber Ellen avec un mépris glacial, quand tu ne peux lui donner qu'une seule réponse.»

Rosemary tendit les mains dans un geste implorant.

«Ellen, fit-elle d'un ton désespéré, j'aime John Meredith, je veux être sa femme. Vas-tu me libérer de ma promesse?»

«Non», trancha-t-elle, sans pitié parce que malade de terreur.

«Ellen... Ellen...»

«Écoute, interrompit cette dernière, ce n'est pas moi qui t'ai arraché cette promesse. Tu me l'as offerte de ton plein gré.»

«Je sais, je sais. Mais à ce moment-là, je ne croyais pas que je pourrais jamais aimer quelqu'un d'autre.»

«C'est toi qui l'as offerte, répéta Ellen sans se laisser émouvoir. Tu as juré sur la Bible de notre mère. C'était plus qu'une promesse, c'était un serment. Et voilà que tu veux le rompre.»

«Je t'ai seulement demandé de m'en libérer, Ellen.»

«Je refuse. À mes yeux, une promesse est une promesse. Je refuse. Brise ta promesse, parjure-toi si tu le veux, mais ce ne sera pas avec mon consentement.»

«Tu es très dure avec moi, Ellen.»

«Dure avec toi? Et qu'en est-il de moi? As-tu déjà seulement pensé à ce que serait ma solitude si tu partais? Je ne pourrais pas la supporter, je deviendrais folle. Je ne peux pas vivre seule. Comme sœur, est-ce que je n'ai pas été bonne pour toi? Me suis-je déjà opposée à un seul de tes désirs? Ne t'ai-je pas fait profiter de tout?»

«Oui, oui.»

«Alors pourquoi veux-tu me laisser pour cet homme que tu ne connaissais pas il y a un an?»

«Je l'aime, Ellen.»

«Tu l'aimes! Une femme d'âge mûr comme toi qui tient des propos de petite maîtresse d'école! Il ne t'aime pas, lui. Il a besoin d'une ménagère et d'une gouvernante. Tu ne l'aimes pas non plus. Tu veux être appelée "Madame", tu n'es qu'une de ces femmes sans caractère qui considèrent comme une disgrâce d'être classée au rang des vieilles filles. Il n'y a rien d'autre.»

Rosemary frémit. Ellen ne pouvait pas, ou ne voulait pas, comprendre. Il ne servait à rien de discuter avec elle.

«Tu refuses donc de me relever de ma promesse, Ellen?»

«Oui. Et je ne veux plus en parler. Tu as promis et tu dois tenir parole. C'est tout. Va te coucher. Tu as vu l'heure qu'il est? Te voilà toute romantique et à bout de nerfs. Tu seras plus sensée demain. En tout cas, je ne veux plus entendre un mot de ces absurdités. Va-t'en.»

Rosemary s'en alla en silence, blême et défaite. Ellen arpenta rageusement la pièce pendant quelques instants, puis elle s'arrêta devant le fauteuil où Saint-Georges avait dormi sereinement toute la soirée. Un sourire contraint détendit son visage sombre. Une seule fois, dans sa vie — à la mort de sa mère — Ellen avait été incapable de tempérer la tragédie par la comédie. Même lors de cette cruelle déception, il y avait longtemps, quand Norman Douglas l'avait, d'une certaine façon, laissée tomber, elle avait ri d'elle-même aussi souvent qu'elle avait pleuré sur son propre sort.

«J'imagine qu'elle va bouder quelque temps, Saint-Georges. Oui, Saint, je m'attends à ce qu'on vive quelques jours de brouillard. Eh bien, on va passer à travers, Georges.

Ce n'est pas la première fois qu'on est aux prises avec des enfantillages, Saint. Rosemary va bouder quelque temps, et puis, elle va en revenir et tout rentrera dans l'ordre, Georges. Elle a promis et elle doit tenir parole. Et c'est la dernière fois que j'aborde ce sujet avec toi, avec elle ou avec quiconque, Saint.»

Mais Ellen ne put pourtant fermer l'œil de la nuit.

Rosemary ne bouda cependant pas. Elle était pâle et calme le lendemain, mais à part cela, Ellen ne détecta aucune différence dans son comportement. Elle ne paraissait certainement pas tenir rancune à Ellen. Comme le temps était très maussade, il ne fut pas question d'aller à l'église. Pendant l'après-midi, Rosemary s'enferma dans sa chambre pour écrire un mot à John Meredith. Elle ne se croyait pas assez forte pour dire «non» en personne. Elle était sûre que s'il soupçonnait qu'elle refusait contre son gré, il ne prendrait pas cela pour une réponse et elle ne pouvait affronter l'éventualité qu'il la supplie. Elle devait le convaincre qu'elle n'éprouvait aucun amour pour lui et cela, elle ne pouvait le faire que par lettre. Elle rédigea donc le petit mot de refus le plus guindé, le plus froid imaginable. À peine courtois, il ne laissait aucune échappatoire ou aucun espoir possible à l'audacieux prétendant — et John Meredith était tout sauf audacieux. Il rentra dans sa coquille, blessé et mortifié, lorsqu'il lut la lettre de Rosemary le lendemain dans son bureau poussiéreux. Mais derrière sa mortification, une certitude épouvantable se fit jour. Il avait cru qu'il n'aimait pas Rosemary d'un amour aussi profond que celui qu'il avait éprouvé pour Cecilia. À présent qu'il l'avait perdue, il savait que c'était le contraire. Elle signifiait tout pour lui, tout. Et il devait l'écarter totalement de sa vie. Même l'amitié était devenue impossible. L'existence s'étala devant lui, intolérablement monotone. Il devait continuer — il y avait son travail, ses enfants — mais le cœur n'y était plus. Il passa cette soirée assis tout seul dans son bureau sombre, froid et inconfortable, la tête dans ses mains. Au sommet de la colline, Rosemary avait la migraine et alla se coucher de bonne heure tandis qu'Ellen faisait remarquer à Saint-Georges, qui ronronnait son dédain du genre humain stupide ignorant qu'un coussin moelleux était la seule chose qui comptait réellement:

«Que feraient les femmes si les migraines n'avaient pas été inventées, Saint-Georges? Mais peu importe, Saint. On fermera l'autre œil quelques semaines. J'admets que moi-même, je me sens mal à l'aise, Georges. J'ai l'impression d'avoir noyé un chaton. Mais elle a promis, Saint, et c'est elle qui me l'a proposé, Georges. Qu'ainsi soit fait!»

23

Le Club de bonne conduite

Une pluie fine était tombée tout le jour, une ravissante et délicate petite pluie de printemps dont les chuchotements évoquaient les fleurs de mai et les premières violettes. Le port, le golfe et les terres basses jouxtant la grève avaient été assombris par des vapeurs gris perle. Mais le soir venu, la pluie avait cessé et la brume avait été dissipée vers la mer. Au-dessus du port, le ciel était parsemé de nuages évoquant de petites roses de feu. Au loin, les collines se dressaient, sombres, sur un fond jonquille et vermillon. Argentée, la grosse étoile du berger brillait sur la barre de sable. Une petite brise printanière, vive et dansante, soufflait de la vallée Arc-en-ciel, embaumant le parfum résineux exhalé par les sapins et les mousses humides. Elle roucoulait dans les vieilles épinettes entourant le cimetière et ébouriffait les boucles splendides de Faith, assise sur la tombe d'Hezekiah Pollock, entourant de ses bras Mary Vance et Una. Carl et Jerry étaient assis en face d'elles sur une autre pierre tombale et ils se sentaient tous débordant de malice après avoir été enfermés toute la journée.

«On dirait que l'air brille, ce soir, pas vrai? La pluie l'a tellement lavé, vous voyez», remarqua joyeusement Faith.

Mary lui jeta un regard désapprobateur. Sachant ce qu'elle savait, ou croyait savoir, Mary estimait que Faith se montrait un peu trop désinvolte. Mary avait quelque chose derrière la tête et elle entendait le dire avant de rentrer chez elle. Mme Elliott l'avait envoyée porter des œufs frais pondus au presbytère et lui avait recommandé de ne pas s'attarder plus d'une demi-heure. Comme la demi-heure était presque écoulée, Mary allongea ses jambes engourdies qu'elle avait repliées sous elle et dit brusquement:

«Laisse faire l'air. Contentez-vous d'écouter ce que j'ai à vous dire. Il faut que vous vous conduisiez mieux que vous l'avez fait ce printemps, c'est tout. C'est pour vous dire ça que j'suis venue ce soir. C'est épouvantable c'que les gens racontent à votre sujet.»

«Qu'est-ce qu'on a fait, encore?» s'écria Faith, interloquée, retirant son bras d'autour des épaules de Mary. Les lèvres d'Una tremblèrent et sa petite âme sensible se recroquevilla à l'intérieur d'elle. Mary était toujours si brutale dans sa franchise. Par bravade, Jerry se mit à siffloter. Il entendait montrer à Mary qu'il se fichait de ses tirades. De toute façon, leur conduite ne la regardait pas. De quel droit la leur dicterait-elle?

«Encore? Mais vous arrêtez pas! rétorqua Mary. Dès qu'on commence à oublier une de vos fredaines, vous en faites une autre qui relance le débat. On dirait que vous avez aucune idée de la façon dont des enfants de pasteur doivent se comporter.»

«Tu pourrais peut-être nous l'expliquer», dit Jerry, dangereusement sarcastique.

Mais le sarcasme coulait sur Mary comme l'eau sur le dos d'un canard.

«Je peux te dire ce qui va arriver si vous apprenez pas à vous conduire comme il faut. Le conseil va demander la démission de votre père, voilà, P'tit Jos Connaissant. C'est Mme Alec Davis qui l'a dit à Mme Elliott. Je l'ai entendue. J'ai toujours les oreilles bien ouvertes quand Mme Alec Davis vient prendre le thé. Elle a dit que vous alliez de mal en pis et que, même si c'est normal vu qu'il y a personne pour vous élever, on pouvait pas s'attendre à c'que la congrégation endure ça plus longtemps et qu'il fallait faire quelque chose. Les méthodistes arrêtent pas de se moquer de vous et ça vexe les presbytériens. Elle a dit qu'une bonne fessée avec des verges de bouleau était le tonique dont vous aviez tous besoin. Si c'est vrai que ça rend meilleur, j'dois bien être une sainte, après toutes celles que j'ai reçues. J'vous dis pas ça pour vous faire de la peine. J'ai pitié de vous...» — Mary était passée maîtresse dans l'art de la condescendance — «Je comprends que, les choses étant ce qu'elles sont, vous avez pas beaucoup de chance. Mais les autres sont moins compréhensifs que moi. Mlle Drew prétend que Carl avait une grenouille dans sa poche dimanche dernier, au catéchisme. Il paraît qu'elle a sauté à terre pendant qu'elle faisait réciter la leçon. Elle dit qu'elle va abandonner la classe. Pourquoi tu gardes pas tes bestioles chez vous?»

«Je l'ai remise aussitôt dans ma poche, s'écria Carl. Elle n'a fait de mal à personne, pauvre petite grenouille. Et je serais bien content que la vieille Jane Drew laisse tomber notre classe. Je la déteste. Son propre neveu avait une chique de tabac toute sale dans sa poche et il nous a offert de chiquer pendant que le marguillier Clow récitait la prière. Ce doit être pire qu'une grenouille, j'imagine.»

«Non, parce que les grenouilles sont plus inattendues, elles font plus d'effet. Puis il s'est pas fait attraper, lui. À part ça, ce concours de prières que vous avait fait la semaine dernière a causé un vrai scandale. Tout le monde en parle.»

«Et alors! Les Blythe y ont participé autant que nous, s'exclama Faith, indignée. C'est Nan Blythe qui l'a suggéré la première. Et c'est Walter qui a remporté le prix.»

«En tout cas, c'est sur votre dos que c'est tombé. Ça aurait été moins pire si vous l'aviez pas tenu dans le cimetière.»

«J'aurais cru qu'un cimetière était un endroit idéal pour prier», répliqua Jerry.

«Deacon Hazard est passé près de vous pendant que *toi* tu priais, poursuivit Mary. Et il t'a vu et entendu, les mains jointes sur la poitrine et grognant après chaque phrase. Il a cru que tu te moquais de lui.»

«C'est exactement ce que je faisais, riposta Jerry sans perdre contenance. Mais j'savais évidemment pas qu'il était dans les parages. Ça n'a été qu'un accident. Je ne priais pas pour vrai, je savais que je n'avais aucune chance de gagner le prix. J'essayais juste d'en tirer le plus de plaisir possible. Walter Blythe peut prier rudement bien. C'est vrai, il prie aussi bien que papa.»

«Una est la seule d'entre nous qui aime vraiment prier», remarqua pensivement Faith.

«Eh bien, si nos prières scandalisent les gens à ce point, nous devrons cesser de le faire», soupira Una.

«Bonté divine! Vous pouvez prier tant que vous voulez, mais pas dans le cimetière, et pas pour vous amuser. C'est ça qui a tant choqué les gens, ça, et le thé que vous avez pris sur les tombes.»

«Nous n'avons pas fait ça.»

«Vous avez soufflé des bulles, alors. Vous avez fait *quelque chose*. Les gens de l'autre côté du port jurent que vous avez pris le thé, mais j'veux bien vous croire. Et vous vous êtes servi de cette pierre tombale comme table.»

«Tante Martha ne voulait pas qu'on fasse de bulles dans la maison. Elle était de très mauvais poil, ce jour-là, expliqua Jerry. Et cette pierre tombale faisait une table rudement sympathique.»

«C'est vrai qu'elles étaient jolies, s'exclama Faith dont les yeux brillèrent à ce souvenir. Les arbres, les collines et le port se reflétaient dedans comme des mondes miniatures et quand on les libérait, elles s'éloignaient en flottant dans la vallée Arc-en-ciel.»

«Toutes sauf une qui est allée éclater sur la flèche de l'église méthodiste», précisa Carl.

«J'suis bien contente qu'on l'ait fait une fois, avant de découvrir que c'était mal», ajouta Faith.

«Ça aurait pas été mal si vous les aviez soufflées sur la pelouse, interrompit Mary avec impatience. On dirait que j'arrive pas à faire entrer une graine de bon sens dans vos caboches. On vous a assez répété de pas jouer dans le cimetière.

Les méthodistes sont susceptibles à ce sujet.»

«On l'oublie, expliqua Faith d'un ton penaud. Et la pelouse est si petite, si pleine de chenilles, d'arbustes et de toutes sortes de choses. Comme on ne peut pas passer tout notre temps dans la vallée Arc-en-ciel, où est-ce qu'on peut aller?»

«Le problème, c'est moins le cimetière que ce que vous y faites. Ça aurait pas d'importance si vous vous contentiez de vous asseoir et de parler calmement, comme on le fait à présent. Bon, ben j'sais pas c'qui va sortir de tout ça, mais c'que je sais, c'est que le marguillier Warren va en parler à votre père. Deacon Hazard est son cousin.»

«Je préférerais qu'ils n'embêtent pas papa avec ça», dit Una.

«Eh bien, les gens pensent qu'il devrait se préoccuper davantage de vous. Je... je l'comprends pas. C'est un enfant, lui aussi, à certains points de vue, et il a autant que vous besoin de quelqu'un pour s'occuper de lui. Si c'qu'on raconte est vrai, peut-être qu'il est à la veille de trouver quelqu'un.»

«Qu'est-ce que tu veux dire?» demanda Faith.

«T'as vraiment aucune idée?»

«Non, non. De quoi parles-tu?»

«Eh ben, vous êtes une jolie bande d'innocents, c'est moi qui vous l'dis. Tout le monde en parle, Seigneur! Votre père fréquente Rosemary West. Elle va devenir votre belle-mère.»

«Je ne le crois pas!» s'écria Una, le visage empourpré.

«Ben, j'en sais rien, moi. J'vous répète seulement c'que les gens racontent. J'dis pas que c'est une chose faite. Mais ça serait une bonne chose. J'gagerais un sou que Rosemary West vous ferait marcher droit, si elle s'installait ici, malgré son air gentil et ses sourires. Elles sont toujours douces comme le miel jusqu'à ce qu'elles leur aient mis le grappin dessus. Mais vous avez besoin de quelqu'un pour vous élever. Vous déshonorez votre père et j'trouve ça dommage. J'ai toujours pensé grand bien de lui depuis le soir où il m'a parlé si gentiment. J'ai jamais prononcé un seul juron après ça, ni menti une seule fois. Et j'aimerais le voir heureux et confortable, avec ses boutons posés et des repas décents, et vous autres, les jeunes, rendus présentables, et le vieux chat de tante Martha remis à la place qui lui convient. Vous auriez dû voir l'air qu'elle a fait quand j'ai apporté des œufs, ce soir. "J'espère qu'ils sont frais", qu'elle m'a dit. J'aurais voulu qu'ils soient pourris. Mais arrangez-vous pour qu'elle vous en donne chacun un pour déjeuner, et à votre père aussi. Fâchez-vous si elle le fait pas. C'est pour ça qu'on vous les a envoyés, mais j'fais pas confiance à la vieille Martha. Elle est bien capable de s'en servir pour nourrir son chat.»

Mary se reposa la langue un moment et un bref silence tomba sur le cimetière. Les enfants du presbytère n'avaient pas envie de parler. Ils étaient en train de digérer les nouvelles idées pas vraiment agréables suggérées par Mary. Jerry et Carl étaient quelque peu ébahis. Mais après tout, quelle importance? Et il n'y avait probablement pas un mot de vrai dans toute l'histoire. Faith était, quant à elle, plutôt ravie. Seule Una était sérieusement bouleversée. Elle sentait qu'elle aurait voulu s'éloigner pour pleurer.

«Y aura-t-il des étoiles dans ma couronne?» chantait la chorale méthodiste qui avait commencé à répéter dans l'église.

«J'en veux que trois, dit Mary dont les connaissances théologiques s'étaient considérablement accrues depuis qu'elle vivait chez Mme Elliott. Que trois, sur ma tête, comme un diadème: une grosse au milieu et une petite de chaque côté.»

«Les âmes sont-elles de différentes grosseurs?» demanda Carl.

«Évidemment. Les petits bébés doivent sûrement en avoir de plus petites que les grands hommes. Bon, il commence à faire noir, il faut que je file à la maison. Mme Elliott aime pas que j'reste dehors après la noirceur. Bonté! Quand j'habitais chez Mme Wiley, la nuit ou le jour, ça faisait pas de différence pour moi. Ça me dérangeait pas plus qu'un chat gris. On dirait que ça fait cent ans que j'ai vécu ça. À présent, réfléchissez à c'que j'vous ai dit et essayez de mieux vous conduire. Faites ça pour votre père. Vous pouvez compter sur moi pour toujours vous soutenir et vous défendre. Mme Elliott prétend qu'elle a jamais vu personne prendre comme moi la défense de ses amis. J'y suis pas allée par quatre chemins pour dire ma façon de penser à Mme Alec Davis à votre sujet et j'me suis fait gronder par Mme Elliott après. La blonde Cornelia a pas la langue dans sa poche, elle non plus, pas de doute. Mais elle était quand même contente que je l'aie fait parce qu'elle déteste la vieille Kitty Alec et qu'elle vous aime bien. J'peux lire dans la pensée des gens.»

Mary s'en alla, tout à fait satisfaite d'elle-même et laissant derrière elle un petit groupe passablement déprimé.

«Chaque fois que Mary Vance vient nous voir, elle a quelque chose de désagréable à nous dire», commenta Una avec rancune.

«On aurait dû la laisser mourir de faim dans la vieille grange», ajouta Jerry, vindicatif.

«Oh! C'est méchant de dire ça, Jerry», protesta Una.

«Aussi bien être à la hauteur de notre réputation, poursuivit Jerry sans remords. Si les gens nous trouvent si méchants, soyons-le.»

«Mais pas si cela fait de la peine à papa», plaida Faith.

Jerry se tortilla, mal à l'aise. Il adorait son père. À travers la fenêtre nue du bureau, ils pouvaient distinguer la silhouette de M. Meredith à son pupitre. Il n'avait l'air ni en train de lire, ni en train d'écrire. Il tenait sa tête dans ses mains et toute son attitude exprimait la lassitude et la détresse. Les enfants en prirent soudain conscience.

«Je suppose que quelqu'un a dû lui parler de nous, aujourd'hui, suggéra Faith. Si seulement nous pouvions vivre sans faire jaser les gens! Oh! Jem Blythe! Tu m'as fait peur!»

Jem Blythe s'était glissé dans le cimetière et avait pris place auprès des filles. Ayant erré dans la vallée Arc-en-ciel, il avait réussi à dénicher pour sa mère la première petite touffe d'aubépine. Les enfants du presbytère furent plutôt silencieux après son arrivée. Jem avait commencé à s'éloigner d'eux au cours de ce printemps. Il étudiait en vue de son examen d'entrée à l'Académie Queen's et, avec d'autres élèves plus âgés, il restait après l'école suivre des cours d'appoint. Consacrant en outre ses soirées à l'étude, il ne se joignait plus que rarement aux autres dans la vallée Arc-en-ciel. Il semblait être entraîné vers le monde des adultes.

«Qu'est-ce qui vous arrive, ce soir? s'étonna-t-il. Vous n'avez pas l'air très en forme.»

«Pas très, en effet, acquiesça Faith d'un air mortifié. Tu ne le serais pas non plus si tu savais que tu déshonores ton père et qu'on placote dans ton dos.»

«Qui est-ce qui a encore parlé de vous?»

«Tout le monde, c'est du moins ce qu'affirme Mary Vance.» Et Faith déversa ses ennuis dans l'oreille compatissante de Jem. «Tu vois, conclut-elle tristement, personne ne s'occupe de notre éducation. Nous nous mettons alors les pieds dans les plats et les gens pensent que c'est par méchanceté.»

«Pourquoi ne pas vous élever vous-mêmes? suggéra Jem. Je vais vous dire quoi faire. Formez un Club de bonne conduite et punissez-vous chaque fois que vous ferez quelque chose d'incorrect.»

«C'est une bonne idée, approuva Faith, impressionnée. Mais, ajouta-t-elle d'un air perplexe, ce qui nous semble à nous de simples bagatelles est tout simplement abominable aux yeux des autres. Comment pourrons-nous savoir? Nous ne pouvons passer notre temps à ennuyer papa, et de toute façon, il doit s'absenter souvent.»

«La plupart du temps, vous le saurez si vous vous arrêtez pour réfléchir avant de poser un geste et vous demander ce que les paroissiens en penseront, répondit Jem. Le problème, c'est que vous vous précipitez et ne prenez pas le temps de penser. Selon maman, vous êtes trop impulsifs, tout comme elle l'était avant. Le Club de bonne conduite vous aidera à réfléchir si vous vous punissez équitablement et honnêtement quand vous brisez les règles. Il faut imposer des punitions qui font vraiment mal, sinon ça ne sera pas efficace.»

«Nous fouetter mutuellement?»

«Pas tout à fait. Vous devrez trouver des punitions convenant à chacun. Vous ne vous punirez pas les uns les autres, vous vous punirez *vous-mêmes*. J'ai lu l'histoire d'un club semblable dans un livre. Essayez, et vous verrez comment cela fonctionne.»

«D'accord», dit Faith; et après le départ de Jem, ils s'entendirent pour tenter l'expérience. «Si les choses vont de travers, c'est à nous de les redresser», décréta Faith.

«Il faudra qu'on soit justes et honnêtes, comme l'a dit Jem, ajouta Jerry. Ce club servira à nous éduquer, vu que personne d'autre ne s'en occupe. Inutile d'établir trop de règles. Il vaut mieux n'en avoir qu'une et punir durement celui qui ne s'y conformera pas.»

«Mais comment?»

«On y réfléchira au fur et à mesure. On se réunira chaque soir dans le cimetière pour parler de ce qu'on a fait durant la journée, et si on pense qu'on a fait quelque chose de mal et susceptible de déshonorer papa, celui qui l'a fait, ou qui en est responsable, devra être puni. C'est la règle. On décidera ensemble du type de châtiment. Il doit être adapté au crime, comme dit M. Flagg. Et le coupable devra le subir sans essayer de se défiler. On va bien s'amuser», conclut Jerry avec bonne humeur.

«C'est toi qui as suggéré de souffler des bulles», dit Faith.

«Oui, mais c'était avant qu'on ne forme le club, protesta vivement Jerry. Tout commence à partir de ce soir.»

«Mais qu'arrivera-t-il si on ne s'entend pas sur ce qui est bien, ou sur la punition à appliquer? Supposons que deux d'entre nous pensent quelque chose, et les deux autres, le contraire. Il faudrait être cinq dans un club comme celui-ci.»

«Nous pouvons demander à Jem Blythe de servir d'arbitre. C'est le gars le plus honnête de Glen St. Mary. Mais je présume qu'on pourra régler la plupart de nos problèmes tout seuls. Il faut que cela reste notre secret dans la mesure du possible. N'en soufflez pas un mot à Mary Vance. Elle voudrait en faire partie et tout diriger.»

«À mon avis, reprit Faith, il est inutile de gâcher toutes

les journées par des punitions. Réservons une journée pour les châtiments.»

«Dans ce cas-là, ce sera le samedi, puisqu'il n'y a pas d'école», suggéra Una.

«Et on gâcherait notre seul jour de congé! s'indigna Faith. Jamais de la vie! Non, choisissons plutôt le vendredi. De toute façon, c'est la journée du poisson et nous détestons tous le poisson. Aussi bien réunir toutes les choses désagréables le même jour. Le reste du temps, nous pourrons aller de l'avant et avoir du plaisir.»

«C'est idiot! coupa Jerry avec autorité. Un pareil système ne fonctionnerait pas du tout. Nous allons nous punir au fur et à mesure et garder une ardoise claire. À présent, tout le monde a compris, n'est-ce pas? Il s'agit d'un club de bonne conduite, destiné à nous éduquer. Nous sommes d'accord pour nous punir quand nous nous serons mal conduits, et pour réfléchir avant de faire quoi que ce soit, nous demandant si cela risque de faire du tort à papa; celui qui se dérobera sera chassé du club et ne pourra plus jamais jouer avec les autres dans la vallée Arc-en-ciel. Jem Blythe arbitrera en cas de litiges. Plus question d'apporter des bestioles à l'école du dimanche, Carl, ni de mâcher de la gomme en public, mademoiselle Faith.»

«Et plus question de se moquer des marguilliers en train de prier ni d'aller à l'assemblée de prières méthodiste», rétorqua Faith.

«Pourquoi? Il n'y a pas de mal à aller à l'assemblée de prières méthodiste», protesta Jerry, stupéfait.

«Mme Elliott prétend que oui. Elle dit que les enfants du pasteur ne sont censés assister qu'aux cérémonies presbytériennes.»

«Maudit, j'ai pas envie d'arrêter d'aller aux assemblées de prières méthodistes! s'exclama Jerry. Elles sont dix fois plus amusantes que les nôtres.»

«Tu viens de dire un vilain mot, cria Faith. Tu dois te punir, maintenant.»

«Pas avant que tout soit écrit noir sur blanc. On ne fait

que discuter du club. Il ne sera pas formé avant qu'on ait rédigé et signé la constitution et les règlements. Et puis, tu sais parfaitement que ce n'est pas une faute d'aller à une assemblée de prières.»

«Nous ne nous punissons pas seulement pour nos fautes, mais pour tout ce qui peut nuire à papa.»

«Cela ne fait de mal à personne. Tu sais que Mme Elliott est fêlée quand il s'agit des méthodistes. Personne d'autre ne se formalise que j'y aille. Je m'y conduis toujours bien. Demande à Jem ou à Mme Blythe, tu verras bien ce qu'ils en diront. Je me conformerai à leur avis. À présent, je vais chercher du papier et j'apporterai la lanterne pour qu'on puisse signer.»

Quinze minutes plus tard, le document était solennellement paraphé par les enfants agenouillés autour de la pierre tombale d'Hezekiah Pollock, au milieu de laquelle trônait la lanterne fumeuse du presbytère. Mme Clow s'adonnait justement à passer par là et, le lendemain, tout le Glen apprit que les enfants du pasteur avaient tenu un autre concours de prières et qu'ils avaient fini par se poursuivre dans le cimetière avec une lanterne. Cette nouvelle fable prenait sans doute sa source dans le fait qu'après avoir signé et scellé le document, Carl avait pris la lanterne pour aller examiner sa fourmilière dans le petit creux. Les autres étaient tranquillement retournés au presbytère pour se coucher.

«Faith, penses-tu que c'est vrai que papa va épouser Mlle West?» demanda fébrilement Una, une fois les prières récitées.

«Je ne sais pas, mais ça me plairait», répondit Faith.

«Oh! Pas à moi, dit Una d'une voix étranglée. Elle est sympathique, mais Mary Vance prétend que les personnes changent quand elles deviennent des belles-mères. Elles deviennent horriblement acariâtres, mesquines et hargneuses et montent les pères contre leurs enfants. Elle prétend que c'est sûr qu'elles le font. Il n'y a pas un seul cas où ça ne s'est pas produit.»

«Je ne peux croire que Mlle West essaierait de faire ça», s'exclama Faith.

«Mary dit qu'elles le font toutes. Elle sait tout des belles-mères, Faith, elle en a vu des centaines et tu n'en as jamais vu une seule. Oh! elle m'a raconté des choses à leur sujet qui m'ont fait dresser les cheveux sur la tête. Elle dit qu'elle en a connu une qui fouettait les petites filles de son mari sur leurs épaules nues jusqu'à ce qu'elles saignent, puis qu'elle les enfermait pour la nuit dans la cave à charbon sombre et froide. Elle dit qu'elles brûlent toutes d'envie de faire des choses comme ça.»

«Pas Mlle West. Tu ne la connais pas aussi bien que moi, Una. Pense au joli petit oiseau qu'elle m'a envoyé. Je l'aime encore plus qu'Adam.»

«C'est juste quand elles deviennent belles-mères qu'elles changent. Mary dit qu'elles ne peuvent s'en empêcher. Je pourrais peut-être supporter d'être fouettée, mais pas que notre père nous déteste.»

«Ne sois pas stupide, Una. Tu sais bien que rien ne pourrait jamais influencer papa à nous haïr. Selon moi, il n'y a pas lieu de nous inquiéter. Si nous nous occupons bien de notre club et que nous nous éduquons convenablement, papa ne songera pas à épouser qui que ce soit. Et s'il le fait, je sais que Mlle West sera gentille avec nous.»

Mais Una n'avait pas cette conviction et elle s'endormit en pleurant.

24

Une impulsion charitable

Pendant une quinzaine de jours, il n'y eut pas de problèmes au Club de bonne conduite. Il avait l'air de fonctionner comme sur des roulettes. On ne demanda pas une seule fois à Jem Blythe de servir d'arbitre. Et pas une seule fois aucun des enfants du presbytère ne suscita de ragots au village. Quant aux peccadilles commises à la maison, ils en tenaient rigoureusement le compte et subissaient sans rechigner les châtiments qu'ils s'imposaient: en général une absence volontaire, le vendredi soir, de quelque joyeuse expédition à la vallée Arc-en-ciel, ou un séjour au lit par quelque soirée de printemps quand tous les jeunes corps brûlaient d'envie de se retrouver dans la nature. Pour avoir chuchoté à l'école du dimanche, Faith se condamna à passer toute la journée sans prononcer un seul mot sauf en cas d'absolue nécessité. Ainsi fit-elle. Ce fut malheureusement ce soir-là que M. Baker, de l'autre côté du port, choisit pour rendre visite au presbytère et que Faith s'adonna à répondre à la porte. Elle ne répondit pas à ses salutations mais s'éloigna silencieusement pour aller avertir son père. À son retour à la maison, M. Baker, froissé, confia à sa femme que la fille aînée des Meredith était une enfant timide et renfrognée, trop mal élevée pour répondre quand on lui adressait la parole. Mais il n'en résulta rien de fâcheux et, dans l'ensemble, leurs pénitences ne faisaient de tort à personne. Ils commençaient tous à être convaincus que, tout compte fait, il était très facile de s'élever.

«Je suppose que les gens vont bientôt s'apercevoir que nous pouvons nous conduire aussi bien que n'importe qui, déclara Faith en jubilant. Ce n'est pas difficile quand on s'y met.»

Elle était assise avec Una sur la tombe Pollock. Cette journée d'orage avait été froide, crue et humide, et il était hors de question que les filles aillent à la vallée Arc-en-ciel, bien que les garçons Meredith et Blythe s'y soient rendus pour pêcher. La pluie avait cessé, mais un vent d'est soufflait impitoyablement de la mer, et on était transi jusqu'aux os. Malgré un avant-goût précoce, c'était un printemps tardif et il y avait encore de la neige et de la glace qui n'avaient pas fondu dans le coin nord du cimetière. Venue porter un plat de harengs, Lida Marsh se glissa par la barrière en frissonnant. Elle habitait au village de pêcheurs à l'entrée du port et son père avait, depuis trente ans, l'habitude d'envoyer au presbytère des harengs de sa première prise du printemps. Jamais il ne se présentait à l'église, il buvait sec et était un homme brutal, mais pour autant qu'il envoyait ces harengs au presbytère chaque printemps comme son père l'avait fait avant lui, il avait la ferme assurance que ses comptes avec le Très-Haut étaient réglés pour l'année. Il ne se serait pas attendu à pêcher beaucoup de maquereaux s'il n'avait pas offert au pasteur les premières prises de la saison.

Lida était une fillette de dix ans, mais elle était si malingre, si ratatinée, qu'elle paraissait beaucoup plus jeune. Ce soir-là, comme elle s'approchait audacieusement des filles du presbytère, elle avait l'air d'avoir froid depuis le jour de sa naissance. Son visage était violacé et ses yeux bleu pâle et exorbités étaient rougis et larmoyants. Elle portait une robe imprimée en loques et, passé autour de ses maigres épaules, un châle de laine usé à la corde était attaché sous ses bras. Les trois milles séparant l'entrée du port du presbytère, elle les avait parcourus pieds nus dans la neige et dans la gadoue.

Ses pieds et ses jambes étaient aussi violets que son visage. Mais Lida n'y accordait pas tellement d'importance. Elle était habituée à avoir froid et il y avait déjà un mois qu'elle sortait pieds nus, à l'instar de la ribambelle d'enfants du village de pêche. Elle n'éprouvait aucune pitié pour elle-même lorsqu'elle s'assit sur la pierre tombale en adressant à Faith et Una un sourire engageant. Celles-ci connaissaient un peu Lida, l'ayant rencontrée à une ou deux reprises l'été précédent lorsqu'elles étaient allées au port avec les Blythe.

«Salut! commença Lida. Fait pas chaud ce soir, hein? Même un chien irait pas dehors.»

«Pourquoi es-tu sortie, alors?» s'étonna Faith.

«P'pa m'a envoyée vous porter des harengs», répondit Lida. Elle frissonna, toussa et fit voir ses pieds nus. Lida ne songeait ni à elle-même ni à ses pieds et ne cherchait pas à provoquer la sympathie. Elle tendait instinctivement les pieds pour ne pas les poser dans l'herbe humide autour de la pierre tombale. Mais Faith et Una furent aussitôt submergées par une vague de pitié. Lida avait l'air si transie, si misérable.

«Oh! Pourquoi marches-tu pieds nus par un soir si froid? Tu dois avoir les pieds pratiquement gelés», s'écria Faith.

«Pratiquement, rétorqua Lida avec fierté. J'vous assure que c'était pas un cadeau de marcher dans la route du port.»

«Pourquoi n'as-tu pas mis tes chaussettes et tes souliers?» demanda Una.

«J'en avais plus. Tout c'que j'avais était fichu après l'hiver», expliqua Lida d'un ton indifférent.

Faith resta figée d'indignation pendant un instant. C'était terrible. Voilà une petite fille, presque une voisine, à demi gelée parce qu'elle n'avait ni bas ni chaussures à se mettre pendant ce temps cruel de printemps. L'impulsive Faith ne songea à rien d'autre qu'à l'horreur de la situation. Un instant plus tard, elle retirait ses propres chaussettes et chaussures.

«Tiens, prends celles-ci et mets-les tout de suite, dit-elle, les fourrant dans les mains de Lida ébahie. Vite, sinon tu vas attraper ton coup de mort. J'en ai d'autres. Mets-les.»

Retrouvant ses esprits, Lida saisit le présent, une étincelle dans les yeux. Bien sûr qu'elle allait les mettre, et vivement, avant que surgisse quelqu'un pour l'obliger à les rendre. En une minute, elle avait enfilé les bas sur ses jambes décharnées et les bottines de Faith sur ses épaisses petites chevilles.

«J'te remercie ben, dit-elle, mais tes parents vont pas être fâchés?»

«Non, et ça m'est de toute façon égal, la rassura Faith. Penses-tu que je pourrais voir quelqu'un en train de mourir de froid sans essayer de lui porter secours si je le peux? Cela serait mal, particulièrement parce que mon père est pasteur.»

«Est-ce que tu voudras les ravoir? À l'entrée du port, il fait froid bien plus longtemps qu'ici», insinua Lida.

«Non, tu peux les garder, bien sûr. C'est ce que je voulais dire quand je te les ai données. J'ai une autre paire de chaussures, et plein de chaussettes.»

Lida avait eu l'intention de rester à bavarder avec les filles. Mais elle pensa qu'elle ferait mieux de s'en aller avant de voir apparaître quelqu'un qui la force à remettre le cadeau. Elle se sauva donc dans le froid mordant du crépuscule, aussi silencieusement qu'elle était venue. Dès qu'elle se trouva hors de vue, elle s'assit, retira les bas et les souliers et les mit dans le panier à harengs. Elle n'avait pas l'intention de les porter dans ce chemin boueux. Il fallait les garder pour les occasions spéciales. Aucune autre fillette de l'entrée du port ne possédait de bas de cachemire noir aussi fins, ni d'aussi jolies chaussures presque neuves. Lida était équipée pour l'été. Elle n'éprouvait aucun scrupule. À ses yeux, les gens du presbytère étaient fabuleusement riches et il ne faisait aucun doute que ces filles possédaient plein de souliers et de bas. Lida se précipita donc au village et joua pendant une heure en face du magasin de M. Flagg, sautant à pieds joints dans une mare de boue avec les garçons les plus effrontés, jusqu'au moment où Mme Elliott vint leur ordonner de rentrer chez eux.

«Je crois que tu n'aurais pas dû faire ça, Faith, dit Una d'un ton légèrement chagriné une fois que Lida fut partie.

Maintenant, il va falloir que tu portes tes bonnes bottines tous les jours et elles seront bientôt usées.»

«Je m'en fous, cria Faith encore transportée par l'acte généreux qu'elle venait d'accomplir envers une de ses semblables. C'est injuste que j'aie deux paires de chaussures quand la pauvre petite Lida Marsh n'en a aucune. Désormais, nous en avons chacune une paire. Tu sais parfaitement bien, Una, ce que papa a dit dans son sermon dimanche dernier: le bonheur véritable ne consiste pas à recevoir, mais à donner. Et c'est la vérité. Je me sens beaucoup plus heureuse maintenant que jamais je ne l'ai été auparavant. Pense à Lida qui marche en ce moment vers chez elle, ses pauvres petits pieds bien au chaud et confortables.»

«Tu sais que tu n'as pas d'autre paire de bas de cachemire noir, reprit Una. Ton autre paire est si trouée que tante Martha a dit qu'elle ne pouvait plus les repriser et qu'elle a coupé les jambes pour en faire des chiffons pour épousseter le poêle. Tu n'as rien d'autre que ces deux paires de bas à rayures que tu détestes.»

Pour Faith, ce fut une douche froide. Sa joie se dégonfla comme un ballon crevé. Elle resta assise en silence quelques instants, anéantie, à affronter les conséquences de son geste précipité.

«Oh! Una, je n'y avais pas pensé, s'écria-t-elle, consternée. J'ai agi sans réfléchir.»

Les bas rayés étaient d'épaisses choses côtelées rouges et bleues en laine rugueuse que tante Martha avait tricotées pour Faith durant l'hiver. Ils étaient indubitablement hideux. Jamais Faith n'avait autant détesté quelque chose auparavant. Il était absolument hors de question qu'elle les portât. Ils reposaient, encore inutilisés, dans le tiroir de sa commode.

«À présent, tu devras mettre les bas rayés, poursuivit Una. Pense aux garçons de l'école! Ils vont rire de toi. Tu sais à quel point ils se moquent de Mamie Warren et la traitent de poteau de barbier parce qu'elle en porte et les siens sont bien moins affreux que les tiens.»

«Je ne les porterai pas, décida Faith. J'irai pieds nus, qu'il fasse froid ou non.»

«Tu ne peux pas aller à l'église pieds nus, demain. Pense à ce que les gens vont dire.»

«Je resterai donc à la maison.»

«Tu ne peux pas. Tu sais très bien que tante Martha t'obligera à y aller.»

Faith le savait. L'unique chose sur laquelle tante Martha se donnait la peine d'insister était qu'ils aillent à l'église, beau temps, mauvais temps. Leur accoutrement ne la préoccupait aucunement, mais ils devaient y aller. C'était de cette façon que tante Martha avait été élevée soixante-dix ans auparavant et elle entendait leur inculquer les mêmes principes.

«Tu n'as pas une paire à me prêter, Una?» demanda Faith d'un air piteux.

Una hocha la tête.

«Non, je n'ai qu'une paire de bas noirs, tu le sais bien. Et ils sont si serrés que c'est à peine si j'arrive à les enfiler. Ils ne t'iraient pas. Mes gris non plus. Et puis, les jambes de ceux-là ont été reprisés des centaines de fois.»

«Je ne vais pas porter ces bas rayés, persista Faith. Ils sont encore plus inconfortables que laids. Quand je les mets, j'ai l'impression d'avoir les jambes grosses comme des barils. Et puis, ils piquent.»

«Eh bien, je me demande ce que tu pourras faire.»

«Si papa était à la maison, je lui demanderais de m'en acheter une nouvelle paire avant la fermeture du magasin. Mais il ne reviendra que très tard. Je vais le lui demander lundi, et je n'irai pas à l'église demain. Je vais faire semblant d'être malade et tante Martha sera bien obligée de me garder à la maison.»

«Ce serait un mensonge, Faith, s'écria Una. Tu ne peux pas faire ça. Ce serait épouvantable, tu sais. Que dirait papa s'il l'apprenait? Tu ne te rappelles pas qu'après la mort de maman il nous a dit que nous devions toujours être francs, peu importe nos autres fautes? Il nous a dit que nous ne devions jamais mentir ni agir malhonnêtement, et qu'il avait confiance en nous. Tu ne peux pas faire ça, Faith. Porte les bas rayés, c'est tout. Ce ne sera qu'une fois. Personne ne le remarquera, à l'église. Ce n'est pas comme à l'école. Et ta nouvelle robe brune est si longue qu'ils ne paraîtront presque pas. N'est-ce pas une chance que tante Martha l'ait faite si grande? Tu pourras grandir dedans, même si tu la détestais tellement quand elle l'a terminée.»

«Je ne porterai pas ces bas», répéta Faith. Elle déplia ses jambes blanches et nues et marcha résolument dans l'herbe froide et détrempée jusqu'au banc de neige. Serrant les dents, elle y grimpa et s'y tint immobile.

«Qu'est-ce que tu fais? s'écria Una, interdite. Tu vas attraper ton coup de mort, Faith.»

«C'est ce que j'essaie de faire, rétorqua Faith. J'espère attraper un rhume épouvantable et être vraiment malade demain. Alors, je ne mentirai pas. Je vais rester ici aussi longtemps que je pourrai le supporter.»

«Mais tu pourrais vraiment mourir, Faith. Tu pourrais attraper une pneumonie. Je t'en prie, Faith, arrête. Allons à la maison chercher quelque chose pour tes pieds. Oh! Grâce au ciel, voici Jerry. Jerry, fais descendre Faith de cette neige. Regarde ses pieds.»

«Sacrebleu! Qu'est-ce que tu fais là, Faith? Es-tu folle?»

«Non. Va-t'en!» dit Faith.

«Est-ce une punition que tu te donnes? Si oui, ce n'est pas bien. Tu vas te rendre malade.»

«Je veux être malade. Et je ne suis pas en train de me punir. Va-t'en.»

«Où sont ses bas et ses souliers?» demanda Jerry à Una.

«Elle les a donnés à Lida Marsh.»

«Lida Marsh? Pourquoi?»

«Parce que Lida n'en avait pas et qu'elle avait si froid aux pieds. Et à présent, Faith veut être malade pour ne pas aller à l'église demain avec des bas rayés. Mais elle pourrait mourir, Jerry.»

«Faith, ordonna Jerry, descends de ce banc de neige ou c'est moi qui vais t'en faire descendre.»

«Essaie, voir», le défia Faith.

Jerry se précipita sur elle et lui saisit les bras. Il tirait d'un bord et Faith de l'autre. Una courut derrière Faith et poussa. Faith hurla à Jerry de la laisser tranquille. Jerry lui hurla de ne pas agir comme une idiote. Una hurla elle aussi. Ils firent un boucan du tonnerre et ils étaient près de la clôture de la route du cimetière. Passant par là, Henry Warren et sa femme les aperçurent et les entendirent. Peu de temps après, tout le Glen avait entendu raconter que les enfants du presbytère s'étaient affreusement battus dans le cimetière en utilisant le langage le plus incorrect. Entre temps, Faith avait accepté d'être délogée de sa congère parce que les pieds lui faisaient si mal qu'elle était prête à en descendre de toute façon. Ils partirent tous aimablement se coucher. Faith dormit comme un chérubin et se réveilla en pleine forme le lendemain matin. Se souvenant d'une conversation tenue longtemps auparavant avec son père, elle sentit qu'elle ne pourrait mentir en faisant semblant d'être malade. Mais elle était toujours aussi totalement déterminée à ne pas porter ces abominables bas pour aller à l'église.

25

Un autre scandale et une autre explication

Faith se rendit de bonne heure à l'école du dimanche et s'assit à une extrémité du banc de sa classe avant l'arrivée des autres. C'est ainsi que personne ne connut l'épouvantable vérité avant que Faith n'eût quitté son banc près de la porte pour se rendre à celui du presbytère après l'école du dimanche. L'église était déjà à demi remplie et tous ceux qui étaient assis près de l'allée centrale s'aperçurent que la fille du pasteur était pieds nus dans ses bottines!

La nouvelle robe brune de Faith, que tante Martha avait confectionnée d'après un ancien modèle, avait beau être absurdement trop longue, elle n'atteignait cependant pas le haut de ses bottines. On pouvait encore voir deux bons pouces de peau blanche.

Seuls Faith et Carl prirent place dans le banc. Jerry était allé s'asseoir au jubé près d'un ami et les filles Blythe avaient amené Una avec elles. Les enfants Meredith avaient tendance à s'éparpiller dans l'église et un grand nombre de personnes considéraient cette façon d'agir très incorrecte. Le jubé, où se rassemblaient des gamins irresponsables reconnus pour chuchoter et soupçonnés de chiquer du tabac durant l'office, était un endroit particulièrement inapproprié pour le fils du pasteur. Mais Jerry détestait le banc du presbytère qui se trouvait à l'avant de l'église, dans le champ de vision du marguillier Clow et de sa famille. Il évitait d'y prendre place chaque fois qu'il le pouvait.

Occupé à examiner une araignée tissant sa toile à la fenêtre, Carl ne remarqua pas les jambes de Faith. Après l'office, celle-ci retourna à la maison en compagnie de son père qui ne s'aperçut de rien. Elle enfila les bas à rayures abhorrés avant l'arrivée de Jerry et d'Una et c'est ainsi qu'aucun des habitants du presbytère ne sut ce qu'elle avait fait. Personne d'autre au village ne l'ignora pourtant. Les rares qui n'avaient rien vu en entendirent bientôt parler. Ce fut d'ailleurs l'unique sujet de conversation des paroissiens sur le chemin du retour. Mme Alec Davis dit que ce n'était pas pour la surprendre et qu'on était à la veille de voir un de ces jeunes écervelés se présenter à l'église tout nu. La présidente des Dames patronnesses décida de soulever le point à la prochaine réunion et suggéra qu'elles se présentâssent en délégation chez le pasteur pour protester. Mlle Cornelia déclara que, pour sa part, elle abandonnait la partie. Il était inutile de se faire davantage de mauvais sang pour les jeunes du presbytère. Même Mme Dr Blythe fut un peu choquée, bien qu'elle attribuât la chose à la seule étourderie de Faith. Comme c'était dimanche, Susan ne put commencer immédiatement à tricoter des bas pour Faith, mais elle en avait entrepris un avant que quiconque fût levé le lendemain matin à Ingleside.

«Vous pouvez dire c'que vous voulez, chère Mme Docteur, mais j'sais que c'était la faute de la vieille Martha, confia-t-elle à Anne. J'imagine que la pauvre petite avait pas d'chaussettes décentes à se mettre. J'suppose que tous les bas qu'elle avait étaient pleins de trous, et vous savez aussi bien que moi qu'ils le sont. Et à mon avis, chère Mme Docteur, les Dames patronnesses emploieraient mieux leur temps à en tricoter pour ces enfants qu'à se chamailler à propos du nouveau tapis de la chaire. J'suis peut-être pas une Dame patronnesse, mais j'vous passe un papier que j'vais tricoter pour Faith deux paires de bas avec ce beau fil noir et ça, aussi vite que mes doigts me l'permettront. Jamais j'oublierai c'que j'ai ressenti quand j'ai vu l'enfant du pasteur avancer nu-jambes dans l'allée de l'église. J'savais plus où regarder.»

«Et dire que l'église était pleine de méthodistes, hier, ronchonna Mlle Cornelia qui, venue faire quelques emplettes au Glen, en avait profité pour venir discuter de la chose à Ingleside. J'ignore comment ça se fait, mais chaque fois que les enfants du presbytère font quelque bêtise particulièrement spectaculaire, on peut être certain que l'église va être remplie de méthodistes. J'ai cru que les yeux de Mme Deacon Hazard allaient lui sortir de la tête. En sortant de l'église, elle a dit: "Ma foi, cette exhibition était tout à fait indécente. J'ai vraiment pitié des presbytériens." Et il n'y avait rien à répondre.»

«J'aurais pu dire quelque chose si je l'avais entendue, chère Mme Docteur, répliqua Susan d'un air mécontent. J'aurais dit que premièrement, des jambes nues propres sont aussi décentes que des bas troués. Et j'aurais ajouté que les presbytériens n'ont pas vraiment besoin de pitié puisqu'ils ont un pasteur qui peut prêcher alors que les méthodistes en ont pas. J'vous assure que j'aurais cloué le bec de Mme Deacon Hazard.»

«J'aimerais que M. Meredith prêche un petit peu moins bien et s'occupe un petit peu mieux de sa progéniture, rétorqua Mlle Cornelia. Il pourrait au moins jeter un coup d'œil sur ses enfants avant leur départ pour l'église et s'assurer qu'ils sont habillés convenablement. Je suis fatiguée de leur trouver des excuses, vous pouvez me croire.»

Entre temps, on était en train de torturer l'âme de Faith dans la vallée Arc-en-ciel. Mary Vance était présente et, comme d'habitude, elle était d'humeur à sermonner. Elle fit comprendre à Faith qu'elle s'était déshonorée et avait déshonoré son père au-delà de toute rédemption et qu'elle, Mary Vance, en avait fini avec elle. «Tout le monde» en parlait et «tout le monde» disait la même chose.

«J'ai tout simplement l'impression que j'peux plus être associée avec toi», conclut-elle.

«Alors, nous le serons, nous», s'écria Nan Blythe. En son

for intérieur, Nan croyait que Faith avait vraiment fait quelque chose d'effrayant, mais elle n'allait certainement pas laisser Mary Vance avoir la main haute sur la conduite à suivre. «Et si tu ne veux plus avoir affaire à elle, il ne faut plus que tu viennes à la vallée Arc-en-ciel, Mlle Vance.»

Nan et Di entourèrent Faith de leurs bras et défièrent Mary du regard. Celle-ci se recroquevilla soudain, s'effondra sur une souche et fondit en larmes.

«C'est pas que j'veux plus, gémit-elle. Mais si j'continue à m'tenir avec Faith, les gens vont dire que j'approuve c'qu'elle fait. Y en a déjà qui l'disent, aussi vrai qu'vous êtes là. J'peux pas m'permettre qu'on parle de moi comme ça à présent que j'vis dans une maison respectable et que j'm'efforce d'être une dame. Et jamais j'suis allée à l'église nu-jambes, même aux pires moments de ma vie. J'aurais même jamais pensé à l'faire. Mais cette vieille mégère de Kitty Alec prétend que Faith a jamais été la même après mon séjour au presbytère. Elle dit que Cornelia Elliott va regretter le jour où elle m'a prise. J'vous assure que ça m'fait de la peine. Mais c'est surtout pour M. Meredith que j'm'inquiète.»

«Je ne crois pas que tu aies à t'inquiéter à son sujet, fit Di d'un ton méprisant. Ce n'est pas nécessaire. À présent, ma chère Faith, cesse de pleurer et explique-nous pourquoi tu as fait ça.»

Faith s'expliqua d'une voix entrecoupée de sanglots. Les filles Blythe sympathisèrent avec elle et même Mary Vance admit que la situation avait dû être difficile. Mais Jerry sur qui la nouvelle tomba comme la foudre refusa d'être amadoué. Ainsi, c'était donc *ça* les mystérieuses insinuations qu'il avait entendues à l'école! Il ramena Faith et Una à la maison sans autre cérémonie et le Club de bonne conduite se réunit immédiatement dans le cimetière pour statuer sur le cas de Faith.

«Je ne vois pas en quoi c'était mal, se justifia Faith d'un ton de défi. On ne voyait pas beaucoup mes jambes. Ce n'était pas *une faute* et ça n'a fait de tort à personne.»

«Cela en fera à papa, et tu le sais très bien. Tu sais que les gens le blâment chaque fois que nous faisons quelque chose d'inusité.»

«Je n'avais pas pensé à ça», marmonna Faith.

«C'est justement là qu'est le problème. Tu n'as pas réfléchi et tu aurais dû le faire. C'est là le but de notre Club: nous éduquer et nous amener à réfléchir. Nous avons promis de toujours nous arrêter et de penser avant d'agir. Tu ne l'as pas fait et tu mérites une punition exemplaire, Faith. Tu vas porter tes bas rayés à l'école pendant une semaine.»

«Oh! Jerry! Un jour ne suffirait-il pas? Ou deux? Pas toute une semaine!»

«Oui, une semaine entière, décréta l'inexorable Jerry. Je pense que c'est juste et si tu n'es pas d'accord, demande à Jem Blythe.»

Faith sentit qu'elle préférait se soumettre que demander l'avis de Jem Blythe sur un sujet pareil. Elle commençait à prendre conscience de ce que sa faute avait de honteux.

«D'accord, je vais le faire», murmura-t-elle d'un air maussade.

«Tu t'en tires facilement, ajouta sévèrement Jerry. Et quelle que soit ta punition, cela ne sera pas d'un grand secours à papa. Les gens vont continuer à croire que tu l'as fait exprès et à blâmer papa de ne pas t'en avoir empêchée. Nous ne pourrons jamais l'expliquer à tout le monde.»

Cet aspect de la question resta dans la tête de Faith, car si elle pouvait supporter sa propre condamnation, le fait qu'on puisse blâmer son père la tourmentait. S'ils connaissaient la vérité, les gens ne le blâmeraient pas. Mais comment pourrait-elle la faire connaître à tout le monde? S'adresser à l'assemblée en pleine église comme elle l'avait fait une fois était hors de question. Mary Vance lui avait raconté comment les gens avaient jugé sa performance et elle avait compris qu'il était préférable de ne pas la répéter. Le problème hanta Faith pendant trois jours. Puis elle eut une inspiration et se mit aussitôt au travail. Elle passa cette soirée-là au grenier avec une lampe et un cahier, écrivant avec ardeur, le teint animé et les yeux brillants. C'était exactement la chose à faire! Comme elle était intelligente d'y avoir pensé! Elle pourrait ainsi tout expliquer sans causer de scandale. Il était onze heures lorsqu'elle termina et elle alla sans bruit se coucher, exténuée mais parfaitement heureuse.

Quelques jours plus tard, le petit hebdomadaire publié au Glen sous le nom de *Le Journal* parut comme d'habitude, et tout le village connut un nouvel émoi. Une lettre signée Faith Meredith occupait une place importante en première page et se lisait comme suit:

«À qui de droit,

Je voudrais expliquer à tout le monde pourquoi je me suis présentée à l'église sans porter de bas afin que chacun sache qu'il n'y a absolument pas lieu de blâmer mon père pour cela, et que les vieilles commères cessent de le prétendre parce que c'est faux. J'ai donné ma seule paire de bas noirs à Lida Marsh parce qu'elle n'en avait pas et que ses pauvres petits pieds étaient affreusement gelés et que j'avais pitié d'elle. Dans une communauté chrétienne, aucun enfant ne devrait marcher pieds nus quand il y a encore de la neige, et je crois qu'il était du devoir de la Société des femmes missionnaires de lui donner des bas. Bien entendu, je sais qu'elles envoient des choses aux enfants païens et que c'est très généreux de leur part. Mais les enfants païens vivent dans des pays où il fait beaucoup plus chaud qu'ici et je pense que les femmes de notre église devraient s'occuper de Lida Marsh plutôt que de m'en laisser l'entière responsabilité. Quand je lui ai donné mes bas noirs, j'ai oublié que c'était la seule paire non trouée que je possédais, mais je suis contente de les lui avoir donnés parce que sinon, je n'aurais pas eu la conscience en paix. Quand la pauvre petite est partie, l'air si heureuse et si fière, je me suis rappelé que je n'avais rien d'autre à porter que ces horribles choses bleues et rouges que tante Martha m'avait tricotées l'hiver dernier avec de la laine que Mme Joseph Burr du Glen En-Haut nous avait envoyée. C'était une laine terriblement rugueuse et pleine de nœuds et je n'ai jamais vu aucun des enfants de Mme Burr porter des choses tricotées avec cette laine. Mais Mary Vance dit que Mme Burr ne donne au pasteur que les choses qu'elle ne peut utiliser ni manger et qu'elle pense que cela devrait compter comme une partie du salaire que son mari s'est engagé à payer même s'il ne le fait jamais.

Il m'était tout simplement impossible de porter ces horribles bas. Ils étaient trop laids, trop rudes et ils piquaient trop. Tout le monde se serait moqué de moi. J'ai d'abord pensé que je ferais semblant d'être malade pour ne pas aller à l'église le lendemain, mais j'ai décidé de ne pas le faire parce que ç'aurait été malhonnête et qu'après la mort de notre mère, papa nous a dit qu'il ne fallait jamais mentir. C'est aussi mal d'agir malhonnêtement que de mentir, quoique je connaisse des gens, ici même au Glen, qui le font et n'ont jamais l'air d'en éprouver de remords. Je ne mentionnerai pas de noms, mais je sais qui ils sont, et papa le sait aussi.

J'ai ensuite fait tout ce que j'ai pu pour attraper le rhume et me rendre vraiment malade en restant pieds nus sur le banc de neige du cimetière méthodiste jusqu'à ce que Jerry m'en déloge. Mais cela ne m'a fait aucun mal et je n'ai pu éviter de me rendre à l'église. J'ai donc décidé de mettre mes bottines et d'y aller comme ça. Je n'arrive pas à comprendre en quoi c'était si mal car je m'étais lavé les jambes aussi soigneusement que le visage. De toute façon, papa n'est pas à blâmer. Il se trouvait dans son bureau en train de méditer sur son sermon et d'autres sujets spirituels, et il ne m'a pas vue avant mon départ pour l'école du dimanche. Comme mon père ne regarde pas les jambes des gens à l'église, il n'a évidemment pas vu les miennes, mais toutes les commères les ont vues et en ont parlé et c'est pourquoi j'écris cette lettre d'explication au *Journal*. Je présume avoir fait quelque chose de très mal puisque c'est ce que tout le monde prétend. Alors je le regrette et je porte ces affreux bas pour me punir, même si papa m'a acheté deux jolies paires de bas noirs dès l'ouverture du magasin de M. Flagg lundi matin. Mais c'était entièrement ma faute et si les gens continuent de blâmer papa après avoir lu cette lettre, ils ne sont pas chrétiens et je me fiche de leur opinion.

Il y a autre chose que je voudrais expliquer avant de terminer. Mary Vance m'a dit que M. Even Boyd accuse les Baxter d'avoir volé des pommes de terre dans son champ l'automne dernier. Ils n'y ont pas touché. Ils sont très pauvres, mais ils sont honnêtes. C'est nous, Jerry, Carl et moi, qui l'avons fait. Una n'était pas avec nous cette fois-là. Nous n'avions pas pensé que c'était du vol. Nous voulions seulement faire cuire quelques pommes de terre sur un feu dans la vallée Arc-en-ciel pour manger avec nos truites grillées. Comme le champ de M. Boyd était tout près, juste entre la vallée et le village, nous avons grimpé par-dessus sa clôture et arraché quelques patates. Elles étaient vraiment minuscules, pas plus grosses que des billes, parce que M. Boyd n'avait pas mis assez d'engrais et nous avons dû en arracher beaucoup avant d'en avoir suffisamment. Walter et Di Blythe en ont mangé avec nous, mais ils sont arrivés une fois qu'elles étaient cuites et ignoraient où nous les avions trouvées; nous sommes donc les seuls coupables. Nous ne voulions pas faire de mal, mais si c'était du vol, nous sommes désolés et nous rembourserons M. Boyd s'il veut bien attendre que nous soyons grands. Nous n'avons actuellement pas d'argent parce que nous ne sommes pas assez vieux pour en gagner et tante Martha dit qu'elle a besoin de chaque sou du maigre salaire de notre père pour faire vivre la famille, même quand il est payé régulièrement, ce qui n'arrive pas souvent. Mais M. Boyd ne doit plus accuser les Baxter, qui sont innocents, et leur faire une mauvaise réputation.

Veuillez agréer mes sentiments respectueux,

Faith Meredith»

26

Mlle Cornelia adopte un nouveau point de vue

«Susan, après ma mort, je vais revenir sur terre chaque fois que les jonquilles fleuriront dans le jardin, s'écria Anne avec ravissement. Personne ne pourra me voir, pourtant je serai là. Si quelqu'un se trouve dans le jardin en même temps, il verra les jonquilles balancer leur tête comme si le vent avait soufflé plus fort sur elles, mais ce sera moi.»

«Vraiment, chère Mme Docteur, vous allez certainement pas penser à flotter sur des choses aussi terre à terre que des jonquilles après votre mort, rétorqua Susan. Et j'crois pas aux fantômes, visibles ou invisibles.»

«Oh! Susan! Je ne serai pas un fantôme! Je serai simplement moi! Et je vais vagabonder au clair de lune pour visiter tous les endroits que j'aime. Vous rappelez-vous comme j'ai été malheureuse en quittant notre petite maison de rêve, Susan? Je pensais que jamais je ne pourrais aimer autant Ingleside. J'y suis pourtant arrivée. J'en aime chaque bout de bois, chaque pierre.»

«Cette maison me plaît beaucoup, à moi aussi, mais il vaut mieux pas trop s'attacher aux choses terrestres, chère Mme Docteur. Ça existe les incendies et les tremblements de terre. Faut être préparés. La maison de Tom MacAllister de l'autre côté du port a brûlé il y a trois nuits. Y en a qui prétendent que c'est Tom MacAllister lui-même qui a mis le feu pour retirer la prime d'assurance. Peut-être ben que c'est vrai, peut-être ben que c'est faux. Mais j'ai averti le docteur de faire vérifier nos cheminées. Mieux vaut prévenir que guérir. Tiens, voici Mme Marshall Elliott à la barrière. On dirait qu'elle a perdu un pain de sa fournée.»

«Très chère Anne, avez-vous lu *Le Journal*, aujourd'hui?»

Mlle Cornelia parlait d'une voix chevrotante; c'était dû en partie à l'émotion et en partie au fait qu'elle avait marché trop vite du magasin et était hors d'haleine.

Anne se pencha sur les jonquilles pour camoufler un sourire. Si elle et Gilbert avaient ri de bon cœur en lisant la une du journal ce jour-là, elle savait que ce devait être une quasi-tragédie pour cette chère Mlle Cornelia et qu'elle ne devait pas tourner le fer dans la plaie en affichant une attitude trop désinvolte.

«N'est-ce pas épouvantable? Qu'est-ce qu'il faut faire?» poursuivit Mlle Cornelia d'un air désespéré.

Anne la précéda jusqu'à la véranda où Susan était en train de tricoter, entourée de Rilla et de Shirley qui étudiaient leur alphabet. Jamais Susan n'était tourmentée par la détresse de l'humanité. Elle faisait ce qui était en son pouvoir pour la soulager et laissait sereinement le reste aux Pouvoirs célestes.

«Cornelia Elliott croit qu'elle est née pour mener le monde, avait-elle dit un jour à Anne, et c'est pour ça qu'il y a toujours quelque chose qui la tarabuste. Comme j'ai jamais pensé que c'était mon destin, je vais calmement mon petit bonhomme de chemin. C'est pas à de misérables vers de terre comme nous de nourrir des pensées pareilles. Ça fait que nous rendre mal dans notre peau sans nous mener nulle part.»

«Je ne crois pas qu'on puisse faire quoi que ce soit, à présent, répondit Anne en tirant une belle chaise coussinée pour Mlle Cornelia. Mais pouvez-vous m'expliquer comment il se fait que M. Vickers ait autorisé la publication de cette lettre? C'est pourtant un homme responsable.»

«Mais il est absent, chère Anne, cela fait une semaine qu'il est parti au Nouveau-Brunswick. Et c'est ce jeune sacripant de Joe Vickers qui publie *Le Journal* en son absence. C'est évident que M. Vickers n'aurait pas publié la lettre, même s'il est méthodiste, mais Joe a dû trouver que c'était une bonne plaisanterie. Comme vous le dites, je suppose qu'il n'y a plus rien à faire maintenant, sauf avaler notre pilule. Mais si jamais je coince Joe Vickers quelque part, je vais lui faire savoir ce que je pense d'une manière qu'il n'oubliera pas de sitôt. Je voulais que Marshall annule sur-le-champ notre abonnement au *Journal*, mais il s'est contenté de rire et de déclarer que le numéro d'aujourd'hui était le premier depuis un an à contenir quelque chose de lisible. Il trouve ça drôle et n'arrête pas de rire. Un autre méthodiste! Quant à Mme Burr du Glen En-Haut, elle sera évidemment furieuse et ils vont quitter l'église. Non pas que ce soit une très grande perte. Quant à moi, ils peuvent bien devenir méthodistes!»

«Mme Burr a été joliment bien servie, fit remarquer Susan qui, couvant une vieille querelle avec la dame en question, avait éprouvé une grande jouissance en lisant ce que Faith avait dit d'elle dans sa lettre. Elle va s'apercevoir qu'elle pourra pas tromper le pasteur méthodiste sur son salaire en lui envoyant de la mauvaise laine.»

«Le pire, dans cette histoire, c'est qu'il n'y a pas grand espoir de voir les choses s'améliorer, poursuivit sombrement Mlle Cornelia. Tant que M. Meredith fréquentait Rosemary West, j'espérais que le presbytère aurait bientôt sa propre maîtresse. Mais tout est fini. J'imagine qu'elle a refusé de l'épouser à cause des enfants. C'est du moins ce que tout le monde pense.»

«J'crois pas qu'il lui ait jamais demandé sa main», déclara Susan pour qui refuser d'épouser un pasteur était tout simplement inconcevable.

«Ma foi, personne n'en sait rien. Mais une chose est sûre, c'est qu'il n'y va plus. Et Rosemary n'avait pas l'air en forme, le printemps dernier. J'espère que sa visite à Kingsport lui fera du bien. Je n'arrive pas à me rappeler si Rosemary s'est déjà absentée de la maison avant. Elle et Ellen ne pouvaient supporter d'être séparées. D'après ce que j'ai compris, c'est

Ellen qui a insisté pour qu'elle fasse ce voyage. Entre temps, elle est en train de réchauffer la vieille soupe avec Norman Douglas.»

«Vraiment? demanda Anne en riant. J'avais bien entendu une rumeur à ce sujet, mais j'avais peine à la croire.»

«Croyez-la, chère Anne. C'est le secret de Polichinelle. Norman Douglas n'a jamais laissé personne dans l'ignorance de ses intentions. C'est publiquement qu'il fait sa cour. Il a confié à Marshall qu'il y avait des années qu'il n'avait pas pensé à Ellen, mais qu'en se rendant à l'église la première fois, il l'a revue et est retombé sous son charme. Il ne l'avait pas vue depuis vingt ans, si vous pouvez le croire. Bien entendu, il n'allait jamais à l'église et Ellen ne fréquentait aucun autre endroit. Oh! Si tout le monde connaît les visées de Norman, c'est différent dans le cas d'Ellen. Et je ne m'avancerais pas à prédire si cela va finir par un mariage ou non.»

«Il l'a déjà plaquée une fois, chère Mme Docteur», fit acidement remarquer Susan.

«Il l'a plaquée dans un accès de colère et s'en est repenti toute sa vie, précisa Mlle Cornelia. C'est différent de laisser tomber quelqu'un de sang-froid. Contrairement à certaines personnes, je n'ai, pour ma part, jamais détesté Norman. Il n'a jamais réussi à avoir le meilleur sur moi. Je me demande bien ce qui l'a incité à revenir à l'église. Je n'ai jamais cru que Faith Meredith est allée le trouver et l'a forcé à le faire, comme le raconte Mme Wilson. J'ai toujours eu l'intention de poser la question à Faith, mais je n'y pense jamais quand je la vois. Comment aurait-elle pu influencer Norman Douglas? Il était au magasin quand j'en suis partie, beuglant de rire à propos de la lettre. On devait l'entendre jusqu'à la pointe de Four Winds. "La fille la plus formidable au monde", hurlait-il. "Elle a tellement de cran qu'elle en explose. Et que soient damnées toutes les vieilles grands-mères qui voudraient la dompter. Mais jamais elles n'y parviendront, jamais! Elles feraient mieux d'essayer de noyer un poisson. Assure-toi de mettre plus d'engrais sur tes patates, l'an prochain, Boyd! Ha! Ha! Ha!" Et il riait à en faire trembler le toit.»

«M. Douglas verse un bon montant pour le salaire, au moins», remarqua Susan.

«Oh! Pour certaines choses, Norman n'est pas mesquin. Il pourrait donner mille dollars sans sourciller, mais il rugirait comme un lion s'il devait payer cinq sous de trop pour quelque chose. De plus, il apprécie les sermons de M. Meredith, et Norman Douglas est toujours d'accord pour payer la note quand on flatte son intellect. Il n'y a pas plus d'esprit chrétien en lui qu'en un païen d'Afrique tout nu et noir comme le poêle, et jamais il n'y en aura. Mais il est intelligent et instruit et il juge les sermons comme il jugerait des conférences. En tout cas, c'est une bonne chose qu'il appuie M. Meredith et ses enfants, parce qu'ils auront plus que jamais besoin d'amis après cet esclandre. Je suis fatiguée de leur trouver des excuses, vous pouvez me croire.»

«Savez-vous, chère Mˡˡᵉ Cornelia, dit Anne le plus sérieusement du monde, je pense que nous avons tous trop cherché à les excuser. C'est complètement idiot et il faudrait arrêter. Je vais vous dire ce que j'aimerais faire. Je ne le ferai pas, bien sûr» — Anne avait perçu une lueur d'inquiétude dans les yeux de Susan — «ce serait trop extravagant et, après avoir atteint un âge censément respectable, il faut être conventionnel ou mourir. Mais j'aimerais le faire. J'aimerais convoquer une réunion des Dames patronnesses et de la Société des missions et inclure dans l'auditoire toutes les méthodistes qui ont déjà critiqué les Meredith — quoique, à mon avis, si nous, les presbytériennes, cessions de critiquer et d'excuser, nous nous apercevrions que les autres groupes ne se préoccupent que très peu des gens de notre presbytère. Voici ce que je leur dirais: "Chères amies chrétiennes — en mettant l'accent sur chrétiennes — j'ai quelque chose à vous dire et je veux vous le dire clairement afin que, de retour chez vous, vous le répétiez à vos familles. Vous, les méthodistes, n'avez pas à nous prendre en pitié, et nous, presbytériennes, n'avons pas à nous apitoyer sur notre sort. Nous ne le ferons plus. Et nous allons dire, carrément et franchement, à tous ceux qui nous critiquent et compatissent à notre sort, que nous sommes fières de notre pasteur et de sa famille. M. Meredith est le meilleur prêcheur que l'église de Glen St. Mary ait jamais eu. De plus, il est un modèle honnête et sincère de la vérité et de la charité chrétienne. Il est un ami loyal, un pasteur judicieux dans tous les domaines essentiels, et un homme raffiné, érudit et bien élevé. Sa famille est digne de lui. Gerald Meredith est l'élève le plus intelligent de l'école du Glen et M. Hazard dit qu'il est destiné à une brillante carrière. C'est un petit garçon viril, honorable et franc. Faith Meredith est une beauté, et elle est aussi inspirante et originale que ravissante. Il n'y a rien de banal en elle. Toutes les autres fillettes du Glen mises ensemble n'ont ni son énergie ni son esprit, ni sa gaîté ni son cran. Elle n'a pas un seul ennemi au monde. Tous ceux qui la connaissent l'aiment. De combien de personnes, enfants ou adultes, peut-on dire cela? Una Meredith est la gentillesse incarnée. Elle deviendra en vieillissant une femme adorable. Carl Meredith, avec l'amour qu'il voue aux fourmis, aux grenouilles et aux araignées, deviendra un jour un spécialiste des sciences naturelles que le Canada et même le monde entier seront heureux d'honorer. Connaissez-vous beaucoup d'autres familles, au Glen ou ailleurs, dont on peut dire toutes ces choses? C'en est fini de la honte et des excuses! Nous sommes fières de notre pasteur et de sa merveilleuse famille!"»

Anne s'arrêta, en partie parce qu'elle était à bout de souffle après ce discours véhément, et en partie parce qu'elle ne se sentait plus capable de poursuivre en voyant l'expression de Mlle Cornelia. La bonne dame la regardait fixement, apparemment submergée par le flot de ces idées nouvelles.

«Anne Blythe, j'aimerais vraiment que vous convoquiez cette réunion et teniez ce discours! Pour commencer, vous m'avez fait avoir honte de moi-même et loin de moi l'idée de refuser de l'admettre. C'est évidemment ça que nous aurions dû dire, surtout aux méthodistes. Et tout ce que vous avez dit est vrai. Nous n'avons fait que nous fermer les yeux devant toutes les choses valables et avons laissé les bagatelles les camoufler. Oh! Très chère Anne, je peux voir une chose quand on me l'enfonce dans la tête. Cornelia Marshall ne cherchera plus d'excuses! Je vais garder la tête haute après ceci, vous pouvez me croire, même si j'ai l'intention de continuer à parler avec vous comme d'habitude dans le seul but de soulager mon esprit si les Meredith font d'autres frasques spectaculaires. Même cette lettre qui m'a tant perturbée, mon Dieu! ce n'était après tout qu'une bonne blague, comme le dit Norman. Rares sont les fillettes qui auraient eu la présence d'esprit de penser à l'écrire. De plus, la ponctuation était impeccable et il n'y avait pas une seule faute d'orthographe. Que j'entende un méthodiste dire un mot à ce sujet! Pourtant, jamais je ne pardonnerai à Joe Vickers, vous pouvez me croire! Où sont vos autres rejetons, ce soir?»

«Walter et les jumelles sont dans la vallée Arc-en-ciel. Jem étudie dans le grenier.»

«Ils sont tous fous de cette vallée. Pour Mary Vance, il n'existe pas d'autre endroit au monde. Elle y passerait toutes ses soirées si je la laissais faire. Mais je ne l'encourage pas à courir la galipote. De plus, je m'ennuie de cette petite quand elle n'est pas dans les parages, très chère Anne. Je n'aurais jamais cru que je m'attacherais autant à elle. Non pas que je ne voie pas ses défauts et que je n'essaie pas de les corriger. Mais elle ne m'a jamais répondu effrontément depuis qu'elle habite chez moi et elle m'aide énormément car, tout compte fait, je ne suis plus aussi jeune que je l'étais, chère Anne, et il est inutile d'essayer de le cacher. J'ai eu cinquante-neuf ans à mon dernier anniversaire. Même si je ne sens pas mon âge, il ne sert à rien de nier l'évidence.»

27

Un concert sacré

Malgré le nouveau point de vue qu'elle avait adopté, Mlle Cornelia ne put éviter de se sentir un peu contrariée par la nouvelle performance des enfants du presbytère. En public, elle assumait magnifiquement la situation, répétant à toutes les commères l'essentiel des propos tenus par Anne au temps des jonquilles, et le disant d'une façon si directe que ses interlocuteurs commençaient à se trouver eux-mêmes un peu stupides et à croire que, tout compte fait, ils prenaient trop à cœur une fredaine puérile. En privé, cependant, Mlle Cornelia se permettait d'aller gémir dans l'oreille d'Anne.

«Chère Anne, ils ont tenu un concert dans le cimetière jeudi soir dernier, en plein milieu de l'assemblée de prières méthodiste. Ils se sont assis là, sur la pierre tombale d'Hezekiah Pollock, et ont chanté pendant une heure entière. D'après ce que j'ai cru comprendre, il s'agissait surtout de cantiques et ça aurait été un moindre mal s'ils s'étaient contentés de ça. Mais on m'a dit qu'ils ont clôturé le spectacle en chantant *Cadet Roussel* au complet, et au moment même où Deacon Baxter faisait la prière.»

«J'y étais ce soir-là, dit Susan, et même si j'vous en ai rien dit, chère Mme Docteur, j'ai pas pu m'empêcher de penser que c'était vraiment dommage qu'ils aient choisi ce soir en particulier. C'était à glacer le sang dans les veines de les entendre, installés dans le royaume des morts, chanter de toute la force de leurs poumons cette chanson frivole.»

«Je me demande bien ce que vous faisiez dans une assemblée de prières méthodiste», fit aigrement remarquer Mlle Cornelia.

«J'ai jamais entendu dire que le méthodisme était contagieux, riposta sèchement Susan. Et, comme j'allais le dire avant d'être interrompue, même si je me sentais mal, je l'ai pas fait voir aux méthodistes. Quand, en sortant, Mme Deacon Baxter s'est exclamée que c'était une exhibition des plus disgracieuses, je lui ai répondu en la regardant dans le blanc des yeux: "Ils ont des voix magnifiques, Mme Baxter, et on dirait que personne de votre chorale s'est déplacé pour l'assemblée de prières. C'est rien que le dimanche qu'on peut entendre le son de leurs voix!" Elle a baissé la tête et j'ai senti que j'lui avais cloué le bec comme il faut. Mais j'aurais pu être encore plus cinglante s'ils avaient pas choisi *Cadet Roussel*. C'était vraiment terrible de penser qu'ils chantaient ça dans un cimetière.»

«Certains de ces morts chantaient *Cadet Roussel* de leur vivant, Susan. Peut-être que cela leur fait plaisir de l'entendre encore», suggéra Gilbert.

Mlle Cornelia lui jeta un regard indigné et décida qu'elle trouverait une occasion de faire comprendre à Anne qu'elle devait amener le docteur à ne plus tenir de tels propos. Cela pourrait froisser sa clientèle. Les gens pourraient commencer à croire que le docteur n'était pas orthodoxe. Marshall avait bien sûr l'habitude de lancer des boutades encore plus choquantes, mais il n'était pas un homme public.

«D'après ce que j'ai compris, leur père se trouvait dans son bureau, les fenêtres ouvertes, pendant qu'ils chantaient et il ne s'est aperçu de rien. Bien entendu, il était comme d'habitude perdu dans ses livres. Mais je lui en ai glissé un mot quand il est venu chez moi, hier.»

«Comment avez-vous osé, Mme Marshall Elliott?» protesta Susan.

«Osé? Il est plus que temps que quelqu'un ose! On

prétend qu'il n'est même pas au courant de la lettre de Faith dans *Le Journal* parce que personne n'a eu le cœur de lui en parler. Évidemment, il ne le lit jamais. Mais j'ai pensé qu'il fallait qu'il soit informé de ceci pour empêcher que se produisent de telles performances à l'avenir. Il a répondu qu'il en discuterait avec eux. Mais il n'y a bien sûr plus songé dès qu'il a eu franchi notre barrière. Vous pouvez me croire, Anne, cet homme n'a aucun sens du ridicule. Dimanche dernier, son sermon portait sur la façon d'élever ses enfants. Un sermon très édifiant et tout le monde dans l'église se disait qu'il était bien dommage qu'il ne pût mettre en pratique ce qu'il prêchait si bien.»

Mlle Cornelia était injuste envers M. Meredith en disant qu'il oublierait ses paroles. Il arriva chez lui très perturbé et quand les enfants rentrèrent de la vallée Arc-en-ciel ce soir-là — beaucoup plus tard qu'ils ne l'auraient dû — il les fit venir dans son bureau.

Ils y allèrent, un peu effrayés. C'était si peu dans les habitudes de leur père. Qu'allait-il leur dire? Ils fouillèrent leur mémoire à la recherche de quelque transgression d'importance suffisante, mais ne purent se rappeler aucune. Deux soirs auparavant, Carl avait renversé une soucoupe de confiture sur la robe de soie de Mme Peter Flagg que tante Martha avait invitée à souper. Mais M. Meredith ne s'en était pas aperçu et Mme Flagg, qui avait bon cœur, n'avait pas fait d'histoire. D'ailleurs, Carl avait été puni en étant obligé de porter la robe d'Una toute la soirée.

Una pensa tout à coup que leur père voulait peut-être leur annoncer son intention d'épouser Rosemary West. Son cœur se mit à battre la chamade et ses jambes à flageoler. Puis elle vit que M. Meredith avait l'air triste et sévère. Non, ce ne pouvait être ça.

«Mes enfants, commença M. Meredith, on m'a raconté quelque chose qui m'a fait beaucoup de peine. Est-ce vrai que vous êtes restés dans le cimetière mardi soir dernier et que vous avez chanté des chansons ribaudes pendant que se déroulait une assemblée de prières à l'église méthodiste?»

«Juste ciel, papa! On avait complètement oublié que c'était le soir de l'assemblée de prières», s'exclama Jerry, consterné.

«C'est donc vrai, vous avez fait cela?»

«Mon Dieu, papa, je ne sais pas ce que tu entends par chansons ribaudes. Nous avons chanté des cantiques, c'était un concert sacré, vois-tu. Quel mal y a-t-il à ça? Je t'assure que nous n'avons pas pensé que c'était le soir de l'assemblée de prières méthodiste. Ils avaient coutume de la tenir le mardi soir et comme ils ont changé pour le jeudi, c'est difficile de s'en souvenir.»

«Vous n'avez chanté que des cantiques?»

«Eh bien, avoua Jerry en rougissant, c'est vrai que nous avons fini par *Cadet Roussel*. Faith a proposé que nous chantions quelque chose de gai pour terminer. Nous ne pensions pas mal faire, je t'assure, papa.»

«C'est moi qui ai eu l'idée du concert, papa, précisa Faith, craignant que M. Meredith ne blâme trop Jerry. Tu sais que les méthodistes eux-mêmes ont eu un concert sacré dans leur église dimanche soir il y a trois semaines. J'ai pensé que ce serait amusant d'en faire un pour l'imiter. Sauf qu'ils y récitaient des prières et que nous avons omis cette partie parce qu'on nous a dit que les gens trouvaient répréhensible que nous priions dans le cimetière. Tu étais ici dans ton bureau tout le temps, ajouta-t-elle, et tu n'as rien dit.»

«Je ne m'étais pas rendu compte de ce que vous faisiez. Ce n'est pas une excuse, bien sûr. Je suis plus à blâmer que vous, je le vois bien. Mais pourquoi avez-vous chanté cette chanson idiote à la fin?»

«Nous n'avons pas pensé, marmonna Jerry, sentant que c'était là une bien piètre excuse, surtout après avoir tant sermonné Faith à propos de son manque de réflexion lors des séances du Club de bonne conduite. Nous sommes désolés, papa, nous le sommes vraiment. Engueule-nous, nous le méritons bien.»

Mais M. Meredith n'en fit rien. Il s'assit, rassembla ses enfants près de lui et leur parla tendrement et sagement.

Submergés de remords et de honte, ils sentirent que plus jamais ils ne pourraient se montrer si stupides et étourdis.

«Il faut que nous nous imposions un vrai bon châtiment, chuchota Jerry en montant. Nous tiendrons une séance du Club à la première heure demain pour décider lequel. Mais je voudrais bien que les méthodistes décident d'un soir pour leur assemblée de prières et arrêtent de changer tout le temps.»

«En tout cas, je suis bien contente que ça ne soit pas ce que je craignais», murmura Una.

Derrière eux, dans son bureau, M. Meredith s'était assis à son pupitre et avait enfoui sa tête dans ses mains.

«Que Dieu me vienne en aide! dit-il. Quel mauvais père je fais! Oh! Rosemary, si seulement tu avais voulu!»

28

Une journée de jeûne

Le Club de bonne conduite tint une réunion spéciale le lendemain matin avant l'école. Après différentes suggestions, il fut décidé qu'une journée de jeûne constituerait un châtiment approprié.

«Nous ne mangerons rien de la journée, décréta Jerry. De toute façon, je suis plutôt curieux de savoir à quoi ressemble le jeûne. Ce sera une bonne occasion de le découvrir.»

«Quel jour le ferons-nous?» demanda Una, pour qui c'était une punition assez facile et qui se demandait pourquoi Faith et Jerry n'avaient pas décidé d'en imposer une plus dure.

«Lundi, dit Faith. Nous avons habituellement un repas assez bourratif le dimanche tandis que ceux du lundi, vaut mieux ne pas en parler.»

«Mais la question est là, justement, s'écria Jerry. Nous ne devons pas choisir le jour où c'est le plus facile de jeûner, mais celui où c'est le plus difficile, et c'est le dimanche parce que, comme tu le dis, nous avons habituellement du rôti de bœuf plutôt que du fricot froid. Ce ne serait pas une punition très pénible que de se passer de fricot. Choisissons dimanche prochain. Ce sera une bonne journée car papa va échanger l'office du matin avec le pasteur d'Upper Lowbridge. Il sera donc absent jusqu'au soir. Si tante Martha se demande ce qui nous arrive, nous lui expliquerons que nous jeûnons pour le salut de nos âmes, que c'est écrit dans la Bible et qu'elle ne doit pas s'opposer. Je ne crois pas qu'elle nous mettra de bâtons dans les roues.»

Tante Martha ne fit aucune objection. Elle se contenta de marmonner de son ton chagrin habituel: «Quelle folie êtes-vous encore en train d'inventer, espèces de mauvais garnements?» et n'y pensa plus. M. Meredith était parti tôt le matin avant que les autres soient levés. Il était parti sans déjeuner, mais c'était évidemment dans ses habitudes. Il l'oubliait la moitié du temps et il n'y avait personne pour le lui rappeler. Le déjeuner — celui de tante Martha — n'était pas un repas dont il était difficile de se passer. Même les jeunes «mauvais garnements» affamés ne ressentaient pas comme une grande privation le fait de s'abstenir du «porridge grumeleux et du lait sûr» qui avaient suscité le mépris de Mary Vance. Ce fut néanmoins une autre paire de manches au moment du dîner. Ils avaient alors l'estomac dans les talons et l'odeur du rôti qui emplissait le presbytère, absolument délicieuse même si la viande n'était pas assez cuite, leur fut pratiquement intolérable. En désespoir de cause, ils se réfugièrent au cimetière d'où ils ne pouvaient plus la respirer. Mais Una ne pouvait détacher ses yeux de la fenêtre de la salle à manger à travers laquelle on pouvait distinguer le pasteur d'Upper Lowbridge en train de se restaurer placidement.

«Si seulement je pouvais en avoir une toute petite petite bouchée», soupira-t-elle.

«À présent, tais-toi, ordonna Jerry. C'est évident que c'est difficile, mais c'est ça la punition. Je pourrais moi-même dévorer une gravure en ce moment, mais je ne me plains pas. Pensons à autre chose. Nous devons nous élever au-dessus de nos ventres.»

À l'heure du souper, ils n'éprouvèrent plus les tiraillements d'estomacs qu'ils avaient subis plus tôt dans la journée.

«On commence à s'habituer, j'imagine, suggéra Faith. Je ressens une drôle de sensation de vide, mais je ne peux pas dire que j'ai faim.»

«C'est dans ma tête que c'est bizarre, dit Una. Ça tourne parfois.»

Mais elle se rendit courageusement à l'église avec les autres. Si M. Meredith n'avait pas été si totalement obnubilé et emporté par son sujet, il aurait pu voir le petit visage exsangue et les yeux caves dans le banc du presbytère au-dessous. Mais il ne vit rien et son sermon fut un peu plus long que d'habitude. Puis, juste avant qu'il ne donne le signal du cantique final, Una Meredith tituba hors du banc et tomba évanouie sur le sol.

Mme Clow fut la première à arriver jusqu'à elle. Elle prit le petit corps décharné des mains de Faith blanche de terreur et le porta jusqu'au vestiaire. M. Meredith oublia le cantique et tout le reste et se rua derrière. L'assemblée se dispersa comme elle le put.

«Oh! Mme Clow, bafouilla Faith, est-ce que Una est morte? Est-ce que nous l'avons tuée?»

«Qu'est-ce qui arrive à mon enfant?» demanda le père livide.

«Je crois qu'elle a simplement perdu conscience, dit Mme Clow. Oh! Grâce au ciel, voici le docteur.»

Il ne fut pas facile pour Gilbert de ramener Una à elle. Il dut s'activer longtemps avant qu'elle n'ouvre les yeux. Il la porta ensuite au presbytère, suivi par Faith qui, dans son soulagement, sanglotait hystériquement.

«Elle a seulement faim, vous savez, elle n'a rien avalé de la journée, et nous non plus, nous avons tous jeûné.»

«Jeûné?» s'écrièrent en même temps M. Meredith et le docteur.

«Oui, pour nous punir d'avoir chanté *Cadet Roussel* dans le cimetière», précisa Faith.

«Mon enfant, il ne fallait pas vous punir pour cela, dit M. Meredith, plein de détresse. Je vous ai fait une petite réprimande, vous avez tous regretté, et je vous ai pardonné.»

«Oui, mais il fallait que nous soyons punis, expliqua Faith. C'est la règle, dans notre Club de bonne conduite; vous savez, si nous faisons quelque chose de mal ou quelque chose qui peut nuire à notre père dans la congrégation, nous devons nous punir. Nous sommes en train de faire notre propre éducation, vous voyez, parce qu'il n'y a personne pour s'en charger.»

M. Meredith grogna, mais le docteur se redressa du chevet d'Una, l'air soulagé.

«Cette enfant s'est donc évanouie par simple manque de nourriture et elle n'a besoin de rien d'autre qu'un bon repas, dit-il. Auriez-vous la bonté de vous en occuper, Mᵐᵉ Clow? Et d'après ce que vient de raconter Faith, je suis d'avis qu'ils feraient tous mieux d'avaler quelque chose si nous ne voulons pas être témoins d'autres évanouissements.»

«Je suppose que nous n'aurions pas dû faire jeûner Una, reprit Faith, pleine de remords. À bien y penser, seuls Jerry et moi aurions dû être punis. C'est nous qui avions organisé le concert et nous sommes les plus vieux.»

«J'ai chanté *Cadet Roussel* tout comme vous, fit Una d'une petite voix faible, alors je devais subir la même punition.»

Mᵐᵉ Clow revint avec un verre de lait. Faith, Jerry et Carl allèrent fouiner dans le garde-manger et M. Meredith se réfugia dans son bureau où il resta longtemps assis dans le noir, en proie à d'amères pensées. Ainsi, ses enfants étaient en train de «faire leur éducation» parce qu'il n'y avait «personne pour s'en charger». Ils luttaient seuls au milieu de leurs petits dilemmes parce qu'il n'y avait aucune main pour les guider, aucune voix pour les conseiller. La phrase prononcée innocemment par Faith torturait l'esprit de son père comme une flèche barbelée. Il n'y avait «personne» pour s'occuper d'eux, réconforter leurs petits cœurs et prendre soin de leurs petits corps. Comme Una avait eu l'air fragile, étendue sur le canapé du vestiaire pendant son interminable évanouissement! Comme ses petites mains étaient maigres, et blême son petit visage! On aurait dit qu'elle aurait pu lui glisser des mains dans un souffle, mignonne Una sur laquelle Cecilia l'avait particulièrement supplié de veiller! Depuis la mort de sa femme, il n'avait jamais ressenti une telle épouvante que quand il s'était penché sur sa fillette évanouie. Il devait faire quelque chose, mais quoi? Devait-il demander à Elizabeth Kirk de l'épouser? Elle était bonne, elle traiterait bien ses enfants. Il aurait pu s'y résigner sans son amour pour Rosemary West. Mais tant qu'il n'aurait pas chassé ce sentiment, il serait incapable de songer à épouser une autre femme. Et il ne pouvait le chasser, il avait vainement essayé. Rosemary était présente à l'église ce soir-là; c'était la première fois depuis son retour de Kingsport. Il l'avait aperçue à l'arrière de l'église bondée, au moment où il finissait son sermon. Son cœur avait sauvagement tressailli. Il s'était assis pendant que la chorale entonnait le cantique de la quête, la tête penchée et le pouls tressautant. Il ne l'avait pas revue depuis le soir où il l'avait demandée en mariage. Quand il s'était relevé pour donner le signal de l'hymne de la fin, ses mains tremblaient et son visage pâle avait rougi. Puis, la perte de conscience d'Una avait pendant quelque temps effacé tout le reste de son esprit. À présent, dans la noirceur et la solitude de son bureau, tout lui revint. Rosemary était l'unique femme au monde pour lui. Il était inutile de songer à en épouser une autre. Même pour l'amour de ses enfants, il ne pouvait commettre un tel sacrilège. Il devait porter le fardeau tout seul, s'efforcer d'être un père plus attentif et dire à ses enfants de ne pas craindre de venir lui confier leurs petits problèmes. Il alluma ensuite sa lampe et prit un nouveau volume semant la zizanie au sein du monde théologique. Il avait l'intention de n'en lire qu'un chapitre pour se faire une idée. Cinq minutes plus tard, il était très loin du monde et des problèmes terrestres.

29

Une étrange histoire

C'était un soir du début de juin et la vallée Arc-en-ciel était un lieu plein de grâce; c'est du moins ce qu'éprouvaient tous les enfants, assis dans la clairière où les clochettes tintaient féeriquement dans les Arbres amoureux et la Dame blanche secouait ses tresses vertes. Le vent riait et sifflotait autour d'eux comme un camarade fidèle et joyeux. Dans la clairière, les fougères précoces embaumaient l'air d'un parfum épicé. Les cerisiers sauvages égaillés dans la vallée parmi les sapins sombres étaient d'un blanc vaporeux. Les rouges-gorges pépiaient dans les érables derrière Ingleside. Plus loin, sur les pentes du Glen, le crépuscule voilait les vergers en fleurs, si ravissants, mystiques et somptueux. C'était le printemps et tout ce qui est jeune se doit d'être heureux au printemps. Chacun l'était ce soir-là dans la vallée Arc-en-ciel, jusqu'à ce que Mary Vance leur glace le sang dans les veines en racontant l'histoire du fantôme d'Henry Warren.

Jem n'était pas là. Il passait désormais ses soirées dans le grenier d'Ingleside à étudier en vue de l'examen d'entrée. Jerry pêchait la truite dans l'étang. Walter avait lu aux autres les poèmes de la mer de Longfellow et ils étaient encore imprégnés de la beauté et du mystère des vaisseaux. Ils avaient ensuite parlé de ce qu'ils feraient quand ils seraient grands, où ils iraient, les belles grèves lointaines qu'ils accosteraient.

Nan et Di avaient l'intention d'aller en Europe. Walter rêvait de voir le sphynx et le Nil gémissant dans les sables d'Égypte. Faith suggéra un peu mélancoliquement qu'elle devrait devenir missionnaire — la vieille Mme Taylor lui avait dit qu'elle le devait — et qu'alors, elle verrait à tout le moins la Chine ou les Indes, ces mystérieuses terres d'Orient. Le cœur de Carl aspirait aux jungles d'Afrique. Quant à Una, elle ne disait rien. Elle pensait qu'elle aimerait rester tout simplement à la maison. C'était plus joli ici que n'importe où ailleurs. Ce serait effrayant quand, une fois adultes, ils seraient éparpillés partout sur la terre. À cette seule perspective, elle était envahie d'un sentiment de solitude et de nostalgie. Mais les autres continuèrent à rêver tout haut jusqu'à ce que Mary Vance surgisse et balaie d'un seul coup poésie et rêveries.

«Seigneur, j'suis à bout de souffle, s'exclama-t-elle. J'ai dévalé cette colline à toute allure. J'ai eu la frousse de ma vie à la vieille maison Bailey.»

«Qu'est-ce qui t'a fait peur?» demanda Di.

«J'sais pas. J'étais penchée sous les lilas dans le vieux jardin pour voir s'il y avait du muguet de sorti. Il faisait noir comme chez le loup là-bas, puis tout à coup, j'ai vu quelque chose qui bougeait et froufroutait à l'autre bout du jardin, dans les cerisiers. C'était tout blanc. J'vous dis que j'ai pas pris la peine de regarder une deuxième fois. J'ai sauté par-dessus le fossé en criant lapin. J'étais sûre que c'était le fantôme d'Henry Warren.»

«Qui était Henry Warren?» s'informa Di.

«Bonté divine! Vous avez jamais entendu l'histoire? Eh bien, attendez une minute que j'retrouve mon souffle et j'vais vous la raconter.»

Walter frissonna avec ravissement. Il raffolait des histoires de fantômes. Leur mystère, leurs paroxysmes dramatiques, leur étrangeté lui procuraient un plaisir terrifiant et exquis. Longfellow devint instantanément insipide et banal. Il jeta le livre de côté et s'allongea, appuyé sur ses coudes pour écouter de tout son cœur, ses grands yeux lumineux fixés sur le visage de Mary Vance. Celle-ci aurait préféré qu'il la regardât avec moins d'insistance. Elle avait l'impression qu'elle raconterait mieux l'histoire si Walter ne la regardait pas. Elle pourrait l'orner de plusieurs fioritures et inventer certains détails artistiques pour en amplifier l'horreur. Dans la situation actuelle, elle devait s'en tenir à la vérité toute nue, ou du moins ce qu'on lui avait affirmé être la vérité.

«Eh ben, commença-t-elle, vous savez qu'il y a trente ans, le vieux Tom Bailey et sa femme vivaient dans cette maison. On raconte que c'était une fripouille de la pire espèce et que sa femme valait guère mieux que lui. Ils avaient pas d'enfants à eux, mais une sœur du vieux Tom mourut en laissant un petit garçon, ce Henry Warren, et ils l'ont recueilli. Il avait à peu près douze ans quand il est arrivé chez eux, et il était délicat et petit pour son âge. On prétend que Tom et sa femme l'ont maltraité dès le début, le fouettant et lui donnant rien à manger. Les gens disent qu'ils voulaient le tuer pour mettre la main sur la petite somme que sa mère avait laissée pour lui. Henry est pas mort tout de suite, mais il a commencé à avoir des crises, l'*épilepse*, qu'on appelle ça, et il s'est rendu jusqu'à dix-huit ans. Il était plutôt simple d'esprit. Son oncle avait coutume de le cacher dans le jardin là-bas parce qu'il se trouvait derrière la maison et que personne pouvait le voir. Mais les gens avaient des oreilles, et ils racontent que c'était affreux, parfois, d'entendre le pauvre Henry supplier son oncle de pas le tuer. Mais personne osait s'interposer parce que le vieux Tom était un tel dépravé que c'est certain qu'il leur aurait fait leur affaire d'une façon ou d'une autre. Il avait brûlé les granges d'un type de l'entrée du port qui l'avait offensé. Henry a fini par crever et son oncle et sa tante ont prétendu qu'il avait trépassé pendant une de ses crises et personne n'a jamais rien appris d'autre, mais tout le monde a dit que c'était Tom qui l'avait assassiné. Et ça a pas pris goût de tinette qu'on a commencé à dire qu'Henry *revenait*. Le vieux jardin était *hanté*. On l'entendait, la nuit, qui se lamentait et qui pleurait. Le vieux Tom et sa femme sont partis, ils sont allés dans l'Ouest et sont jamais revenus. L'endroit avait une si mauvaise réputation que personne a voulu ni l'acheter ni le louer. C'est pour ça que la baraque tombe en ruines. Ça fait trente ans de ça, mais le fantôme d'Henry Warren la hante encore.»

«Tu crois ça, toi? s'exclama Nan avec mépris. Pas moi.»

«Ma foi, d'honnêtes gens l'ont vu et entendu, répliqua Mary. On dit qu'il apparaît, rampe dans l'herbe et vous attrape les jambes et qu'il baragouine et gémit comme quand il était vivant. J'ai pensé à ça dès que j'ai vu la chose blanche dans les buissons et j'me suis dit que s'il m'attrapait comme ça et se mettait à se lamenter, j'en tomberais raide morte. C'est pourquoi j'me suis sauvée à toutes jambes. C'était peut-être pas son fantôme, mais j'allais certainement pas prendre de risque avec un esprit.»

«C'était probablement le veau blanc de la vieille Mme Stimson, suggéra Di en riant. Il broute dans ce jardin, je l'ai moi-même vu.»

«T'as peut-être raison. Mais c'est la dernière fois que j'vais dans le jardin Bailey. Voici Jerry avec une grosse ficelle de truites et c'est à mon tour de les faire cuire. Jem et Jerry disent que j'suis la meilleure cuisinière du Glen. Et Cornelia m'a autorisée à apporter ces biscuits. J'ai failli les laisser tomber quand j'ai vu le spectre d'Henry.»

Jerry hua en entendant l'histoire du fantôme, que Mary lui répéta en faisant frire les truites; il faut dire qu'elle la retoucha un tantinet car Walter était allé aider Faith à mettre le couvert. Si cela ne fit aucun effet à Jerry, Faith, Una et Carl avaient été secrètement terrifiés, même si jamais ils ne l'auraient avoué. Tout alla bien tant que les autres furent avec eux dans la vallée; mais quand le banquet fut terminé et que tombèrent les ombres, le souvenir les fit frémir. Jerry se rendit à Ingleside avec les Blythe pour voir Jem et Mary fit route avec eux pour rentrer chez elle. Faith, Carl et Una durent donc retourner seuls à la maison. Ils marchaient serrés les uns près des autres et firent un grand détour pour éviter de passer à proximité du vieux jardin Bailey. Ils ne croyaient évidemment pas qu'il était hanté, mais ils préféraient quand même ne pas passer trop près.

30

Le fantôme sur la digue

D'une certaine façon, Faith, Carl et Una ne purent se libérer de l'emprise qu'exerçait sur leur imagination l'histoire du spectre d'Henry Warren. Ils n'avaient jamais cru aux esprits. Des histoires de revenants, ils en avaient entendu beaucoup, et Mary Vance leur en avait raconté de plus traumatisantes que celle-là; mais toutes ces histoires parlaient de lieux, de gens et de fantômes lointains et inconnus. Ils cessaient d'y penser dès qu'était passé le premier frisson mi-effrayant, mi-agréable de terreur. La dernière histoire continua pourtant de leur trotter dans la tête. Le vieux jardin Bailey était pratiquement à leur porte, pratiquement dans leur vallée Arc-en-ciel chérie. Ils avaient passé et repassé devant des centaines de fois; ils y avaient cherché des fleurs; ils l'empruntaient comme raccourci pour aller directement du village à la vallée. Mais jamais plus ils ne le feraient! Après le soir où Mary Vance leur avait raconté cette histoire à faire dresser les cheveux sur la tête, même sous peine de mort ils n'auraient accepté de le traverser ou de passer à proximité. De mort! Qu'était la mort comparée à l'angoissante possibilité de tomber dans les griffes du spectre rampant d'Henry Warren?

Par une chaude soirée de juillet, ils étaient tous trois assis à s'ennuyer un peu sous les Arbres amoureux. Personne d'autre ne s'était approché de la vallée ce soir-là. Jem Blythe était allé à Charlottetown passer ses examens d'entrée. Jerry et Walter faisaient un tour de bateau dans le port avec le vieux Capitaine Crawford. Nan, Di, Rilla et Shirley s'étaient rendus au bout du chemin du port chez Kenneth et Persis Ford venus avec leurs parents faire une visite éclair à la petite maison de rêves. Nan avait proposé à Faith de les accompagner, mais Faith avait décliné l'invitation. Même si jamais elle ne l'aurait avoué, elle ressentait une pointe de jalousie à l'égard de Persis Ford dont on lui avait tant rebattu les oreilles: elle était, semblait-il, merveilleusement belle et brillait de tout l'éclat de la ville. Non, il n'était pas question qu'elle aille jouer le deuxième violon là-bas. Elle et Una prirent leurs livres de contes et allèrent lire à la vallée Arc-en-ciel pendant que Carl cherchait des insectes le long des rives du ruisseau; tous trois étaient donc parfaitement heureux jusqu'au moment où ils s'aperçurent que le soir était tombé et que le vieux jardin était dangereusement proche. Carl vint s'asseoir tout près de ses sœurs. S'ils souhaitaient tous être partis un peu plus tôt à la maison, personne n'en souffla pourtant mot.

De gros nuages pourpres et veloutés s'amoncelèrent à l'ouest et se répandirent au-dessus de la vallée. Il n'y avait pas un souffle de vent et tout devint tout à coup étrangement, épouvantablement immobile. Des milliers de lucioles voletaient au-dessus du marais. On avait sûrement convoqué une assemblée de fées, ce soir-là. Tout compte fait, la vallée Arc-en-ciel n'était pas, à ce moment précis, un endroit sûr.

Faith jeta un regard effrayé en direction du vieux jardin Bailey. Alors, si jamais le sang de quelqu'un se glaça dans ses veines, ce fut celui de Faith Meredith à cet instant. Les yeux de Carl et d'Una suivirent le regard en transe de Faith et des frissons commencèrent à courir le long de leurs colonnes vertébrales. Là, sous le gros mélèze se trouvant sur la digue effondrée et envahie d'herbe du jardin Bailey, il y avait quelque chose de blanc et d'informe qui se mouvait dans le noir. Les trois enfants Meredith figèrent sur place.

«C'est... c'est... c'est le veau», chuchota enfin Una.

«C'est... trop... gros pour être un veau», chuchota Faith à son tour. Elle avait la bouche et les lèvres si sèches que c'est à peine si elle arrivait à articuler.

Carl murmura soudain d'une voix étranglée:

«Ça s'en vient par ici.»

Les filles jetèrent un dernier regard terrifié. Oui, la chose s'était mise à ramper en bas de la digue, et un veau était incapable de ramper. La panique leur enleva tout pouvoir de raisonner. Pour l'instant, ils étaient tous trois fermement convaincus d'être en présence du fantôme d'Henry Warren. Carl bondit sur ses pieds et s'enfuit en courant comme un aveugle. Poussant en même temps un hurlement, les filles le suivirent. Éperdus, ils dévalèrent la colline, traversèrent la route et entrèrent en trombe dans le presbytère. Quand ils étaient partis, tante Martha cousait dans la cuisine. Elle n'y était plus. Ils se ruèrent dans le bureau. Il était vide et plongé dans l'obscurité. Sur le coup d'une même impulsion, ils firent volte-face et se précipitèrent à Ingleside, sans cependant passer par la vallée. Dans le sentier de la colline et la rue du Glen, ils volaient sur les ailes de leur folle terreur, Carl en tête, Una à la queue. Personne ne tenta de les arrêter, quoique tous ceux qui les virent passer se demandèrent quelle nouvelle bêtise ces jeunes du presbytère avaient encore inventée. À la grille d'Ingleside, ils tombèrent sur Rosemary West entrée un moment rendre quelques livres.

Voyant leurs visages épouvantés et leurs yeux hagards, elle comprit que, quelle qu'en soit la cause, ils étaient en proie à une terreur affreuse et réelle. Elle saisit Carl par un bras, et Faith par un autre. Una trébucha et s'accrocha désespérément à elle.

«Mes chers enfants, qu'est-ce qui s'est passé? demanda-t-elle. Qu'est-ce qui vous a fait si peur?»

«C'est le fantôme d'Henry Warren», répondit Carl en claquant des dents.

«Le fantôme d'Henry Warren?» s'écria d'un air stupéfait Rosemary, qui n'avait jamais entendu cette histoire.

«Oui, sanglota hystériquement Faith. Il est là, sur la digue du jardin Bailey... On l'a vu... et il a commencé à nous poursuivre.»

Rosemary entraîna les trois créatures déroutées jusqu'à la véranda d'Ingleside. Gilbert et Anne étaient tous deux absents, s'étant également rendus à la maison de rêves, mais Susan apparut dans l'embrasure de la porte, émaciée, cynique et pas du tout fantomatique.

«Qu'est-ce que c'est que ce boucan?» demanda-t-elle.

Une fois de plus, les enfants racontèrent en bredouillant leur terrible histoire tandis que Rosemary les serrait près d'elle en leur prodiguant un réconfort muet.

«C'était probablement un hibou», suggéra Susan, qui resta de glace.

Un hibou! Les enfants Meredith n'eurent plus jamais une haute opinion de l'intelligence de Susan après ce commentaire.

«C'était plus gros qu'un million de hiboux, protesta Carl entre deux sanglots» — oh! Comme plus tard il aurait honte de ces sanglots! — «et ça... ça rampait, exactement comme l'a dit Mary, ça descendait du muret en rampant vers nous. Est-ce que les hiboux rampent?»

Rosemary regarda Susan.

«Ils ont dû apercevoir quelque chose qui les a effrayés», dit-elle.

«Je vais aller voir, rétorqua froidement celle-ci. À présent, calmez-vous, les enfants. Quelle que soit la chose que vous avez vue, c'était pas un esprit. Quant à ce pauvre Henry Warren, j'suis certaine qu'il a dû être trop content de se reposer tranquillement une fois en paix dans sa tombe. Pas de danger qu'il revienne, vous pouvez être sûrs de ça. Si vous pouviez leur faire entendre raison, Mlle West, j'vais aller voir de quoi il retourne.»

Susan partit en direction de la vallée Arc-en-ciel, attrapant vaillamment une fourche qu'elle découvrit appuyée sur la clôture arrière où le docteur l'avait laissée après avoir travaillé dans son petit champ de foin. Une fourche n'était peut-être pas d'une grande utilité contre des «esprits», mais c'était quand même une arme réconfortante à avoir. Il n'y avait rien à voir dans la vallée Arc-en-ciel quand Susan y arriva. Aucun visiteur en blanc ne semblait tapi dans les broussailles du vieux jardin Bailey. Susan le traversa sans crainte et, armée de sa fourche, elle alla frapper à la porte d'un petit cottage situé de l'autre côté de la route, où Mme Stimson vivait avec ses deux filles.

Pendant ce temps-là, à Ingleside, Rosemary avait réussi à calmer les enfants. S'ils pleurnichaient encore un peu à cause du choc, un doute salutaire commençait à s'insinuer en eux, à savoir qu'ils s'étaient conduits comme d'impardonnables idiots. Ce doute devint une certitude au retour de Susan.

«J'ai découvert l'identité de votre fantôme, dit-elle avec un sourire contraint en s'asseyant dans une berçante et en s'éventant. La vieille Mme Stimson faisait blanchir une paire de draps de coton depuis une semaine dans le jardin Bailey. Elle les avait étendus sur le muret sous le mélèze parce que l'herbe est propre et courte à cet endroit. Ce soir, elle est allée les chercher. Comme elle avait son tricot dans les mains, elle a mis les draps sur ses épaules pour les transporter. Ensuite, elle a échappé une de ses aiguilles et s'est mise à la chercher, sans réussir à la trouver. Mais elle s'est agenouillée et s'est penchée dans l'herbe pour la chercher et c'était ce qu'elle faisait quand elle a entendu d'affreux hurlements dans la vallée et vu les trois enfants passer devant elle en dévalant la colline. Elle a cru qu'ils avaient été mordus par quelque chose et ça lui a donné de telles palpitations qu'elle a été incapable de bouger ou de prononcer une parole et qu'elle est restée figée là jusqu'à ce qu'ils aient disparu. Puis elle est rentrée chez elle en titubant et on lui administre des stimulants depuis son retour. Elle a le cœur dans un état terrible et elle dit que ça va lui prendre l'été pour se remettre de cette frousse.»

Les Meredith restèrent immobiles, rouges d'une honte que ni la compréhension, ni la sympathie de Rosemary ne purent chasser. Ils partirent la tête basse et, parvenus à la grille du presbytère, ils rencontrèrent Jerry à qui ils firent une confession pleine de remords. Une réunion du Club de bonne conduite fut convoquée pour le lendemain matin.

«N'est-ce pas que Mlle West a été gentille avec nous, ce soir?» chuchota Faith dans son lit.

«C'est vrai, admit Una. Quel dommage que les femmes changent tellement quand elles deviennent des belles-mères.»

«Moi, je n'en crois rien», déclara Faith avec loyauté.

31

La punition de Carl

«Je ne vois pas pourquoi on devrait être punis», dit Faith d'un air maussade. Nous n'avons rien fait de mal. Nous n'avons tout simplement pas pu nous empêcher d'avoir peur. Et cela ne nuira pas à papa. Ce n'était qu'un accident.»

«Vous vous êtes conduits comme des lâches, déclara Jerry avec un mépris de justicier, et vous avez cédé à votre lâcheté. C'est pour ça qu'il faut que vous soyez punis. Tout le monde va rire de vous, et ça jette le déshonneur sur la famille.»

«Si tu savais comme la chose était horrible, reprit Faith en frémissant, tu te dirais que nous avons déjà été suffisamment punis. Je ne voudrais revivre ça pour rien au monde.»

«Je pense que toi-même tu te serais sauvé si tu avais été là», marmonna Carl.

«Devant une vieille bonne femme emmitouflée dans un drap de coton, se moqua Jerry. Ha! Ha! Ha!»

«Ça ne ressemblait pas du tout à une vieille femme, s'écria Faith. C'était juste une grande et grosse chose blanche qui rampait dans l'herbe et c'était exactement comme Mary Vance avait décrit le fantôme d'Henry Warren. C'est facile pour toi de rire, Jerry Meredith, mais tu aurais ri jaune si tu avais été là. Et comment allons-nous être punis? Je ne trouve pas ça juste, mais voyons à quoi tu vas nous condamner, juge Meredith.»

«Selon moi, fit Jerry en fronçant les sourcils, c'est Carl le plus coupable. C'est lui qui a fui le premier, d'après ce que j'ai compris. De plus, c'est lui, le garçon, et il aurait dû rester pour vous protéger, qu'importe le danger. Tu sais ça, n'est-ce pas, Carl?»

«J'imagine que oui», grommela ce dernier, le visage honteux.

«Très bien. Alors voilà quelle sera ta pénitence. Ce soir, tu resteras assis tout seul sur la tombe d'Hezekiah Pollock jusqu'à minuit.»

Carl frissonna légèrement. Le cimetière n'était pas très loin du jardin Bailey. Ce serait une épreuve difficile. Mais Carl avait hâte de laver le déshonneur et de prouver que, tout compte fait, il n'était pas un lâche.

«D'accord, dit-il énergiquement. Mais comment vais-je savoir qu'il est minuit?»

«Les fenêtres du bureau sont ouvertes et tu pourras entendre l'horloge sonner. Et prends garde de ne pas bouger du cimetière avant le dernier coup. Quant à vous, les filles, vous serez privées de confiture au souper pendant une semaine.»

Faith et Una eurent l'air interdites. Elles avaient l'impression que la pénitence comparativement brève de Carl, bien qu'elle fût sévère, était une peine plus légère que cette interminable épreuve. Une semaine entière de pain détrempé sans le secours de la confiture! Mais, dans le club, il n'était pas permis de se défiler. Les filles acceptèrent donc leur lot avec toute la philosophie qu'elles purent rassembler.

Ce soir-là, ils allèrent tous se coucher à neuf heures, sauf Carl, qui montait la garde sur la pierre tombale. Una se glissa dans le cimetière pour aller lui souhaiter une bonne nuit. Son cœur tendre était déchiré de compassion.

«Oh! Carl, as-tu très peur?» chuchota-t-elle.

«Pas du tout», riposta ce dernier avec désinvolture.

«Je ne fermerai pas l'œil avant le dernier coup de minuit, poursuivit Una. Si tu t'ennuies, regarde la fenêtre et dis-toi que je suis à l'intérieur, réveillée et en train de penser à toi. Ça te tiendra un peu compagnie, pas vrai?»

«Tout ira bien. Ne t'inquiète pas pour moi», la rassura Carl.

Mais malgré ses propos intrépides, Carl était un petit garçon qui se sentait plutôt esseulé quand s'éteignirent les lumières du presbytère. Il avait espéré que son père fût dans son bureau comme cela lui arrivait souvent. La solitude aurait alors été moins pénible à supporter. Mais M. Meredith avait ce soir-là été appelé au chevet d'un mourant, au village de pêcheurs de l'entrée du port et il ne rentrerait que très tard, après minuit sans doute. Carl devait purger sa peine tout seul.

Un homme du Glen passa, portant une lanterne. Les ombres mystérieuses provoquées par cette lueur bougèrent vivement, faisant penser à un ballet de démons et de sorcières. Elles passèrent et l'obscurité tomba de nouveau. Une après l'autre, les lumières du Glen s'éteignirent. C'était une nuit très noire, car le ciel était nuageux, et un vent mordant soufflait de l'est, frisquet malgré la saison. À l'horizon, au loin, on apercevait la bande faiblement éclairée des lumières de Charlottetown. Le vent soupirait et se lamentait dans les conifères. Le haut monument de M. Alec Davis luisait, tout blanc, dans la pénombre. À côté de lui, un saule balançait ses longs bras frémissants. Par instants, à cause des mouvements de ses branches, on aurait dit que le monument bougeait aussi.

Carl se recroquevilla sur la pierre tombale, les jambes repliées sous lui. Ce n'était pas particulièrement agréable de les laisser pendre sur le bord de la pierre. Imaginons — imaginons seulement — que des mains de squelette pussent sortir de la tombe de M. Pollock et l'attraper par les chevilles! Cela avait été une des joyeuses suppositions de Mary Vance une fois qu'ils étaient tous assis à cet endroit même. L'idée revenait à présent tourmenter Carl. Il ne croyait pas à ces choses; en vérité, il ne croyait même pas au fantôme d'Henry Warren. Quant à M. Pollock, comme il était mort depuis soixante ans, il n'y avait pas grand danger qu'il se préoccupât à présent de qui était assis sur sa pierre tombale. Mais il y a quelque chose d'aussi étrange que terrible dans le fait d'être éveillé quand le reste du monde est plongé dans le sommeil. On est alors seul, sans autre secours que sa faible petite personnalité pour combattre les puissances de l'ombre. Carl n'avait que dix ans et la mort était partout autour de lui et il souhaitait, oh! comme il souhaitait, que sonnent les douze coups de minuit. Sonneraient-ils jamais? Tante Martha avait certainement oublié de remonter l'horloge.

Puis, onze heures sonnèrent, seulement onze heures! Il fallait qu'il reste encore une autre heure dans ce lieu sinistre. Si seulement on pouvait voir quelques étoiles amicales! La noirceur était si dense qu'elle semblait se presser contre son visage. On entendait des bruits furtifs de pas dans tout le cimetière. Carl frissonna, en partie parce qu'il était terrifié et en partie parce qu'il avait vraiment froid.

Il se mit ensuite à tomber une pluie glacée et pénétrante. La fine chemise de coton de Carl fut bientôt complètement détrempée. Il était transi jusqu'aux os. L'inconfort physique lui fit oublier ses frayeurs mentales. Il devait pourtant rester jusqu'à minuit, c'était une punition et une question d'honneur. On n'avait pas parlé de la pluie, mais cela ne changeait rien. Quand le douzième coup de minuit sonna enfin à l'horloge du bureau, une petite silhouette dégoulinante se glissa, toute raide, en bas de la pierre tombale de M. Pollock, se faufila jusqu'au presbytère et monta à sa chambre. Les dents de Carl claquaient. Il eut l'impression que jamais il n'arriverait à se réchauffer.

Il avait cependant plutôt chaud quand le jour se leva. Jerry jeta un regard stupéfait à son visage écarlate et se précipita pour avertir son père. M. Meredith arriva en hâte, son propre visage d'une pâleur ivoirine après sa longue nuit de veille au chevet d'un moribond. Il se pencha anxieusement sur son petit garçon.

«Carl, es-tu malade?» demanda-t-il.

«La... pierre tombale... là-bas, bégaya Carl, elle bouge... elle vient... vers moi... protège-moi, je t'en prie...»

M. Meredith se rua vers le téléphone. Dix minutes plus tard, le Dr Blythe était là. Une demi-heure plus tard, un télégramme était envoyé pour faire venir une infirmière et tout le Glen savait que Carl Meredith avait attrapé une pneumonie et qu'on avait vu le Dr Blythe secouer la tête.

Gilbert secoua la tête plus d'une fois au cours de la quinzaine qui suivit. Carl avait développé une double pneumonie. Un soir, M. Meredith arpenta sans relâche son bureau, Faith et Una se réfugièrent dans leur chambre pour pleurer et Jerry, fou de remords, resta pétrifié dans le couloir derrière la porte de la chambre de Carl. Le Dr Blythe et l'infirmière ne quittèrent pas le chevet de Carl. Jusqu'à l'aurore, ils combattirent vaillamment la mort et remportèrent finalement la victoire. Carl sortit sain et sauf de la crise. La nouvelle fut communiquée par téléphone dans tout le village et les gens découvrirent qu'en réalité, ils éprouvaient beaucoup d'affection pour leur pasteur et ses enfants.

«Je n'ai pas dormi une seule nuit complète depuis que j'ai appris que cet enfant était malade, confia Mlle Cornelia à Anne, et Mary Vance a tellement pleuré que ses yeux bizarres avaient l'air de deux trous dans une couverture. Est-ce vrai que Carl a attrapé cette pneumonie parce qu'il avait parié de rester dans le cimetière ce soir de pluie?»

«Non. Il est resté là pour se punir de sa lâcheté dans cette affaire du fantôme Warren. Il paraît qu'ils ont formé un club pour s'occuper de leur éducation et qu'ils se punissent quand ils ont commis une faute. Jerry a raconté toute l'histoire à M. Meredith.»

«Pauvres petits», soupira Mlle Cornelia.

Carl se rétablit rapidement car la congrégation apporta au presbytère suffisamment de choses nourrissantes pour fournir un hôpital. Norman Douglas venait chaque soir porter une douzaine d'œufs frais et un pot de crème Jersey. Il passait parfois une heure dans le bureau de M. Meredith à discuter de la prédestination; le plus souvent, il se rendait au sommet de la colline qui surplombait le Glen.

Lorsque Carl put retourner à la vallée Arc-en-ciel, on fit

un banquet en son honneur et le docteur vint donner un coup de main pour allumer les pétards. Mary Vance était là, elle aussi, mais elle ne raconta aucune histoire de revenants. Mlle Cornelia avait eu avec elle une conversation qu'elle n'était pas près d'oublier.

32

Deux têtes de mule

Rosemary West, rentrant chez elle après la leçon de musique à Ingleside, se dirigea vers la source cachée de la vallée Arc-en-ciel. Elle n'y était pas allée de l'été: ce coin exquis n'exerçait plus aucun attrait sur elle. L'esprit de son jeune amoureux ne s'était plus jamais présenté au rendez-vous; quant aux souvenirs liés à John Meredith, ils étaient trop douloureux et poignants. Mais en jetant un coup d'œil derrière elle, elle avait aperçu Norman Douglas sauter aussi légèrement qu'un adolescent sur le muret de pierre du jardin Bailey et elle s'était dit qu'il était en train de gravir la colline. S'il la croisait, elle devrait marcher avec lui jusque chez elle et elle n'en avait aucune envie. Elle se glissa donc aussitôt derrière les érables de la source en espérant qu'il ne l'avait pas vue et passerait son chemin.

Mais Norman l'avait vue et, plus encore, c'était elle qu'il cherchait. Il y avait quelque temps qu'il désirait s'entretenir avec Rosemary, mais elle avait toujours paru l'éviter. Rosemary n'avait jamais, à aucun moment, beaucoup aimé Norman Douglas. Son tempérament explosif et coléreux et son hilarité bruyante l'avaient toujours horripilée. Autrefois, elle s'était souvent demandé comment Ellen pouvait être attirée par lui. Norman Douglas savait parfaitement qu'elle ne l'aimait pas et cela le faisait rire. L'inimitié des gens n'avait jamais préoccupé Norman Douglas. L'antipathie n'était même pas réciproque car il la prenait comme un compliment. Il considérait Rosemary comme une femme gentille et avait l'intention d'être pour elle un beau-frère excellent et généreux. Mais avant de devenir son beau-frère, il devait avoir une conversation avec elle; c'est pourquoi, l'ayant vue quitter Ingleside au moment où il se trouvait dans l'embrasure de la porte du magasin du village, il s'était aussitôt précipité dans la vallée, espérant la croiser.

Rosemary était assise pensivement sur le tronc de l'érable où John Meredith avait lui-même pris place un soir, il y avait de cela presque un an. La petite source miroitait et creusait ses fossettes sous sa bordure de fougères. Les rayons rubis du soleil couchant se frayaient un chemin à travers les branches voûtées. Un haut bosquet de ravissants asters se dressait à côté d'elle. Le petit recoin était aussi mystérieux, ensorcelé et évanescent que n'importe quelle retraite de fées et de nymphes dans d'anciennes forêts. En y pénétrant, Norman Douglas dévasta et anéantit immédiatement son charme. Sa personnalité eut l'air d'engloutir le lieu. On ne voyait plus rien que l'énorme et suffisant Norman Douglas à la barbe rousse.

«Bonsoir», fit froidement Rosemary en se levant.

«'soir, fille. Rassoyez-vous, rassoyez-vous. J'ai quelque chose à vous dire. Seigneur, pourquoi cette fille me regarde-t-elle comme ça? J'vais pas vous manger, j'ai déjà soupé. Assoyez-vous et montrez-vous au moins polie.»

«Je n'ai pas besoin de m'asseoir pour vous entendre», riposta Rosemary.

«Y a pas de problème, fille, si vous vous servez de vos oreilles. J'voulais seulement que vous soyez installée confortablement. Vous avez l'air satanément guindée, debout, comme ça. En tout cas, j'vais m'asseoir, moi.»

Norman prit donc place à l'endroit exact où John Meredith s'était un jour assis. Le contraste était si ridicule que Rosemary eut peur d'éclater d'un rire hystérique. Norman jeta son chapeau à côté de lui, posa ses énormes mains rouges sur ses genoux et cligna des yeux vers elle.

«Allons, fille, soyez pas si raide», insinua-t-il. Il y arrivait parfaitement bien quand il le voulait. «Ayons une petite conversation raisonnable, sensée et amicale. J'ai quelque chose à vous demander. Ellen dit qu'elle le fera pas, alors faut bien que ce soit moi.»

Rosemary regarda la source qui avait l'air d'avoir refoulé à la taille d'une goutte de rosée. Norman lui jeta un regard désespéré.

«Maudit, vous pourriez me donner un p'tit coup de main», explosa-t-il.

«Qu'est-ce que vous voulez que je vous aide à dire?» demanda Rosemary avec mépris.

«Vous le savez aussi bien que moi, fille. Prenez pas vos airs tragiques. Pas étonnant qu'Ellen ait eu peur de vous le demander. Écoutez, fille, Ellen et moi, on veut se marier. C'est en bon français, ça, non? Vous avez saisi? Et Ellen prétend qu'elle peut pas le faire si vous refusez de la libérer d'une stupide promesse qu'elle vous a faite. Dites, maintenant, allez-vous la libérer de sa parole?»

«Oui», répondit Rosemary.

Norman bondit sur ses pieds et saisit la main qu'elle lui abandonna à contrecœur.

«Parfait! J'en étais sûr, je l'avais dit à Ellen. Je savais que ça prendrait pas plus d'une minute. À présent, fille, rentrez chez vous le répéter à Ellen et on va faire la noce dans deux semaines. Vous allez venir habiter chez nous. Inquiétez-vous pas, on va pas vous laisser vous morfondre au sommet de cette colline comme un corbeau solitaire. Je sais que vous me haïssez, mais Dieu que ça va être amusant de vivre avec quelqu'un qui me déteste. Ça va mettre du piment dans l'existence. Ellen va me rôtir et vous allez me geler. J'm'ennuierai pas un seul instant.»

Rosemary ne condescendit pas à lui apprendre que rien ne pourrait jamais la convaincre d'aller habiter chez lui. Elle le laissa repartir vers le Glen, suant de plaisir et de suffisance, et poursuivit lentement son chemin vers le sommet de la colline. Elle avait compris que cela se préparait depuis qu'à son retour de Kingsport, elle avait découvert en Norman Douglas un visiteur du soir assidu. Jamais son nom n'avait été prononcé entre elle et Ellen, mais cette omission même était hautement significative. Ce n'était pas dans la nature de Rosemary d'éprouver de l'amertume, sans quoi elle en aurait éprouvé beaucoup. Elle se montrait froidement polie avec Norman, et son attitude envers Ellen était toujours la même. Mais Ellen ne s'était pas sentie très à l'aise cette deuxième fois où elle était courtisée.

Elle se trouvait dans le jardin avec Saint-Georges quand Rosemary arriva. Les deux sœurs se rencontrèrent dans l'allée des dahlias. Saint-Georges s'assit entre elles dans le gravier et enroula gracieusement sa queue noire et luisante autour de ses pattes blanches avec toute l'indifférence d'un chat bien nourri, bien élevé et bien soigné.

«As-tu jamais vu de pareils dahlias? s'exclama fièrement Ellen. Ce sont les plus beaux que nous ayons jamais eus.»

Rosemary n'avait jamais été très attirée par les dahlias. Leur présence dans le jardin était une concession faite au goût d'Ellen. Elle en remarqua un énorme moucheté de rouge et de jaune qui dominait tous les autres.

«Ce dahlia, dit-elle en le pointant du doigt, ressemble tout à fait à Norman Douglas. Il pourrait être son jumeau.»

Le visage mat d'Ellen rougit. Elle admirait le dahlia en question, mais savait que ce n'était pas le cas pour Rosemary et qu'il ne s'agissait pas d'un compliment. Mais elle n'osa pas tenir rigueur à Rosemary de ses propos. Il faut dire qu'à ce moment précis, la pauvre Ellen n'osait s'offusquer de rien. Et c'était la première fois que Rosemary prononçait le nom de Norman devant elle. Elle sentit que cela laissait présager quelque chose.

«J'ai rencontré Norman Douglas dans la vallée, poursuivit Rosemary en regardant sa sœur droit dans les yeux, et il m'a dit que vous souhaitiez vous marier, toi et lui, si je vous en donnais la permission.»

«Oui? Et qu'est-ce que tu as répondu?» demanda Ellen en essayant en vain de s'exprimer avec naturel et désinvolture.

Incapable de regarder Rosemary en face, elle baissa les yeux sur le dos noir et lustré de Saint-Georges; elle avait horriblement peur. Rosemary avait soit dit oui, soit dit non. Si elle avait accepté, Ellen éprouverait tant de honte et de remords qu'elle ferait une fiancée très embarrassée; et si elle avait refusé... eh bien, Ellen avait une fois appris à vivre sans Norman Douglas, mais elle avait oublié la leçon et sentait qu'il lui serait impossible de la réapprendre.

«J'ai répondu que quant à moi, vous étiez entièrement libres de vous marier dès que vous le voudrez.»

«Merci», dit Ellen, regardant toujours Saint-Georges.

Le visage de Rosemary se radoucit.

«Je te souhaite beaucoup de bonheur, Ellen», ajouta-t-elle gentiment.

Ellen lui jeta un regard plein de détresse.

«Oh! Rosemary! J'ai tellement honte... je ne le mérite pas... après tout ce que je t'ai dit...»

«Ne parlons plus de cela», interrompit Rosemary d'un ton ferme.

«Mais... mais, insista Ellen, tu es libre à présent, toi aussi... et il n'est pas trop tard... John Meredith...»

«Ellen West!»

Sous toute sa douceur, Rosemary avait aussi du caractère et il faisait à présent scintiller ses yeux bleus.

«As-tu perdu l'esprit à *tous* les égards? Peux-tu supposer un seul instant que je vais aller voir John Meredith et lui annoncer humblement: "Je vous en prie, monsieur, j'ai changé d'idée et je vous en prie, monsieur, j'espère que vous êtes toujours d'accord, vous." C'est ça que tu veux que je fasse?»

«Non, bien sûr que non, mais avec un peu d'encouragement, il reviendrait...»

«Jamais. Il me méprise et il a bien raison. Ne me parle plus de cela, Ellen. Je ne te garde pas rancune, tu peux épouser qui tu veux. Mais ne te mêle plus de mes affaires.»

«Alors, tu dois venir vivre avec moi. Je ne vais pas te laisser ici toute seule.»

«Crois-tu vraiment que je vais aller vivre dans la maison

de Norman Douglas?»

«Pourquoi pas?» s'écria Ellen, presque fâchée malgré son humiliation.

Rosemary se mit à rire.

«Je pensais que tu avais le sens de l'humour, Ellen. Peux-tu réellement m'imaginer avec vous?»

«Je ne vois pas pourquoi tu ne viendrais pas. Sa maison est assez grande. Tu aurais tes appartements et il te laisserait tranquille.»

«C'est hors de question, Ellen. N'aborde plus ce sujet.»

«S'il en est ainsi, fit froidement et résolument Ellen, je ne l'épouserai pas. Je ne t'abandonnerai pas toute seule ici. Le sujet est clos.»

«C'est insensé, Ellen.»

«Non. C'est ma ferme décision. Ce serait absurde que tu restes ici toute seule, à un mille de la maison la plus proche. Si tu ne viens pas avec moi, je vais rester. N'essaie même pas d'en discuter.»

«Je vais laisser ce soin à Norman», répliqua Rosemary.

«Je vais m'occuper de Norman. Je suis capable de lui faire entendre raison. Je ne t'aurais jamais demandé de me libérer de ma promesse, jamais, mais j'ai dû expliquer à Norman pourquoi je refusais de l'épouser et il a décidé de te le demander. Je n'ai pas pu l'en empêcher. Ne crois pas être la seule personne au monde à avoir de l'amour-propre. Je n'ai jamais pensé un seul instant à me marier et à t'abandonner. Et tu vas t'apercevoir que je peux être aussi déterminée que toi.»

Rosemary lui tourna le dos et pénétra dans la maison en haussant les épaules. Ellen baissa les yeux vers Saint-Georges qui n'avait ni cligné un œil ni remué un poil de ses moustaches pendant toute la durée de l'entretien.

«Il faut admettre que le monde est un endroit terne sans les hommes, Saint-Georges, mais je serais tentée de souhaiter qu'il n'en existe pas un seul. Regarde les problèmes et les tracas qu'ils ont causés ici même, Georges. Ils ont complètement ruiné notre ancienne vie heureuse. C'est John Meredith qui a commencé et Norman Douglas a achevé le travail,

Saint. Et voilà qu'ils doivent disparaître tous les deux. Norman est le seul homme de ma connaissance à penser comme moi que le Kaiser d'Allemagne est la créature vivante la plus dangereuse sur cette terre et je ne peux épouser cette personne sensée parce que ma sœur est une tête de mule et que je suis encore plus têtue qu'elle. Écoute-moi bien, Saint-Georges, elle n'aurait qu'à lever le petit doigt pour que le pasteur revienne. Mais elle n'en fera rien, Georges, jamais, elle ne le pliera même pas, et je n'oserai pas m'en mêler, Saint. Je ne bouderai pas, Georges; Rosemary n'a pas boudé, elle, et je suis déterminée à faire comme elle, Saint; Norman va s'arracher les cheveux, mais en fin de compte, Saint-Georges, les vieux fous comme nous devraient cesser de songer au mariage. Bien, bien, comme on dit, le désespoir, c'est liberté et l'espoir, c'est l'esclavage, Saint. À présent, rentre à la maison, Georges, et je vais te régaler d'une soucoupe de crème. Comme ça, il y aura au moins une créature heureuse et satisfaite sur cette colline.»

33

Carl n'est pas... fouetté

«Je pense qu'il faut que je vous dise quelque chose», commença mystérieusement Mary Vance.

Elle marchait bras dessus, bras dessous avec Faith et Una dans le village, après les avoir rencontrées au magasin de M. Flagg. Una et Faith échangèrent des regards qui signifiaient: "Attendons-nous à une révélation désagréable." Quand Mary Vance pensait avoir quelque chose à leur dire, c'était rarement plaisant à entendre. Elles se demandaient souvent comment elles pouvaient continuer à aimer Mary Vance, car c'est vrai qu'elles l'aimaient, en dépit de tout. Elle était certes une compagne stimulante et sympathique. Si seulement elle n'était pas si souvent convaincue qu'il était de son devoir de leur apprendre quelque chose!

«Est-ce que vous savez que Rosemary West veut pas s'marier avec votre père parce qu'elle vous trouve trop tannants? Elle a eu peur de pas être capable de vous élever et c'est pour ça qu'elle l'a laissé tomber.»

Le cœur d'Una tressaillit d'une joie secrète. Elle était ravie d'apprendre que Mlle West n'épouserait pas son père. Mais Faith fut plutôt déçue.

«Comment le sais-tu?» demanda-t-elle.

«Oh! Tout le monde le dit. J'ai entendu Mme Elliott en parler avec Mme Docteur. Elles pensaient que j'étais trop loin pour entendre, mais j'ai des oreilles de chat. Mme Elliott disait que ça faisait aucun doute que Rosemary avait peur de devenir votre belle-mère parce que vous aviez trop mauvaise réputation. Votre père va plus jamais au sommet de la colline, à présent. Ni Norman Douglas. Les gens racontent qu'Ellen l'a plaqué juste pour lui rendre la monnaie de sa pièce parce qu'il l'avait plaquée autrefois. Mais Norman se promène partout en disant qu'il va la persuader. Puis j'pense qu'il faut que vous sachiez que c'est d'votre faute si le mariage de votre père a raté et que c'est vraiment dommage parce qu'il faudra bien qu'il se marie avant longtemps et que Rosemary West était le meilleur parti à ma connaissance.»

«Tu m'as dit que toutes les belles-mères étaient cruelles et méchantes», dit Una.

«Oh! ben, fit Mary, un peu confuse, la plupart le sont, j'pense. Mais Rosemary West serait pas capable d'être très méchante avec qui que ce soit. J'vous assure que si votre père change son fusil d'épaule et se marie avec Emmeline Drew, vous allez regretter d'vous être si mal conduits et d'avoir fait peur à Rosemary. C'est affreux qu'aucune femme veuille épouser votre père à cause de votre mauvaise réputation. Évidemment, j'sais ben que la moitié des histoires qu'on raconte à votre sujet sont pas vraies. Mais qui veut noyer son chien l'accuse de la rage, pas vrai? Seigneur, y a des gens qui prétendent que c'est Jerry et Carl qui ont lancé des cailloux dans la fenêtre de Mme Stimson l'autre soir alors qu'en réalité, c'était les deux Boyd. Mais j'ai peur que ce soit Carl qui ait mis l'anguille dans le boghei de la vieille Mme Carr, même si j'ai commencé par dire que j'le croirais pas avant d'avoir une meilleure preuve que la parole de la vieille Kitty Alec. C'est ce que j'ai dit à Mme Elliott en pleine face.»

«Qu'est-ce que Carl a fait?» s'écria Faith.

«Ben... on dit que, attention, j'fais rien que vous répéter c'que les gens racontent, alors, inutile de me blâmer... En tout cas, on dit que Carl et une bande de gars étaient en train de pêcher l'anguille sur le pont un soir la semaine dernière. Mme Carr est passée dans son vieux boghei brinquebalant à l'arrière ouvert. Et Carl s'est levé et y a lancé une grosse anguille. Pendant que la pauvre vieille Mme Carr descendait la colline près d'Ingleside, l'anguille a commencé à ramper entre ses pieds. Croyant que c'était un serpent, elle a poussé un cri de mort, s'est levée et a sauté par-dessus les roues. Le cheval s'est emballé, mais il a réussi à rentrer sans dommage. Quant à Mme Carr, elle s'est épouvantablement cogné les jambes et depuis, elle a des spasmes nerveux chaque fois qu'elle pense à l'anguille. Dites, c'était vraiment un sale tour à jouer à cette pauvre petite vieille. Elle est sympathique même si elle est attifée comme la chienne à Jacques.»

Faith et Una échangèrent un nouveau regard. C'était un cas qui concernait le Club de bonne conduite. Elles n'en discuteraient pas avec Mary.

«Voilà votre père, reprit Mary au moment où M. Meredith passait près d'elles, et il a pas l'air de nous voir plus que si on était pas là. Ça m'est égal parce que j'suis habituée. Mais y a des gens que ça offusque.»

Si M. Meredith ne les avait pas vues, ce n'était pas parce que, comme d'habitude, il allait son chemin perdu dans ses rêves et ses pensées. Non, il gravissait la colline dans un état de désarroi et d'agitation. Mme Alec Davis venait de lui rapporter l'histoire de Carl et de l'anguille. La vieille Mme Carr était sa cousine au troisième degré. M. Meredith était plus qu'indigné. Il était choqué et blessé. Jamais il n'aurait cru Carl capable d'un tel acte. Il n'était pas porté à être dur dans le cas de bêtises dues à l'étourderie ou à l'oubli, mais ceci était différent. On y percevait une pointe de méchanceté. En arrivant chez lui, il trouva Carl sur la pelouse, en train d'étudier patiemment les us et coutumes d'une colonie de guêpes. M. Meredith le fit venir dans son bureau, le fixa avec un visage plus sévère que jamais ses enfants ne lui avaient vu auparavant, et lui demanda si l'histoire était authentique.

«Oui», répondit Carl qui rougit mais affronta courageusement le regard de son père.

M. Meredith grogna. Il avait espéré qu'elle fût au moins un peu exagérée.

«Raconte-moi tout», dit-il.

«Les gars étaient sur le pont, en train de pêcher l'anguille, commença Carl. Link Drew en avait attrapé une épatante, je veux dire une vraiment très grosse, la plus grosse anguille que j'aie jamais vue. Il l'avait attrapée au tout début et elle était depuis longtemps dans son panier, aussi immobile que possible. Sincèrement, je pensais qu'elle était morte. Puis la vieille Mme Carr est passée sur le pont. Elle nous a traités de jeunes vauriens et nous a dit de rentrer chez nous. Et nous ne lui avions même pas adressé la parole, c'est vrai, papa. Alors, quand elle est repassée en revenant du magasin, les gars m'ont défié de jeter l'anguille de Link dans son boghei. Comme je pensais qu'elle était morte et ne pouvait lui faire aucun mal, je l'ai fait. Puis l'anguille est revenue à la vie sur la colline et nous avons entendu un cri et avons vu la vieille sauter. J'étais vraiment désolé. C'est tout, papa.»

Si c'était moins grave que M. Meredith l'avait craint, c'était quand même très mal.

«Je dois te punir, Carl», dit-il tristement.

«Oui, je sais, papa.»

«Je... je dois te fouetter.»

Carl sourcilla. Il n'avait jamais été fouetté. Puis, voyant dans quel état était son père, il dit avec bonne humeur:

«D'accord, papa.»

M. Meredith se méprit sur le sens de cette désinvolture et crut qu'il était insensible. Il dit à Carl de revenir dans son bureau après le souper et quand ce dernier fut sorti de la pièce, il s'effondra dans son fauteuil et poussa un nouveau grognement. Il était beaucoup plus terrifié que Carl par la soirée qui s'en venait. Le pauvre pasteur ne savait même pas avec quoi fouetter son fils. De quoi se servait-on pour battre les garçons? De bâtons? De cannes? Non, cela serait beaucoup trop brutal. Une branche d'arbre, alors? Dans ce cas, lui, John Meredith, devait se hâter d'aller en chercher une dans les bois. C'était là une pensée abominable. Puis une image se présenta d'elle-même à son esprit. Il vit le petit visage de casse-noisettes ratatiné de Mme Carr au moment de l'apparition de l'anguille ressuscitée, il la vit voler comme une sorcière sur son balai au-dessus des roues du boghei. Avant de pouvoir s'en empêcher, il pouffa de rire. Puis il fut en colère contre lui-même et encore davantage contre Carl. Il irait immédiatement chercher cette branche et, tout compte fait, elle ne devait pas être trop souple.

Carl était dans le cimetière en train de discuter de la chose avec Faith et Una qui venaient de rentrer. Elles furent horrifiées à l'idée du châtiment réservé à Carl, d'autant plus que leur père n'avait jamais porté la main sur eux.

«Tu sais que c'était une chose effrayante, soupira Faith, et tu n'en as jamais parlé au Club.»

«J'ai oublié, se justifia Carl. De plus, je ne pensais pas qu'il en était résulté quoi que ce soit de mal. J'ignorais qu'elle s'était cogné les jambes. Mais je vais être fouetté et comme ça, nous serons quittes.»

«Est-ce que cela fera... très mal?» demanda Una en glissant sa main dans celle de Carl.

«Oh! Pas trop, j'imagine, répondit Carl avec désinvolture. En tout cas, que ça fasse très mal ou non, il n'est pas question que je pleure. Si je pleurais, papa aurait trop de peine. Il est tout bouleversé, à présent. Si seulement je pouvais me fouetter moi-même assez fort pour lui éviter d'avoir à le faire.»

Après le souper, où Carl mangea un petit peu et M. Meredith pas du tout, ils se dirigèrent tous deux en silence vers le bureau. La branche reposait sur la table. M. Meredith avait eu beaucoup de mal à en trouver une qui lui convenait. Il en avait coupé une, puis l'avait trouvée trop mince. Puis une autre, qui lui avait paru beaucoup trop épaisse. Après tout, Carl avait cru l'anguille bel et bien morte. La troisième fit mieux son affaire, mais quand il la prit sur la table, elle lui sembla très épaisse et très lourde: elle ressemblait davantage à un bâton qu'à une branche.

«Tends ta main», dit-il à Carl.

Carl rejeta la tête en arrière et tendit la main sans broncher. Mais comme il n'était pas très vieux, il ne put empêcher une petite peur de paraître dans ses yeux. M. Meredith plongea son regard dans ces yeux — mon Dieu, c'étaient ceux de Cecilia! — et il y reconnut l'expression que Cecilia avait eue un jour qu'elle lui avait dit quelque chose qu'elle craignait de lui avouer. Ses yeux étaient là, dans le petit visage pâle de Carl... et six semaines auparavant, il avait cru, pendant une nuit affreuse et interminable, que cet enfant allait mourir.

John Meredith posa la branche.

«Va-t'en, dit-il. Je ne peux pas te frapper.»

Carl se rua au cimetière avec le sentiment que l'expression de son père était encore pire qu'une raclée.

«C'est déjà fini?» s'étonna Faith. Elle et Una étaient restées sur la pierre tombale des Pollock, les dents serrées, en se tenant les mains.

«Il... il ne m'a pas fouetté, expliqua Carl en ravalant un sanglot, et j'aurais préféré qu'il le fasse... et il est là, à présent, complètement hébété...»

Una s'éclipsa. Elle languissait d'aller consoler son père. Aussi furtivement qu'une petite souris grise, elle ouvrit la porte du bureau et se faufila à l'intérieur. La pièce était plongée dans la pénombre. Son père était assis à son pupitre. Elle le voyait de dos, il avait la tête dans ses mains. Il se parlait à lui-même. C'étaient des mots brisés, pleins d'angoisse, pourtant Una les entendit, et elle comprit, avec cette clairvoyance qu'ont les enfants sensibles, privés de mère. Aussi silencieusement qu'elle était entrée, elle se glissa dehors et referma la porte. John Meredith continua à exprimer sa peine dans ce qu'il croyait être sa solitude inviolée.

34

Una fait une visite au sommet de la colline

Una monta à sa chambre. Carl et Faith étaient déjà partis dans le crépuscule vers la vallée Arc-en-ciel car le son féerique de la guimbarde de Jerry leur était parvenu et ils en avaient conclu que les Blythe étaient là, ce qui laissait présager des moments de plaisir. Una n'avait pas envie de les accompagner. Elle commença par se réfugier dans sa chambre et elle s'assit sur son lit pour pleurer un peu. Elle ne voulait pas que quinconque vienne prendre la place de sa chère maman. Elle ne voulait pas d'une belle-mère qui la haïrait et s'arrangerait pour lui enlever l'amour de son père. Mais son père était si désespérément malheureux. Si elle pouvait faire quelque chose pour le soulager, elle devait le faire. Il n'y avait qu'une chose à faire, elle l'avait su dès le moment où elle avait quitté le bureau. Mais c'était loin d'être facile.

Après avoir pleuré toutes les larmes de son corps, elle essuya ses yeux et alla dans la chambre d'ami. La pièce était sombre et sentait le renfermé car le store n'avait pas été levé et la fenêtre n'avait pas été ouverte depuis longtemps. Tante Martha n'était pas une adepte de l'air frais. Mais comme personne au presbytère n'avait jamais pensé à fermer une porte, cela n'avait pas beaucoup d'importance, sauf quand quelque infortuné pasteur venait passer la nuit et était obligé de respirer l'air de la chambre d'invité.

Il y avait un placard dans cette pièce et dans le fond de ce placard, une robe de soie grise était suspendue. Una y entra, ferma la porte, s'agenouilla et enfouit son visage dans les plis soyeux. Cela avait été la robe de mariée de sa mère. Le tissu avait conservé un parfum doux et léger, comme si l'amour s'y attardait. Una se sentait toujours très près de sa mère dans ce lieu; c'était comme si elle était à genoux à ses pieds, la tête dans son giron. Elle y allait quand la vie devenait trop dure.

«Maman, chuchota-t-elle à la robe de soie, jamais je ne t'oublierai, maman, et c'est toujours toi que j'aimerai le mieux. Mais il y a une chose que je dois faire, maman, parce que papa est vraiment trop malheureux. Je sais que tu ne veux pas qu'il le soit. Et je serai très gentille avec elle, maman, et je vais essayer de l'aimer, même si elle est comme ce que Mary Vance dit que les belles-mères sont.»

Una sortit de son sanctuaire secret remplie d'une nouvelle force spirituelle. Elle dormit d'un sommeil paisible cette nuit-là, des traces de larmes encore visibles sur son joli visage sérieux.

Le lendemain après-midi, elle revêtit sa plus jolie robe et coiffa son plus beau chapeau. Tous deux étaient plutôt décrépits. À l'exception de Faith et d'Una, toutes les fillettes du Glen avaient reçu des vêtements neufs, cet été-là. Mary Vance avait une adorable robe blanche en baptiste brodée, ornée d'un ceinturon et de boucles d'épaules de soie rubis. Mais ce jour-là, Una n'accordait pas d'importance à son accoutrement. Elle voulait seulement être impeccable. Elle se lava consciencieusement le visage, brossa ses cheveux noirs jusqu'à ce qu'ils fussent doux comme du satin, attacha soigneusement ses lacets après avoir reprisé deux mailles dans sa seule paire de bonnes chaussettes. Elle aurait aimé cirer ses chaussures mais ne put mettre la main sur le cirage. Elle se glissa enfin hors du presbytère, descendit dans la vallée Arc-en-ciel, traversa les bois chuchotants et emprunta le chemin qui menait à la maison sur la colline. C'était une assez longue marche et Una était en nage quand elle arriva là-bas.

Elle aperçut Rosemary West assise sous un arbre dans le jardin et se dirigea vers elle en longeant les plates-bandes de dahlias. Rosemary avait un livre sur les genoux, mais elle regardait loin devant elle, vers le port, et ses pensées n'étaient pas des plus réjouissantes. La vie n'avait pas été très agréable dans la maison sur la colline ces derniers temps. Ellen n'avait pas boudé, elle s'était montrée chic. Mais même quand les choses sont tues, elles peuvent être senties et il arrive que le silence entre deux personnes soit très éloquent. Toutes les choses familières qui avaient déjà rendu la vie douce avaient à présent un goût amer. Norman Douglas faisait de fréquentes irruptions pour essayer de convaincre Ellen. Rosemary pensait qu'il finirait par enlever Ellen un jour et elle se disait qu'elle serait plutôt soulagée quand cela se produirait. Son existence deviendrait alors horriblement solitaire, mais au moins, elle ne serait plus chargée de dynamite.

Un timide coup sur son épaule la tira de sa désagréable rêverie. Se tournant, elle vit Una Meredith.

«Juste ciel, Una, tu as marché jusqu'ici par cette chaleur?»

«Oui, répondit Una. Je suis venue pour... je suis venue pour...»

Mais elle trouva très difficile d'expliquer ce pourquoi elle était venue. La voix lui manqua, ses yeux se remplirent de larmes.

«Mon Dieu, Una, ma petite, quel est le problème? N'aie pas peur de me le dire.»

Rosemary entoura de son bras la petite forme mince et attira l'enfant près d'elle. Ses yeux étaient très beaux et son contact si tendre qu'Una reprit courage.

«Je suis venue... vous demander... d'épouser papa», bafouilla-t-elle.

Rosemary resta silencieuse un moment, complètement abasourdie. Bouche bée, elle regarda fixement Una.

«Oh! Ne vous fâchez pas, je vous en prie, chère Mlle West, supplia Una. Voyez-vous, tout le monde prétend que c'est à cause de nous que vous ne voulez pas épouser papa.

Cela le rend très malheureux. Alors j'ai pensé venir vous expliquer que nous ne le faisons pas exprès pour être vilains. Et si vous acceptez d'épouser papa, nous nous efforcerons d'être de bons enfants et de vous obéir. Je suis certaine que vous n'aurez pas de problèmes avec nous. S'il vous plaît, Mlle West.»

Rosemary avait pensé rapidement. Elle se rendit compte que les racontars avaient induit Una en erreur. Elle devait se montrer parfaitement franche et sincère avec la fillette.

«Una, ma chérie, commença-t-elle doucement. Ce n'est pas à cause de vous, mes pauvres petits, que je ne peux pas être la femme de ton père. Jamais une telle chose ne m'est passée par l'esprit. Vous n'êtes pas méchants, je n'ai jamais pensé que vous l'étiez. Il y avait une autre raison, Una.»

«Vous n'aimez pas papa? demanda Una, les yeux pleins de reproche. Oh! Mlle West, vous ne savez pas combien il est gentil. Je suis sûre qu'il vous ferait un bon mari.»

Même aux prises avec sa perplexité et sa détresse, Rosemary ne put s'empêcher d'esquisser un petit sourire de travers.

«Oh! Ne riez pas, Mlle West, s'écria Una avec véhémence. Papa souffre vraiment beaucoup.»

«Je crois que tu te trompes, ma chérie», répondit Rosemary.

«Non, je suis sûre que non. Oh! Mlle West, papa devait fouetter Carl hier, parce qu'il avait été vilain. Mais il n'en a pas été capable, parce qu'il n'a pas l'habitude de fouetter. Alors quand Carl est venu nous dire combien papa était malheureux, je suis allée dans son bureau pour voir si je pouvais l'aider, il aime ça quand je le console, Mlle West. Il ne m'a pas entendue entrer et moi, j'ai entendu ce qu'il disait. Je vais vous le répéter, Mlle West, si vous me laissez le chuchoter dans votre oreille.»

Una chuchota loyalement. Le visage de Rosemary s'empourpra. Ainsi, John Meredith l'aimait toujours. Il n'avait pas changé d'idée. Et s'il avait vraiment prononcé ces paroles, il devait l'aimer intensément, l'aimer plus qu'elle ne l'avait jamais supposé. Elle resta quelque temps immobile, caressant les cheveux d'Una. Puis elle dit:

«Veux-tu apporter à ton père une petite lettre de moi, Una?»

«Oh! Vous allez l'épouser, Mlle West?» s'écria Una.

«Peut-être, s'il le veut vraiment», répondit Rosemary, rougissant une fois de plus.

«Je suis contente... je suis contente», fit courageusement Una. Puis elle leva les yeux vers elle, les lèvres tremblantes. «Oh! Mlle West, vous ne monterez pas notre père contre nous, vous ne le ferez pas nous haïr, n'est-ce pas?» fit-elle d'un ton suppliant.

Rosemary la dévisagea.

«Una Meredith! Me crois-tu capable d'une telle chose? Qu'est-ce qui a bien pu te mettre une pareille idée dans la tête?»

«C'est Mary Vance qui a dit que les belles-mères étaient comme ça, qu'elles détestent leurs beaux-enfants et s'arrangent pour que les pères les détestent aussi. Elle dit qu'elles ne peuvent tout simplement s'en empêcher, c'est juste le fait de devenir belles-mères qui les rend comme ça.»

«Ma pauvre petite! Et tu es quand même venue me demander d'épouser ton père parce que tu voulais le rendre heureux? Tu es un amour, une héroïne, tu es chic, comme dirait Ellen. À présent, écoute-moi bien, ma chérie. Mary Vance est une petite idiote qui ne sait pas grand-chose et qui se trompe terriblement à propos de certaines choses. Il ne me viendrait jamais à l'esprit de monter votre père contre vous. Je ne veux pas prendre la place de votre mère, il faut qu'elle soit toujours dans vos cœurs. Et je n'ai pas l'intention non plus de devenir une belle-mère. Pour vous, je veux être une amie, un guide, une copine. Tu ne penses pas que ce serait bien, Una, si toi, Jerry, Carl et Faith me considériez simplement comme une camarade sympathique, une grande sœur?»

«Oh! Ce serait merveilleux», s'exclama Una, le visage transfiguré. Elle jeta impulsivement les bras autour du cou de

Rosemary. Elle se sentait si heureuse qu'elle avait l'impression d'avoir des ailes.

«Est-ce que les autres, est-ce que Faith et les garçons pensent la même chose des belles-mères que toi?»

«Non. Faith n'a jamais cru Mary Vance. Il faut admettre que c'était complètement stupide de ma part de la croire. Faith vous aime déjà; elle vous aime depuis que le pauvre Adam a été mangé. Et Carl et Jerry vont trouver que c'est sympathique. Oh! Mlle West, quand vous viendrez vivre à la maison, allez-vous, pourriez-vous... m'enseigner à cuisiner... un peu... et à coudre... et à faire des choses? Je ne connais rien. Je ne vous ennuierai pas, je vais essayer d'apprendre vite.»

«Je vais t'aider et t'enseigner tout ce que je pourrai, ma chérie. À présent, promets-moi de ne parler de cela à personne, pas même à Faith, jusqu'à ce que ton père lui-même ne t'autorise à le faire. Et tu vas rester prendre le thé avec moi.»

«Oh! je vous remercie, mais... mais je crois que je préférerais porter tout de suite la lettre à papa, bredouilla Una. Comme ça, il sera content plus tôt, Mlle West.»

«Je comprends», dit Rosemary. Elle entra dans la maison, écrivit quelques mots et remit la lettre à Una. Quand la petite demoiselle fut partie, Rosemary alla voir Ellen qui écossait des pois dans le porche arrière.

«Ellen, commença-t-elle, Una Meredith vient de venir me demander d'épouser son père.»

Ellen leva les yeux et scruta le visage de sa sœur.

«Et tu vas le faire?» demanda-t-elle.

«Très probablement.»

Ellen continua à écosser des petits pois quelques minutes. Puis elle se couvrit tout à coup le visage de sa main. Il y avait des larmes dans ses yeux noirs.

«Je... j'espère que nous serons tous heureux», dit-elle entre le rire et les larmes.

Arrivée au presbytère, Una Meredith, fébrile, rose et triomphante, entra tout de go dans le bureau de son père et déposa la lettre sur le pupitre devant lui. Le visage blême de celui-ci rougit quand il vit la fine et claire écriture qu'il connaissait si bien. Il ouvrit l'enveloppe. La lettre était très brève, mais il rajeunit de vingt ans en la lisant. Rosemary lui donnait rendez-vous, le soir même, au coucher du soleil, à la source de la vallée Arc-en-ciel.

35

«Que vienne le Joueur de pipeau»

«Et alors, dit Mlle Cornelia, le double mariage va se faire un jour au milieu du mois.»

C'était un soir du début de septembre, et comme l'air était un peu frais, Anne avait allumé un feu de bois d'épave dans le grand salon et elle baignait avec Mlle Cornelia dans sa lumière enchantée.

«C'est vraiment merveilleux, surtout en ce qui concerne M. Meredith et Rosemary, répondit Anne. Quand j'y songe, je suis aussi heureuse qu'à mon propre mariage. Je me sentais exactement comme une jeune mariée hier soir quand je suis allée sur la colline voir le trousseau de Rosemary.»

«On m'a dit qu'elle avait des choses dignes d'une princesse, fit Susan qui était dans un coin sombre en train de dorloter son garçon brun. Comme j'ai moi aussi été invitée à les voir, j'ai l'intention d'y aller un bon soir. D'après ce que j'ai compris, Rosemary va porter une robe de soie blanche et un voile alors qu'Ellen va se marier en bleu marine. C'est raisonnable de sa part, pas de doute, chère Mme Docteur, mais quant à moi, j'ai toujours eu l'impression que si jamais je me mariais, je préférerais la robe blanche et le voile; comme ça, on a plus l'air d'une vraie mariée.»

Une vision de Susan en mariée vêtue de blanc se présenta d'elle-même à Anne qui eut peine à s'empêcher d'éclater de rire.

«Quant à M. Meredith, reprit Mlle Cornelia, il est devenu un homme différent depuis ses fiançailles. Il est beaucoup moins rêveur et distrait, croyez-moi. J'ai été tellement soulagée en apprenant qu'il avait décidé de fermer le presbytère et d'envoyer les enfants en visite pendant son voyage de noces. S'il les avait laissés là tout seuls avec la vieille tante Martha, j'aurais eu peur de m'éveiller tous les matins en découvrant la maison incendiée.»

«Tante Martha et Jerry vont venir ici, dit Anne. Carl va habiter chez le marguillier Clow. J'ignore où vont les filles.»

«Oh! C'est moi qui les prends, répondit Mlle Cornelia. J'étais contente de le faire, évidemment, mais Mary ne m'aurait pas laissé de répit tant que je ne le leur aurais pas proposé. Les Dames patronnesses vont nettoyer le presbytère de la cave au grenier avant le retour des mariés, et Norman Douglas s'est engagé à remplir la cave de légumes. Personne n'a jamais vu Norman Douglas comme il est ces jours-ci, vous pouvez me croire. Il est si émoustillé de penser qu'il va épouser Ellen West après l'avoir voulu toute sa vie. Si j'étais Ellen... mais je ne le suis pas, et si elle est satisfaite, je peux bien l'être aussi. Je me souviens de l'avoir entendue dire, il y a des années, quand elle allait encore à l'école, qu'elle ne voulait pas d'un pantin docile comme mari. Il n'y a rien de soumis en Norman, c'est moi qui vous le dis.»

Le soleil se couchait sur la vallée Arc-en-ciel. L'étang était magnifiquement revêtu de violet et d'or, de vert et de pourpre. Une délicate brume bleutée nimbait la colline à l'est au-dessus de laquelle une grande et pâle pleine lune flottait comme une bulle d'argent.

Tout le monde était installé dans le petit vallon ouvert: Faith et Una, Jerry et Carl, Jem et Walter, Nan et Di, et Mary Vance. Ils avaient eu une célébration spéciale, car ce serait la dernière soirée de Jem à la vallée Arc-en-ciel. Le lendemain, il s'en irait à Charlottetown pour étudier à l'Académie Queen's. Leur cercle enchanté serait brisé; c'est pourquoi, en dépit de la gaîté de leur petite fête, une légère tristesse assombrissait leurs jeunes cœurs.

«Regardez, il y a un grand palais doré dans le soleil couchant, dit Walter en pointant du doigt. Voyez les tours qui luisent et les bannières écarlates qui flottent au vent. Peut-être qu'un conquérant rentre chez lui après le combat et qu'on les a hissées pour lui rendre hommage.»

«Oh! Je voudrais tellement que ce soit comme autrefois, s'exclama Jem. J'aimerais être un soldat, un grand général triomphant. Je donnerais tout au monde pour voir une vraie bataille.»

Eh bien, Jem deviendrait effectivement soldat et il verrait la plus grande bataille que le monde eût jamais connue; mais c'était encore loin dans le futur; et la mère dont il était le fils premier-né avait coutume de regarder ses fils et de remercier le ciel que ces temps passés qui faisaient tant rêver Jem fussent révolus et que jamais les fils du Canada n'auraient à aller combattre «pour les cendres de leurs ancêtres et les temples de leurs dieux».

L'ombre du grand conflit n'avait pas encore fait tomber de signe avant-coureur de son souffle glacial. Les garçons qui allaient combattre, et peut-être tomber, sur les champs de France et des Flandres, de Gallipoli et de Palestine, étaient encore des écoliers polissons avec, devant eux, la perspective d'une vie agréable; les filles dont le cœur allait être déchiré étaient encore de petites demoiselles auréolées d'espoirs et de rêves.

Lentement, les bannières de la cité du soleil couchant perdirent leurs teintes vermeilles et dorées; lentement, le grand spectacle du conquérant s'estompa. Le crépuscule envahit la vallée et le petit groupe devint silencieux. Walter avait, encore ce jour-là, lu des passages dans son bien-aimé livre de mythes et il se rappela comme il avait déjà imaginé le Joueur de pipeau surgissant dans la vallée un soir identique à celui-ci.

Il se mit à rêver tout haut, en partie parce qu'il voulait provoquer l'émoi de ses compagnons, mais aussi parce que quelque chose hors de lui semblait s'exprimer par sa bouche.

«Le Joueur de pipeau s'approche, commença-t-il, il est

plus près que le soir où je l'ai vu la première fois. Son long manteau sombre flotte autour de lui. Il joue, il joue, et nous devons le suivre, Jem, Carl, Jerry et moi, nous devons le suivre partout autour de la terre. Écoutez, écoutez, vous n'entendez pas sa musique folle?»

Les filles frissonnèrent.

«Tu sais que tu fais semblant, dit Mary Vance, et j'aimerais que tu arrêtes. Tes paroles sont trop réelles. Je déteste ton vieux Joueur de pipeau.»

Mais Jem bondit en riant gaîment. Il se tint debout sur un tertre, élancé et superbe, le front ouvert et les yeux sans peur. Il y en avait des milliers comme lui au pays de l'érable.

«Que le Joueur de pipeau vienne et soit le bienvenu, criat-il en agitant la main. C'est avec plaisir que je le suivrai partout autour de la terre.»

FIN

Ce livre est imprimé sur
du papier contenant plus
de 50% de papier recyclé
dont 5% de fibres recyclées.

Achevé   Imprimerie
d'imprimer Gagné Ltée
au Canada Louiseville